Eine großartige neue Erzählungssammlung von Alice Munro, einer der bedeutendsten Autorinnen der Gegenwart. *Himmel und Hölle*: neun Geschichten, scheinbar alltäglich-harmlos wie ein Kinderspiel und doch von beklemmender Abgründigkeit.

Immer sind es Verstrickungen des Gefühls, die seltsamen, oft komischen Sehnsüchte des menschlichen Herzens und die leisen Katastrophen, die Munro mit ihrem feinen Gehör für zwischenmenschliche Mißtöne aufspürt. Und fast immer sind es die Leben von Frauen, die, wie in einem Vexierspiegel verschiedenen Blickwinkeln ausgesetzt, in den widersprüchlichen Möglichkeiten ihres Schicksals erkundet werden – wie in der Geschichte mit dem vielsagenden Titel *Hasst er mich, mag er mich, liebt er mich, Hochzeit* von dem seltsamen Schicksal einer ältlichen Hausangestellten, die, von zwei biestigen Teenagern auf fatale Weise in die Irre geschickt, dank ihrer Willenskraft ihrem verkümmerten Dasein eine höchst überraschende Wendung zu geben vermag.

»Jede Erzählung übt einen unentrinnbaren Sog aus, vordergründig so still, daß man seine Kraft kaum spürt. Bis man darin gefangen ist – die schönste Form der Gefangenschaft, die ein Leser sich wünschen kann.« (Jutta Duhm-Heitzmann)

Alice Munro, die 1931 in Ontario geboren ist, gehört zu den wichtigsten Autorinnen der zeitgenössischen Literatur und gilt seit Jahren als Kandidatin für den Nobelpreis. Mit ihrem umfangreichen erzählerischen Werk – sie hat elf Erzählungsbände und einen Roman veröffentlicht – ist sie Bestsellerautorin in ihrem Heimatland Kanada und der gesamten angelsächsischen Welt. Munro wurde mit zahlreichen Preisen ausgezeichnet, darunter für *Die Liebe einer Frau* (Fischer Taschenbuch Band 15708) mit dem Book Critics Circle Award und dem Giller Prize. Alice Munro lebt in Ontario und in British Columbia. Zuletzt erschien von ihr bei S. Fischer der Erzählungsband *Tricks*.

Unsere Adresse im Internet: www.fischerverlage.de

Alice Munro

HIMMEL UND HÖLLE

Neun Erzählungen

Aus dem Englischen von
Heidi Zerning

Fischer Taschenbuch Verlag

Die Übersetzung wurde vom *Canada Council for the Arts* und dem
Canadian Department of Foreign Affairs and International Trade gefördert.

Veröffentlicht im Fischer Taschenbuch Verlag,
einem Unternehmen der S. Fischer Verlag GmbH,
Frankfurt am Main, September 2006

Satz: H & G Herstellung, Hamburg
Druck und Bindung: Clausen & Bosse, Leck
Printed in Germany
ISBN-13: 978-3-596-15707-5
ISBN-10: 3-596-15707-2

Für Sarah Skinner mit Dank

Inhalt

Hasst er mich, mag er mich, liebt er mich, Hochzeit

Vor Jahren, als die Züge noch auf vielen Nebenstrecken verkehrten, betrat eine Frau mit hoher, sommersprossiger Stirn und rötlichem Kraushaar den Bahnhof und erkundigte sich nach dem Versand von Möbeln.

Der Stationsvorsteher liebte es, mit Frauen seine Späßchen zu machen, insbesondere mit den unscheinbaren, denen das auch zu gefallen schien.

»Möbel?«, sagte er, als wäre noch nie jemand auf eine derartige Idee verfallen. »Tja. Na. Um was für Möbel geht's denn?«

Ein Esszimmertisch und sechs Stühle. Eine komplette Schlafzimmereinrichtung, ein Sofa, ein Couchtisch, Beistelltische, eine Stehlampe. Außerdem eine Vitrine und ein Büfett.

»Halt mal stopp. Sie meinen, ein Haus voll.«

»So viel dürfte es kaum sein«, sagte sie. »Es sind keine Küchensachen dabei, und es reicht nur für ein Schlafzimmer.«

Ihre Zähne drängten sich in ihrem Mund vor, als machten sie sich auf einen Streit gefasst.

»Sie brauchen einen Möbelwagen.«

»Nein. Ich will sie mit der Bahn aufgeben. Sie sollen in den Westen, nach Saskatchewan.«

Sie sprach laut, als wäre er taub oder blöde, und etwas an ihrer Aussprache stimmte nicht. Eine Einfärbung. Er dachte an Holländisch – die Holländer zogen jetzt in die Gegend –, aber sie war nicht so drall wie die holländischen Frauen und hatte auch nicht deren hübsche rosa Haut und deren blondes Haar. Sie mochte noch keine vierzig sein, aber was half das? Sie war eben keine Schönheit.

Er wurde dienstlich.

»Erst einmal brauchen Sie einen Lastwagen, um sie von da, wo sie jetzt sind, hierher zu bringen. Und wir wollen mal schauen, ob es ein Ort in Saskatchewan ist, der an der Bahnstrecke liegt. Sonst müssen Sie dafür sorgen, dass sie abgeholt werden. Beispielsweise in Regina.«

»Es ist Gdynia«, sagte sie. »Das liegt an der Bahnstrecke.«

Er holte ein speckiges Kursbuch herunter, das an einem Nagel hing, und fragte sie, wie man das buchstabiere. Sie nahm sich den Bleistift, der auch an einer Schnur befestigt war, und schrieb auf einen Zettel aus ihrer Handtasche: GDYNIA.

»Aus welchem Land kommt das denn?«

Sie sagte, das wisse sie nicht.

Er griff sich den Bleistift, um die Zeilen im Kursbuch durchzugehen.

»Da gibt's ja viel, wo nur Tschechen sind oder Ungarn oder Ukrainer«, sagte er. Im selben Moment fiel ihm ein, dass sie zu denen oder jenen gehören konnte. Aber schließlich sprach er nur die Wahrheit.

»Da haben wir's, stimmt, es liegt an der Strecke.«

»Ja«, sagte sie. »Ich möchte die Möbel am Freitag aufgeben – lässt sich das machen?«

»Wir können sie dann verladen, aber ich kann Ihnen nicht mit Bestimmtheit sagen, an welchem Tag sie ankommen«, sagte er. »Das hängt davon ab, welcher Zug Vorrang hat. Ist jemand da, um sie in Empfang zu nehmen, wenn sie eintreffen?«

»Ja.«

»Am Freitag geht ein gemischter Zug, um vierzehn Uhr achtzehn. Der Lastwagen kann die Sachen Freitag früh abholen. Wohnen Sie hier in der Stadt?«

Sie nickte und schrieb die Adresse auf. Exhibition Road 106.

Die Häuser in der Stadt waren erst vor kurzem nummeriert worden, und er konnte sich von dem angegebenen Ort kein Bild machen, obwohl er wusste, wo die Exhibition Road lag. Wenn sie zu dem Zeitpunkt den Namen McCauley genannt hätte, wäre sein Interesse vielleicht größer gewesen, und die Dinge hätten unter Umständen einen ganz anderen Lauf genommen. Da draußen standen neue Häuser, nach dem Krieg erbaut, obwohl sie »Kriegshäuser« genannt wurden. Er nahm an, dass es eines von denen war.

»Bezahlen Sie, wenn Sie die Sachen aufgeben«, sagte er.

»Außerdem möchte ich eine Fahrkarte für mich für denselben Zug. Freitagnachmittag.«

»Zum selben Fahrtziel?«

»Ja.«

»Sie können im selben Zug bis Toronto fahren, aber dann müssen Sie auf den Transcontinental warten, Abfahrt zweiundzwanzig Uhr dreißig. Möchten Sie Schlafwagen oder zweiter Klasse? Im Schlafwagen haben Sie ein Bett, zweiter Klasse sitzen Sie im Personenwagen.«

Sie wollte einen Sitzplatz.

»In Sudbury warten Sie auf den Zug von Montreal, aber Sie steigen da nicht aus, Sie werden abgekoppelt und an den Montreal-Zug angehängt. Dann weiter nach Port Arthur und dann nach Kenora. Sie bleiben im Zug bis Regina, und da müssen Sie aussteigen und die Regionalbahn nehmen.«

Sie nickte, als sollte er sich beeilen und ihr endlich die Fahrkarte geben.

Er ließ sich Zeit und sagte: »Aber ich kann Ihnen nicht versprechen, dass Ihre Möbel zur selben Zeit ankommen wie Sie, die werden wohl erst ein oder zwei Tage später eintreffen. Das hat mit dem Vorrang zu tun. Werden Sie abgeholt?«

»Ja.«

»Gut. Denn wahrscheinlich ist da kaum so was wie ein Bahnhof. Die Städte da draußen, die sind nicht wie hier. Das sind meistens ziemlich primitive Nester.«

Sie bezahlte nun ihre Fahrkarte, von einer Rolle Geldscheine aus einem Stoffbeutel in ihrer Handtasche. Wie eine alte Dame. Sie zählte auch ihr Wechselgeld nach. Aber nicht, wie eine alte Dame es zählen würde – sie hielt es in der Hand, ihre Augen huschten rasch darüber hin, und trotzdem, das merkte man, registrierte sie jeden Penny. Dann kehrte sie sich unhöflich ab, ging grußlos.

»Also bis Freitag«, rief er ihr nach.

Sie trug an diesem warmen Septembertag einen langen, graubraunen Wollmantel, dazu derbe Schnürschuhe und Söckchen.

Er goss sich gerade Kaffee aus seiner Thermosflasche ein, als sie zurückkam und ans Schalterfenster klopfte.

»Die Möbel, die ich verschicke«, sagte sie. »Das sind alles wertvolle Stücke, so gut wie neu. Ich will nicht, dass sie verkratzt oder angeschlagen oder sonst wie beschädigt werden. Ich will auch nicht, dass sie anschließend nach Vieh stinken.«

»Ach, wissen Sie«, sagte er. »Die Eisenbahn ist ganz gut darauf eingestellt, alles Mögliche zu transportieren. Und wir benutzen auch nicht dieselben Güterwagen für Möbel wie für Schweine.«

»Es ist mir nur darum zu tun, dass die Sachen so einwandfrei ankommen, wie sie hier abgehen.«

»Tja, ich sage mal, wenn Sie sich Möbel kaufen, dann stehen die im Geschäft, stimmt's? Aber haben Sie je darüber nachgedacht, wie die dahin gekommen sind? Die sind nicht in dem Geschäft angefertigt worden, oder? Nein. Die sind irgendwo in einer Fabrik angefertigt worden und in das Geschäft transportiert worden, und das höchstwahrscheinlich mit dem Zug. Da dem so ist, leuchtet es doch wohl ein, dass die Eisenbahn weiß, wie sie damit umzugehen hat?«

Sie sah ihn immer noch an, ohne ein Lächeln oder irgendein Eingeständnis ihrer weiblichen Unvernunft.

»Das hoffe ich«, sagte sie. »Das will ich sehr hoffen.«

Der Stationsvorsteher hätte, ohne darüber nachzudenken, gesagt, dass er alle in der Stadt kannte. Was hieß, dass er ungefähr die Hälfte kannte. Und die meisten von denen, die er kannte, waren Alteingesessene, »richtige« Städter in dem Sinne, dass sie nicht erst gestern angekommen waren und keine Pläne hatten weiterzuziehen. Die Frau, die nach Saskatchewan wollte, kannte er nicht, weil sie weder in seine Kirche ging noch in der Schule seine Kinder unterrichtete, noch in irgendeinem Geschäft oder Restaurant oder Büro arbeitete, das er aufsuchte. Sie war auch nicht mit irgendeinem der Männer im Elks oder Oddfellows oder Lions Club oder im Veteranenverein verheiratet. Ein Blick auf ihre linke Hand, als sie das Geld hervorholte, hatte ihm verraten – und ihn nicht überrascht –, dass sie unverheiratet war. Mit den Schuhen und mit Söckchen anstelle von Strümpfen und am Nachmittag ohne Hut und Handschuhe hätte sie eine Farmersfrau sein können. Aber sie hatte nicht das Zögernde, das die im Allgemeinen an sich hatten, die Verlegenheit. Sie hatte keine ländlichen Manieren – sie besaß überhaupt keine Manieren. Sie hatte ihn behandelt, als wäre er ein Auskunftsautomat. Außerdem hatte sie eine Stadtadresse aufgeschrieben – Exhibition Road. Eigentlich erinnerte sie ihn an eine Nonne in Zivil, die er im Fernsehen gesehen hatte und die von ihrer Missionsarbeit irgendwo im Urwald berichtete – wahrscheinlich hatte sie ihre Nonnentracht abgelegt, damit sie da leichter herumklettern konnte. Diese Nonne hatte hin und wieder mal gelächelt, um zu zeigen, dass ihr Glaube die Menschen glücklich machte, aber die meiste Zeit hatte sie ihr Publikum angeblickt, als glaubte sie, dass andere Menschen hauptsächlich auf der Welt waren, um von ihr herumkommandiert zu werden.

* * *

Johanna hatte sich noch etwas vorgenommen und immer wieder hinausgeschoben. Sie musste in das Modengeschäft Milady's und sich etwas zum Anziehen kaufen. Sie hatte dieses Geschäft noch nie betreten – wenn sie etwa Socken kaufen musste, ging sie zu Callaghans Herren-, Damen- und Kinderkleidung. Sie hatte viele Sachen von Mrs Willets geerbt, Sachen wie diesen Mantel, der unverwüstlich war. Und Sabitha – das Mädchen, für das sie in Mr McCauleys Haus sorgte – wurde von ihren Kusinen mit teuren abgelegten Kleidern überschüttet.

In der Auslage vom Milady's standen zwei Schaufensterpuppen in Kostümen mit ziemlich kurzem Rock und kastenförmiger Jacke. Ein Kostüm hatte die Farbe von rostigem Gold, das andere war grün, ein weiches Dunkelgrün. Große grelle Ahornblätter aus Papier lagen um die Füße der Puppen verstreut und pappten hier und da an der Scheibe. Zu einer Jahreszeit, in der die meisten Menschen bemüht waren, die Blätter zusammenzuharken und zu verbrennen, waren sie hier der Clou. Ein Schild mit schwarzer Schreibschrift klebte diagonal auf dem Glas. Darauf stand: *Schlichte Eleganz, die Mode für den Herbst.*

Sie machte die Tür auf und ging hinein.

Direkt vor ihr zeigte ein Standspiegel sie in Mrs Willets' gutem, aber unförmigem langen Mantel, mit ein paar Zentimetern stämmiger, bloßer Beine über den Söckchen.

Das machten die Ladenbesitzer natürlich mit Absicht. Sie stellten den Spiegel da hin, damit man gleich eine Vorstellung von seinen Mängeln bekam und sofort – so hofften sie – daraus den Schluss zog, dass man etwas kaufen musste, um das Bild zu verändern. Ein so durchsichtiger Trick, dass er sie veranlasst hätte, auf dem Absatz kehrtzumachen, wenn sie nicht mit einem festen Ziel hereingekommen wäre und gewusst hätte, was sie brauchte.

Entlang einer Wand war eine Stange mit Abendkleidern, alle passend für Ballköniginnen mit ihrem Tüll und Taft, ihren träumerischen Farben. Und dahinter, in einer Vitrine, damit profane Finger sie nicht berühren konnten, ein halbes Dutzend Hochzeitskleider, rein weißer Schaum oder vanillegelber Satin oder elfenbeinfarbene Spitze, bestickt mit silbrigen Perlen oder mit Staubperlen. Winzige Oberteile, langettierte Ausschnitte, verschwenderische Röcke. Auch als sie noch jünger war, wäre eine solche Extravaganz nie in Betracht gekommen, nicht nur wegen des Geldes, sondern auch wegen der Erwartungen, der unsinnigen Hoffnung auf Verwandlung und Seligkeit.

Es dauerte zwei oder drei Minuten, bis jemand kam. Vielleicht hatten sie ein Guckloch und musterten sie, meinten, sie sei nicht ihre Art von Kundin, und hofften, sie würde wieder gehen.

Das tat sie nicht. Sie ging an ihrem Spiegelbild vorbei – vom Linoleum an der Tür auf einen weichen Teppich –, und endlich öffnete sich der Vorhang am Ende des Ladens und Milady persönlich trat hervor, in einem schwarzen Kostüm mit Glitzerknöpfen. Stöckelschuhe, schlanke Fesseln, der Hüftgürtel so eng, dass ihre Nylons schabten, goldenes Haar straff zurückgekämmt von ihrem geschminkten Gesicht.

»Ich würde gern das Kostüm im Schaufenster anprobieren«, sagte Johanna mit einstudiertem Tonfall. »Das grüne.«

»Ach, das ist ein reizendes Kostüm«, sagte die Frau. »Das im Schaufenster ist zufällig eine Achtunddreißig. Sie sehen eher aus wie – vielleicht eine Zweiundvierzig?«

Sie schabte voran in den hinteren Teil des Ladens, wo die gewöhnlichen Sachen hingen, die Kostüme und Kleider für den Tag.

»Sie haben Glück. Da ist die Zweiundvierzig.«

Als Erstes sah Johanna auf das Preisschild. Mehr als doppelt so viel, wie sie erwartet hatte, und sie dachte nicht daran, das zu verbergen.

»Es ist reichlich teuer.«

»Es ist sehr feine Wolle.« Die Frau suchte herum, bis sie das Etikett fand, dann las sie eine Materialbeschreibung vor, der Johanna nicht richtig zuhörte, weil sie sich den Saum vorgenommen hatte, um die Verarbeitung zu prüfen.

»Es fühlt sich leicht wie Seide an, aber es trägt sich wie aus Eisen. Wie Sie sehen, ist es ganz gefüttert, ein hübsches Seide-mit-Kunstseide-Futter. Sie werden feststellen, dass es sich nicht aussitzt oder die Form verliert wie die billigen Kostüme. Sehen Sie den Samt an den Ärmelaufschlägen und am Kragen und die Samtknöpfchen an den Ärmeln.«

»Ich seh sie.«

»Das sind die Feinheiten, für die Sie bezahlen, die sind anders einfach nicht zu bekommen. Ich liebe diese Samtbesätze. Die sind übrigens nur am grünen – das aprikosenfarbene hat sie nicht, obwohl der Preis genau derselbe ist.«

Es war tatsächlich der Samt auf dem Kragen und an den Ärmeln, der dem Kostüm in Johannas Augen diesen dezenten Hauch von Luxus verlieh und sie zum Kauf reizte. Aber sie dachte nicht daran, das zu sagen.

»Ich kann es ja mal anprobieren.«

Darauf hatte sie sich schließlich vorbereitet. Saubere Unterwäsche und frischer Körperpuder unter den Achseln.

Die Frau besaß genug Takt, sie in der hellen Kabine allein zu lassen. Johanna mied den Spiegel wie Gift, bis sie den Rock zurechtgezogen und die Jacke zugeknöpft hatte.

Anfangs betrachtete sie nur das Kostüm. Es war gut. Es passte gut – der Rock ungewohnt kurz, aber an der ungewohnten Machart lag es nicht. Das Problem war nicht das Kostüm, sondern das, was daraus hervorschaute. Ihr Hals und ihr Gesicht und ihre Haare und ihre großen Hände und ihre dicken Beine.

»Wie kommen Sie zurecht? Darf ich mal schauen?«

Schauen Sie, so viel Sie wollen, dachte Johanna, aus grober Wolle wird nie ein feines Tuch, das werden Sie gleich sehen.

Die Frau betrachtete sie erst von einer Seite, dann von der anderen.

»Dazu brauchen Sie natürlich Ihre Nylons und Ihre hohen Absätze. Wie fühlt es sich an? Bequem?«

»Das Kostüm fühlt sich gut an«, sagte Johanna. »An dem Kostüm ist nichts auszusetzen.«

Das Gesicht der Frau veränderte sich im Spiegel. Sie hörte auf zu lächeln. Sie sah enttäuscht und müde aus, aber freundlicher.

»Manchmal ist das eben so. Man merkt es erst, wenn man etwas anprobiert. Der Haken ist«, sagte sie, wobei in ihrer Stimme neue, wenn auch gemäßigtere Überzeugung aufklang, »der Haken ist, Sie haben eine gute Figur, aber eine kräftige Figur. Sie sind grobknochig, na und? Zierliche Samtknöpfchen sind nichts für Sie. Quälen Sie sich nicht mehr damit. Ziehen Sie es einfach aus.«

Dann, als Johanna wieder in ihrer Unterwäsche dastand, pochte es, und eine Hand reichte durch den Vorhang.

»Ziehen Sie das mal über, einfach so.«

Ein braunes Wollkleid, gefüttert, mit hübsch gerafftem Glockenrock, Dreiviertelärmeln und schlichtem runden Ausschnitt. Schlichter ging es nicht, bis auf den schmalen goldenen Gürtel. Nicht so teuer wie das Kostüm, dennoch ein stolzer Preis, wenn man bedachte, dass so gut wie nichts dran war.

Wenigstens hatte der Rock eine schicklichere Länge, und der Stoff wirbelte elegant um ihre Beine. Sie wappnete sich und schaute in den Spiegel.

Diesmal sah sie nicht aus, als wäre sie zum Scherz in dieses Kleidungsstück gesteckt worden.

Die Frau kam und stand neben ihr und lachte, aber vor Erleichterung.

»Es liegt an der Farbe Ihrer Augen. Sie brauchen keinen Samt zu tragen. Sie haben Samtaugen.«

Solchem Schmus wäre Johanna sonst mit Hohn begegnet, in

17

diesem Moment allerdings schien er zu stimmen. Ihre Augen waren nicht groß, und wenn sie nach der Farbe gefragt worden wäre, hätte sie gesagt: »Wohl so ein Braunton.« Aber jetzt sahen sie wirklich dunkelbraun aus, weich und leuchtend.

Nicht, dass ihr plötzlich in den Kopf gekommen wäre, sie sei hübsch oder dergleichen. Nur, dass ihre Augen eine hübsche Farbe hätten, wenn sie ein Stück Stoff wären.

»Ich möchte wetten, dass Sie nicht oft Pumps tragen«, sagte die Frau. »Aber wenn Sie Nylons anhätten und nur ein bisschen Absatz … Und ich wette, Sie tragen auch keinen Schmuck, und Sie haben ganz Recht, das brauchen Sie auch nicht bei dem Gürtel.«

Um das Verkaufsgeschwafel zu beenden, sagte Johanna: »Dann ziehe ich es mal aus, damit Sie es einpacken können.« Sie bedauerte, dass sie das sanfte Gewicht des Rocks und das dezente goldene Band um ihre Taille nicht mehr spürte. Sie hatte noch nie in ihrem Leben dieses komische Gefühl gehabt, von dem, was sie anzog, verschönt zu werden.

»Ich hoffe doch, es ist für einen besonderen Anlass«, rief die Frau, als Johanna rasch in ihre jetzt schäbig wirkenden Alltagssachen schlüpfte.

»Es ist wahrscheinlich das Kleid, in dem ich heiraten werde«, sagte Johanna.

Sie war überrascht, das aus ihrem Mund kommen zu hören. Es war kein schlimmer Fehler – die Frau wusste nicht, wer sie war, und würde wahrscheinlich auch mit niemandem reden, der es wusste. Trotzdem, sie hatte sich vorgenommen, absolutes Stillschweigen zu bewahren. Es war wohl das Gefühl, dieser Person etwas zu schulden – dass sie zusammen die Katastrophe des grünen Kostüms und die Entdeckung des braunen Kleides erlebt hatten und dadurch einander verbunden waren. Was Unsinn war. Diese Frau hatte die Aufgabe, Kleidung zu verkaufen, und das war ihr gerade gelungen.

»Oh!«, rief die Frau aus. »Oh, das ist ja wunderbar.«

Ja, vielleicht, dachte Johanna, aber vielleicht auch nicht. Schließlich konnte sie irgendwen heiraten. Einen armseligen Farmer, der ein Arbeitstier brauchte, oder einen röchelnden alten Halbkrüppel, der eine Pflegerin suchte. Diese Frau hatte keine Ahnung, was für einen Mann sie im Visier hatte, und es ging sie auch nichts an.

»Ich weiß schon, es ist eine Liebesheirat«, sagte die Frau, als hätte sie diese missmutigen Gedanken gelesen. »Darum haben Ihre Augen im Spiegel so geleuchtet. Ich habe es in Seidenpapier eingeschlagen, Sie brauchen es nur herauszunehmen und aufzuhängen, und der Stoff wird wunderbar fallen. Sie können es leicht aufbügeln, wenn Sie wollen, aber wahrscheinlich wird das gar nicht nötig sein.«

Dann musste das Geld die Besitzerin wechseln. Beide gaben vor, nicht hinzuschauen, aber beide schauten hin.

»Das ist es auch wert«, sagte die Frau. »Man heiratet nur einmal im Leben. Na ja, so ganz stimmt das nicht immer …«

»In meinem Fall stimmt es«, sagte Johanna. Ihr Gesicht hatte sich heiß gerötet, denn von Heirat war genau genommen nicht die Rede gewesen. Nicht einmal im letzten Brief. Sie hatte dieser Frau etwas anvertraut, was sie sich erhoffte, und vielleicht brachte das Unglück.

»Wo haben Sie ihn kennen gelernt?«, fragte die Frau, immer noch in diesem Ton sehnsüchtiger Fröhlichkeit. »Wie sind Sie sich zum ersten Mal begegnet?«

»Durch die Familie«, sagte Johanna wahrheitsgemäß. Sie hatte nicht vor, mehr zu sagen, hörte sich aber weiterreden. »Auf dem Volksfest. In London.«

»Auf dem Volksfest«, sagte die Frau. »In London.« Sie hätte genauso gut »auf dem Opernball« sagen können.

»Wir hatten seine Tochter und deren Freundin bei uns«, sagte Johanna und dachte, eigentlich wäre es zutreffender gewesen, zu sagen, dass er und Sabitha und Edith sie, Johanna, bei sich hatten.

»Jedenfalls kann ich sagen, mein Tag war nicht verloren. Ich habe für das Kleid gesorgt, in dem jemand eine glückliche Braut sein wird. Das genügt, um meine Existenz zu rechtfertigen.« Die Frau wickelte ein schmales rosa Band um den Kleiderkarton, knotete eine große, überflüssige Schleife und schnitt mit einem bösen Schnipp ihrer Schere das Ende ab.

»Ich bin den ganzen Tag hier«, sagte sie. »Und manchmal weiß ich gar nicht, was ich hier eigentlich mache. Ich frage mich, was machst du hier eigentlich? Ich dekoriere das Schaufenster neu, ich tue dies, ich tue das, um die Leute anzulocken, aber es vergehen Tage – ganze *Tage* –, da kommt kein Mensch zur Tür herein. Ich weiß – die Leute meinen, diese Kleider sind zu teuer – aber sie sind *gut*. Es sind gute Kleider. Qualität hat eben ihren Preis.«

»Die Leute müssen hereinkommen, wenn sie solche da wollen«, sagte Johanna mit Blick auf die Abendkleider. »Wo sollen sie denn sonst hingehen?«

»Das ist es ja eben. Sie gehen woandershin. Sie fahren in die Stadt – da gehen sie hin. Sie fahren fünfzig Meilen, hundert Meilen, auf das Benzin kommt's ihnen gar nicht an, und sagen sich, auf die Weise kriegen sie was Besseres, als ich hier habe. Dabei gibt's nichts Besseres. Nicht an Qualität, nicht an Auswahl. Nichts. Bloß, weil sie sich genieren würden, zu sagen, sie hätten ihr Hochzeitskleid hier im Ort gekauft. Oder sie kommen herein und probieren etwas an und sagen, sie müssen es sich überlegen. Ich komme wieder, sagen sie. Und ich denke bei mir: Ach, ja, ich weiß, was das heißt. Es heißt, sie werden versuchen, dasselbe billiger in London oder in Kitchener aufzutreiben, und auch wenn's nicht billiger ist, kaufen sie's da, wenn sie erst so weit gefahren sind und keine Lust mehr haben, länger zu suchen.«

»Ich weiß auch nicht«, sagte sie dann. »Vielleicht wäre alles anders, wenn ich von hier wäre. Hier bleiben die Leute sehr unter sich, finde ich. Sie sind wohl nicht von hier?«

»Nein«, sagte Johanna.

»Finden Sie nicht, dass die Leute hier sehr unter sich bleiben? Außenstehende haben es schwer, an sie heranzukommen, meine ich.«

»Ich bin's gewohnt, für mich zu sein«, sagte Johanna.

»Aber Sie haben jemanden gefunden. Sie werden nicht mehr für sich sein, und das ist doch herrlich? An manchen Tagen denke ich, wie schön es wäre, verheiratet zu sein und zu Hause zu bleiben. Ich war natürlich früher verheiratet, aber gearbeitet habe ich trotzdem. Ach, ja. Vielleicht kommt der Mann im Mond hereinspaziert und verliebt sich in mich, und ich habe ausgesorgt!«

Johanna musste sich beeilen – das Bedürfnis der Frau, mit jemandem zu reden, hatte sie aufgehalten. Sie wollte wieder im Haus sein und ihren Einkauf wegpacken, bevor Sabitha aus der Schule kam.

Dann fiel ihr ein, dass Sabitha gar nicht da war, da sie am Wochenende von der Kusine ihrer Mutter, ihrer Tante Roxanne, geholt worden war, um in Toronto wie ein reiches Mädchen zu wohnen und eine Schule für reiche Mädchen zu besuchen. Aber sie ging weiterhin schnell – so schnell, dass ein Klugschwätzer, der sich beim Drugstore herumdrückte, ihr zurief: »Wo brennt's denn?«, worauf sie ein wenig langsamer ging, um nicht aufzufallen.

Der Kleiderkarton war lästig – woher sollte sie auch wissen, dass das Geschäft seine eigenen rosa Kartons hatte, auf denen in violetter Schreibschrift *Milady's* stand? Der verriet sie sofort.

Es war dumm von ihr gewesen, von Hochzeit zu reden, obwohl er nichts dergleichen erwähnt hatte, und daran hätte sie denken müssen. So viel anderes war gesagt – oder geschrieben – worden, von so viel Zuneigung und Sehnsucht war die Rede gewesen, dass es schien, als wäre die Hochzeit selbst nur aus

Versehen nicht zur Sprache gekommen. So, wie man davon spricht, am Morgen aufzustehen, und nicht davon, zu frühstücken, obwohl man es sicherlich vorhat.

Trotzdem hätte sie den Mund halten sollen.

Sie sah Mr McCauley auf der anderen Straßenseite entgegenkommen. Das war nicht weiter schlimm – selbst wenn er direkt auf sie zugegangen wäre, hätte er den Karton bestimmt nicht bemerkt. Er hätte einen Finger an den Hut gelegt und wäre an ihr vorbeigegangen, und vermutlich hätte er sie als seine Haushälterin erkannt, aber vielleicht auch nicht. Er hatte anderes im Kopf, hatte wahrscheinlich eine ganz andere Stadt vor Augen als alle Übrigen. An jedem Arbeitstag – und manchmal versehentlich auch an Feiertagen oder Sonntagen – legte er einen seiner dreiteiligen Anzüge an, seinen Sommer- oder Wintermantel, seinen grauen Filzhut und seine blank geputzten Schuhe und ging von der Exhibition Road zu seinem Büro in der Innenstadt, das er immer noch unterhielt, über einer ehemaligen Sattlerei. Es galt immer noch als Versicherungsagentur, obwohl er schon seit geraumer Zeit keine Versicherungen mehr verkauft hatte. Manchmal stiegen Leute die Treppe hinauf, um ihn aufzusuchen, ihm vielleicht eine Frage über ihre Policen zu stellen oder eher noch über Grundstücksgrenzen, die Geschichte einer Liegenschaft in der Stadt oder einer Farm im Umland. Sein Büro war mit alten und neuen Karten voll gestopft, und er kannte kein größeres Vergnügen, als sie auszubreiten und sich auf eine Erörterung einzulassen, die weit über die gestellte Frage hinausging. Drei- oder viermal am Tag kam er heraus und spazierte die Straße entlang, wie jetzt. Während des Krieges hatte er den McLaughlin-Buick in der Scheune aufgebockt und war überallhin zu Fuß gegangen, um ein Beispiel zu geben. Fünfzehn Jahre später schien er immer noch ein Beispiel geben zu wollen. Die Hände auf dem Rücken verschränkt, wirkte er wie ein freundlicher Grundbesitzer, der sein Eigentum besichtigte, oder wie ein Pfarrer, der beglückt seine Gemeinde betrachtete. Natürlich hatte die Hälfte aller Menschen, denen er begegnete, keine Ahnung, wer er war.

Die Stadt hatte sich verändert, sogar in der Zeit, seit Johanna hier lebte. Der Handel zog hinaus an die Fernstraße, wo ein neuer Discountladen aufgemacht hatte, dazu ein Canadian Tire und ein Motel mit einer Bar und Oben-ohne-Tänzerinnen. Manche Geschäfte in der Innenstadt hatten versucht, sich mit rosa oder lila oder olivgrüner Farbe herauszuputzen, aber diese Farbe blätterte auf den alten Ziegelsteinen bereits ab, und einige standen leer. Dem Milady's drohte nahezu mit Sicherheit dasselbe Schicksal.

Wenn Johanna die Frau da drin gewesen wäre, was hätte sie getan? Vor allem hätte sie nie so viele kostbare Abendkleider hereingenommen. Sondern was? Wenn man sich auf billigere Kleidung umstellte, geriet man unweigerlich in Konkurrenz zu Callaghans und dem Discountladen, und wahrscheinlich reichte die Nachfrage nicht für alle. Wie wäre es dann mit hübschen Babysachen, Kindersachen, um die Großmütter und Tanten zu ködern, die das Geld besaßen und für so etwas ausgeben würden? Die Mütter konnte man abschreiben, denn die würden zu Callaghans gehen, weil sie weniger Geld und mehr Verstand hatten.

Aber wenn sie – Johanna – das Geschäft zu führen hätte, würde es ihr nie gelingen, Kundschaft hereinzulocken. Sie konnte erkennen, was getan werden musste und in welcher Weise, und sie konnte andere dazu anstellen und beaufsichtigen, aber sie konnte beim besten Willen nicht schöntun und umgarnen. Entweder – oder, war ihre Haltung. Entweder Sie kaufen's, oder Sie lassen's. Ohne Zweifel würden die Leute es lassen.

Es kam nur selten vor, dass jemand sich zu ihr hingezogen fühlte, und sie war sich dessen seit langem bewusst. Sabitha hatte jedenfalls keine Tränen vergossen, als sie sich verabschiedete –

obwohl man sagen konnte, dass Johanna für sie einer Mutter noch am nächsten kam, seit Sabithas eigene Mutter gestorben war. Mr McCauley würde außer sich sein, wenn sie ging, denn sie hatte ihre Arbeit ordentlich getan, und es würde nicht leicht sein, sie zu ersetzen, aber das war auch schon alles, was ihm durch den Kopf gehen würde. Er war genauso verwöhnt und ichbezogen wie seine Enkeltochter. Und die Nachbarn, die würden zweifellos jubeln. Johanna hatte auf beiden Seiten des Grundstücks Schwierigkeiten gehabt. Auf der einen Seite war es der Nachbarshund, der in ihrem Garten Löcher buddelte, seinen Vorrat an Knochen vergrub und bei Bedarf herausholte, was er besser zu Hause getan hätte. Und auf der anderen Seite war es der Süßkirschenbaum, der auf Mr McCauleys Grundstück stand, aber die meisten Kirschen an Zweigen trug, die in den Nebengarten hingen. In beiden Fällen hatte sie sich mit den Nachbarn angelegt und gewonnen. Der Hund wurde an die Leine gelegt, und gegenüber ließ man die Kirschen in Ruhe. Wenn sie auf die Leiter stieg, konnte sie gut hinüberlangen, aber die Nachbarn verscheuchten die Vögel nicht mehr aus den Zweigen, und die Ernte fiel deutlich geringer aus.

Mr McCauley hätte die Nachbarn die Kirschen pflücken lassen. Er hätte auch den Hund buddeln lassen. Er hätte sich ausnutzen lassen. Zum Teil, weil es neue Leute waren, die in neuen Häusern wohnten, und so zog er es vor, sie nicht zu beachten. Früher einmal hatten in der Exhibition Road nur drei oder vier größere Häuser gestanden. Auf der anderen Straßenseite war das Ausstellungsgelände der Landwirtschaftsmesse im Herbst gewesen (die offiziell Agricultural Exhibition hieß, daher der Straßenname), und dazwischen hatten Obstgärten und Viehweiden gelegen. Vor etwa zwölf Jahren war dieses Land verkauft und in Baugrundstücke aufgeteilt worden, und Häuser waren darauf errichtet worden, kleine Häuser verschiedener Bauart, die einen mit Obergeschoss, die anderen ohne. Einige sahen bereits ziemlich heruntergekommen aus.

Es gab nur zwei Häuser, deren Bewohner Mr McCauley kannte und grüßte – die Lehrerin Miss Hood mit ihrer Mutter und das Ehepaar Shultz von der Schuhmacherei. Deren Tochter Edith war, zumindest bis dahin, Sabithas engste Freundin. Was nahe lag, da beide in dieselbe Klasse gingen – wenigstens im letzten Jahr, seit Sabitha sitzen geblieben war – und nicht weit voneinander wohnten. Mr McCauley hatte nichts dagegen gehabt – vielleicht schon aus der Vorahnung, dass Sabitha binnen kurzem fort sein würde, um in Toronto ein anderes Leben zu führen. Johanna hätte Edith nicht gewählt, obwohl das Mädchen nie ungezogen war, nie störte, wenn es ins Haus kam. Und Edith war nicht dumm. Vielleicht lag da das Problem – Edith war schlau, und Sabitha war nicht so schlau. Durch sie war Sabitha hinterhältig geworden.

Doch damit hatte es inzwischen ein Ende. Seit die Kusine Roxanne – Mrs Huber – aufgekreuzt war, gehörte die Shultz-Tochter zu Sabithas kindlicher Vergangenheit.

Ich werde dafür sorgen, dass Ihre Möbel Ihnen mit der Bahn zugehen, sobald die den Auftrag annehmen kann, und zwar vorausbezahlt, sobald ich erfahren habe, was es kosten wird. Ich habe mir gedacht, Sie werden sie jetzt brauchen. Vielleicht wird es Sie gar nicht so sehr überraschen, dass ich mir gedacht habe, Sie werden nichts dagegen haben, wenn ich mitfahre, um Ihnen zur Hand zu gehen, was ich hoffentlich tun kann.

Das war der Brief, den sie auf die Post gebracht hatte, bevor sie zum Bahnhof ging, um die übrigen Vorkehrungen zu treffen. Es war der erste Brief, den sie ihm je direkt geschickt hatte. Die anderen hatte sie den Briefen beigefügt, die Sabitha unter ihrer Anleitung schreiben musste. Und seine Briefe an sie waren auf demselben Weg gekommen, säuberlich zusammengefaltet und mit ihrem Namen, Johanna, auf die Rückseite getippt, damit es keine Irrtümer gab. Dadurch bekam niemand im Postamt etwas mit, und außerdem konnte es nie schaden, Briefmarken zu sparen. Sabitha hätte das natürlich ihrem Großvater erzählen oder sogar vorlesen können, was an Johanna geschrieben wurde, aber Sabitha war ebenso wenig an Gesprächen mit dem alten Mann interessiert wie an Briefen – ob es nun galt, welche zu schreiben oder welche zu bekommen.

Die Möbel lagerten hinten in der Scheune, die nur ein städtischer Schuppen war, keine richtige Scheune mit Tieren und einem Kornspeicher. Als Johanna vor etwa einem Jahr zum ersten Mal einen Blick darauf geworfen hatte, fand sie die Sachen staubverkrustet und voller Taubenkot vor. Die Möbelstücke waren achtlos übereinander gestapelt worden, ohne etwas, um sie abzudecken. Sie hatte alles, was sie tragen konnte, in den Hof hinausgeschleppt und so in der Scheune Platz geschaffen, um an die großen Stücke heranzukommen, die sie nicht tragen konnte – das Sofa und das Büfett und die Vitrine und den Esstisch. Das Bett ließ sich auseinander nehmen. Sie bearbeitete das Holz mit weichen Staubtüchern, dann mit Zitronenöl, und als sie fertig war, glänzte es wie Kandis. Ahornkandis – die Möbel waren aus Vogelaugen-Ahorn. Sie fand, sie sahen wunderschön aus, wie Satinbettdecken und blondes Haar. Wunderschön und modern, so ganz anders als das dunkle Holz und das lästige Schnitzwerk der Möbel, die sie im Haus abstaubte. Zu der Zeit waren es für sie *seine* Möbel, und das waren sie auch noch, als sie sie an diesem Mittwoch herausholte. Sie hatte alte Decken auf die unterste Schicht gelegt, zum Schutz vor dem, was sich darauf stapelte, und Bettlaken auf die oberste Schicht, zum Schutz vor den Vögeln, und dementsprechend waren die Sachen nur leicht eingestaubt. Aber sie wischte trotzdem alle ab und rieb sie mit Zitronenöl ein, bevor sie sie zurückstellte, ebenso geschützt wie vorher, bis am Freitag der Lastwagen kam.

Lieber Mr McCauley,

ich reise heute (Freitag) Nachmittag mit dem Zug ab. Ich weiß, ich tue das, ohne Ihnen gekündigt zu haben, aber ich verzichte auf meinen letzten Lohn, der kommenden Montag für drei Wochen fällig wäre. Auf dem Herd steht in dem Wasserbadtopf ein Rindfleischgericht, das nur aufgewärmt werden muss. Reicht für drei Mahlzeiten und kann vielleicht für eine vierte verlängert werden. Sobald es heiß ist und Sie sich genug genommen haben, tun Sie den Deckel drauf und stellen es dann in den Kühlschrank. Vergessen Sie nicht, sofort den Deckel drauf zu tun, damit es nicht schlecht wird. Mit Gruß an Sie und an Sabitha, und werde mich wahrscheinlich melden, wenn ich Fuß gefasst habe.

Johanna Parry.

P.S. Ich habe Mr Boudreau seine Möbel geschickt, da er sie vielleicht braucht. Vergessen Sie beim Aufwärmen nicht nachzuschauen, ob unten im Topf genug Wasser ist.

Mr McCauley hatte keine Schwierigkeiten herauszubekommen, dass Johanna eine Fahrkarte nach Gdynia in Saskatchewan gelöst hatte. Er rief nämlich den Stationsvorsteher an und fragte ihn. Er wusste nicht, wie er Johanna beschreiben sollte – sah sie alt oder jung aus, war sie schlank oder eher korpulent, welche Farbe hatte ihr Mantel? –, aber das war nicht mehr nötig, nachdem er die Möbel erwähnt hatte.

Als dieser Anruf kam, warteten gerade mehrere Leute auf den Abendzug. Der Stationsvorsteher versuchte anfangs, leise zu sprechen, aber als er von den gestohlenen Möbeln hörte (Mr McCauley sagte lediglich »und ich glaube, sie hat einige Möbel mitgenommen«), wurde er fuchtig. Er schwor, wenn er gewusst hätte, wer sie war und was sie im Schilde führte, hätte er sie nie in den Zug einsteigen lassen. Diese Beteuerung wurde mit angehört und weitererzählt und geglaubt, ohne dass sich jemand fragte, wie er eine erwachsene Frau mit gültiger Fahrkarte hätte festhalten sollen, ohne sofort beweisen zu können, dass sie eine Diebin war. Die meisten Leute, die seine Worte weitererzählten, glaubten, dass es in seiner Macht stand, sie festzuhalten – sie glaubten an die Autorität von Stationsvorstehern und von aufrecht gehenden vornehmen älteren Herren in dreiteiligen Anzügen wie Mr McCauley.

Das Rindfleischgericht war ausgezeichnet, wie alles, was Johanna kochte, aber Mr McCauley stellte fest, dass er es nicht herunterbrachte. Er missachtete die Anweisung hinsichtlich des Deckels und ließ den Topf offen auf dem Herd stehen und stellte nicht einmal die Flamme ab, bis das Wasser im unteren Teil des Topfes verkocht war und er vom Gestank qualmenden Metalls aufgescheucht wurde.

Dem Gestank des Verrats.

Er sagte sich, dass er immerhin dankbar sein konnte, Sabitha in guten Händen zu wissen und sich um sie keine Sorgen machen zu müssen. Seine Nichte Roxanne – eigentlich die Kusine seiner Frau – hatte ihm geschrieben, nach dem Eindruck, den sie von Sabitha während ihres Sommeraufenthalts am Lake Simcoe gewonnen habe, brauche das Mädchen eine feste Hand.

»*Offen gestanden glaube ich nicht, dass Du allein mit der Frau, die Du eingestellt hast, der Lage gewachsen sein wirst, sobald erst die Jungen das Mädchen umschwärmen.*«

Sie ging nicht so weit, ihn zu fragen, ob er eine weitere Marcelle am Hals haben wollte, aber genau das meinte sie. Sie schrieb, sie werde Sabitha in einer guten Schule unterbringen, wo man ihr wenigstens Manieren beibringen werde.

Er stellte den Fernseher an, um sich abzulenken, aber das half nichts.

Es waren die Möbel, die ihn in Harnisch brachten. Es war Ken Boudreau.

Tatsächlich hatte Mr McCauley vor drei Tagen – genau an dem Tag, an dem Johanna ihre Fahrkarte gekauft hatte, wie er inzwischen vom Stationsvorsteher wusste – einen Brief von

Ken Boudreau erhalten mit der Bitte, ihm (a) etwas Geld auf die Möbel vorzustrecken, die ihm (Ken Boudreau) und seiner toten Frau Marcelle gehörten und in Mr McCauleys Scheune lagerten, oder (b), wenn er sich dazu nicht durchringen konnte, die Möbel so teuer wie möglich zu verkaufen und das Geld so rasch wie möglich nach Saskatchewan zu schicken. Es war keine Rede von den Darlehen, die der Schwiegervater dem Schwiegersohn bereits gewährt hatte, alle auf den Wert dieser Möbel hin und in der Summe mehr, als beim Verkauf je erzielt werden konnte. Sollte Ken Boudreau das völlig vergessen haben? Oder hoffte er einfach – was wahrscheinlicher war –, sein Schwiegervater habe sie vergessen?

Er war jetzt offenbar Besitzer eines Hotels. Aber sein Brief schäumte über von Anwürfen gegen den Vorbesitzer, der ihn in vielem hinters Licht geführt habe.

»Wenn es mir gelingt, diese Hürde zu nehmen«, schrieb er, »dann kann ich meiner festen Überzeugung nach noch etwas daraus machen.« Welche Hürde? Er brauchte dringend Geld, so viel war klar, aber er schrieb nicht, ob er dem Vorbesitzer etwas schuldete oder der Bank oder einem privaten Hypothekar oder sonst jemandem. Es war immer wieder dasselbe – flehentliche, verzweifelte Bitten, unterfüttert von Arroganz, einer Haltung, dass ihm etwas zustand, wegen der Verletzungen, die ihm zugefügt worden waren, der Schande, die über ihn gebracht worden war, durch Marcelle.

Trotz vieler Bedenken, aber mit Hinblick darauf, dass Ken Boudreau schließlich sein Schwiegersohn war, an der Front gekämpft und in seiner Ehe Gott weiß was durchgemacht hatte, setzte Mr McCauley sich hin und schrieb ihm einen Brief, des Inhalts, dass er keine Ahnung hatte, wie er den besten Preis für die Möbel erzielen sollte und sich damit sehr schwer tat, und dass er einen Scheck beifügte, den er als persönliches Darlehen betrachtete. Er ersuchte seinen Schwiegersohn, ihm das als solches zu quittieren und sich die Anzahl ähnlicher, in der Vergangenheit gewährter Darlehen in Erinnerung zu rufen – die nach seiner Überzeugung den Wert der Möbel bereits weit überstiegen. Er fügte ferner eine Liste der Daten und Beträge bei. Abgesehen von fünfzig Dollar, gezahlt vor nahezu zwei Jahren (mit dem Versprechen regelmäßig folgender Zahlungen), hatte er nichts zurückerhalten. Sein Schwiegersohn sah sicherlich ein, dass infolge dieser nicht zurückgezahlten zinsfreien Darlehen Mr McCauleys Einkommen gesunken war, denn dieses Geld hätte er sonst angelegt.

Er hatte erwogen hinzuzufügen: »Ich bin nicht so dumm, wie du anscheinend meinst«, entschied sich aber dagegen, denn das hätte seine Verärgerung und vielleicht seine Schwäche offenbart.

Und jetzt das. Der Kerl war ihm zuvorgekommen und hatte Johanna für seine Zwecke eingespannt – Frauen ließen sich von dem immer herumkriegen – und so die Möbel und dazu den Scheck ergattert. Laut Stationsvorsteher hatte sie die Frachtkosten aus eigener Tasche bezahlt. Das protzige moderne Ahorn-Zeug war bislang schon überbewertet worden, und sie würden nicht viel dafür kriegen, besonders wenn man mit einrechnete, was die Bahn verlangt hatte. Wenn sie schlauer gewesen wäre, hätte sie einfach etwas aus dem Haus genommen, einen der alten Kabinettschränke oder eines der Salonsofas, die zum Sitzen zu unbequem waren, aber dafür aus dem vorigen Jahrhundert stammten. Das wäre natürlich glatter Diebstahl gewesen. Aber was die beiden getan hatten, war nicht weit davon weg.

Er ging zu Bett mit dem Entschluss, dagegen gerichtlich vorzugehen.

Er wachte auf, ganz allein im Haus, ohne den Geruch von Kaffee oder Frühstück aus der Küche – stattdessen hing noch der Dunst vom angebrannten Topf in der Luft. Herbstkühle hatte sich in den hohen, verlassenen Zimmern eingenistet. Gestern Abend und an den Abenden zuvor war es behaglich gewesen – der Brenner für die Warmluftheizung war noch nicht an, und als Mr McCauley ihn anstellte, wurde die warme Luft von einem Schwall Kellerfeuchte begleitet, von dem Geruch nach Moder, Erde und Verfall. Er wusch sich und kleidete sich an, langsam, mit gedankenverlorenen Pausen, und zum Frühstück schmierte er sich Erdnussbutter auf eine Scheibe Brot. Er gehörte einer Generation an, von der es hieß, dass die Männer nicht einmal Wasser kochen konnten, und auf ihn traf das zu. Er blickte zu den Vorderfenstern hinaus und sah auf der anderen Straßenseite, wie die Bäume an der Pferderennbahn vom Morgennebel verschluckt wurden, der sich über das ganze Gelände auszubreiten schien, statt sich wie sonst um diese Stunde zurückzuziehen. Es kam ihm vor, als sähe er im Nebel die alten Ausstellungshallen ragen – schlichte, geräumige Gebäude wie riesige Scheunen. Sie hatten jahrelang leer gestanden, den ganzen Krieg hindurch, und er hatte vergessen, was am Ende mit ihnen geschehen war. Wurden sie abgerissen, oder waren sie eingestürzt? Er verabscheute die Pferderennen, die jetzt stattfanden, das Menschengewühl und den Lautsprecher und den verbotenen Alkoholkonsum und den verheerenden Radau der Sommersonntage. Wenn er daran dachte, musste er an seine arme Tochter Marcelle denken, wie sie auf den Verandastufen saß und die inzwischen erwachsenen Schulkameraden zu sich rief, die aus ihren geparkten Autos gestiegen waren und es eilig hatten, zu den Rennen zu kommen. Wie sie sich aufführte, sich freute, wieder hier zu sein, wie sie alle möglichen Leute umarmte und aufhielt und ohne Punkt und Komma auf sie einredete, von Kindertagen plapperte und davon, wie sehr sie alle vermisst hatte. Das einzig Unvollkommene am Leben, hatte sie gesagt, war, dass ihr Mann Ken ihr fehlte, der wegen seiner Arbeit draußen im Westen blieb.

In ihrem seidenen Pyjama ging sie vors Haus, mit strähnigen, ungekämmten, blond gefärbten Haaren. Ihre Arme und Beine waren dünn, aber ihr Gesicht war etwas aufgedunsen, und das, was sie ihre Sonnenbräune nannte, sah eher kränklich und vergilbt aus, eine Farbe, die nicht von der Sonne herrührte. Vielleicht von Gelbsucht.

Das Kind war im Haus geblieben und hatte ferngesehen – sonntägliche Zeichentrickfilme, für die es bestimmt zu alt war.

Er vermochte nicht zu sagen, was ihr fehlte oder ob ihr überhaupt etwas fehlte. Dann fuhr Marcelle nach London, um eine Frauensache machen zu lassen, und starb im Krankenhaus. Als er ihren Mann anrief, um es ihm mitzuteilen, sagte Ken Boudreau: »Was hat sie geschluckt?«

Wäre alles anders gekommen, wenn Marcelles Mutter noch gelebt hätte? Tatsächlich war ihre Mutter zu Lebzeiten ebenso hilflos gewesen wie er. Sie hatte weinend in der Küche gesessen, und gleichzeitig war die in ihr Zimmer eingesperrte, pubertierende Tochter aus dem Fenster geklettert und über das Verandadach heruntergerutscht, weil ganze Wagenladungen Jungs auf sie warteten.

Das Haus war erfüllt von einem Gefühl herzloser Treulosigkeit, arglistigen Betrugs. Er und seine Frau waren sicherlich liebevolle Eltern gewesen, von Marcelle an den Rand der Verzweiflung getrieben. Als sie mit einem Flieger durchgebrannt war, hatten sie gehofft, Marcelle wäre nun endlich gut aufgehoben. Sie waren großzügig zu den beiden gewesen, wie zu einem idealen jungen Paar. Aber es ging alles zu Bruch. Zu Johanna Parry war er ebenfalls großzügig gewesen, und siehe da, auch sie hatte ihm übel mitgespielt.

Er machte sich zu Fuß auf den Weg in die Stadt und ging ins Hotel, um zu frühstücken. Die Kellnerin sagte: »Heute sind Sie aber früh dran.«

Und noch während sie ihm Kaffee eingoss, erzählte er ihr von seiner Haushälterin, die ihn ohne Anlass, ohne Vorankündigung im Stich gelassen hatte, nicht nur ohne Kündigung ihren Dienst quittiert, sondern auch noch etliche Möbel mitgenommen hatte, ursprünglich Eigentum seiner Tochter, die jetzt angeblich seinem Schwiegersohn gehörten, aber nicht wirklich, denn sie waren von der Mitgift seiner Tochter gekauft worden. Er erzählte ihr, dass seine Tochter einen Flieger geheiratet hatte, einen ansehnlichen, sympathischen Burschen, dem man nicht von hier bis da trauen konnte.

»Entschuldigen Sie«, sagte die Kellnerin. »Ich würde gerne plaudern, aber ich habe Kunden, die auf ihr Frühstück warten. Entschuldigen Sie ...«

Er ging die Treppe zu seinem Büro hinauf, und auf seinem Schreibtisch lagen noch die alten Karten, die er gestern studiert hatte, um auszumachen, wo genau sich der erste Friedhof des Landkreises befunden hatte (seiner Meinung nach seit 1839 aufgelassen). Er machte das Licht an und setzte sich hin, aber er merkte, dass er sich nicht konzentrieren konnte. Nach der Zurechtweisung der Kellnerin – oder dem, was er für eine Zurechtweisung hielt – war es ihm unmöglich gewesen, sein Frühstück zu essen oder seinen Kaffee zu genießen. Er beschloss, einen Spaziergang zu machen, um sich zu beruhigen.

Aber statt in gewohnter Manier fürbass zu gehen, Leute zu grüßen und mit ihnen ein paar Worte zu wechseln, merkte er, dass die Worte nur so aus ihm heraussprudelten. Sobald jemand ihn fragte, wie es ihm an diesem Morgen ging, begann er in höchst uncharakteristischer, sogar beschämender Weise sein Leid zu klagen, und wie die Kellnerin hatten diese Leute etwas zu erledigen, und sie nickten und traten von einem Bein aufs andere und brachten Entschuldigungen vor, um wegzukommen. Der Morgen wollte nicht wärmer werden, wie es neblige Herbstmorgen sonst taten, sein Jackett war zu dünn, und er suchte Trost in den Geschäften.

Diejenigen, die ihn am längsten kannten, waren am stärksten befremdet. Sie hatten ihn nie anders als reserviert erlebt – ein Herr mit tadellosen Manieren, dessen Gedanken bei anderen Zeiten weilten und dessen Höflichkeit nichts war als eine gewandte Entschuldigung für seine privilegierte Stellung (was

nicht unkomisch war, denn diese privilegierte Stellung existierte hauptsächlich in seinen Erinnerungen und war für andere
nicht erkennbar). Er war der Letzte, von dem man erwartet
hätte, dass er seinem Kummer Luft machte oder um Anteilnahme bat – er hatte es nicht getan, als seine Frau starb, und
nicht einmal, als seine Tochter starb –, doch nun holte er irgendeinen Brief hervor und fragte, ob es nicht eine Schande
sei, wie dieser Kerl ihm immer wieder das Geld aus der Tasche
zog, und sogar jetzt, kaum dass er sich einmal mehr seiner erbarmt hätte, habe der Kerl mit seiner Haushälterin gemeinsame
Sache gemacht, um die Möbel zu stehlen. Manche dachten,
dass er von seinen eigenen Möbeln redete, und glaubten, der
alte Mann stehe in seinem Haus ohne ein Bett oder einen Stuhl
da. Sie rieten ihm, zur Polizei zu gehen.

»Das bringt nichts, das bringt nichts«, sagte er. »Wie soll man
ein Herz aus Stein erweichen?«

Er ging in die Schuhmacherei und begrüßte Herman Shultz.

»Erinnern Sie sich noch an die Stiefel, die Sie mir neu besohlt haben, meine Stiefel, die ich in England gekauft habe?
Sie haben sie vor vier oder fünf Jahren besohlt.«

Der Laden war wie eine Höhle, mit abgeschirmten Glühbirnen über verschiedenen Arbeitsplätzen. Er war entsetzlich
schlecht belüftet, aber seine männlichen Gerüche – nach Leim
und Leder und Schuhcreme und frisch zurechtgeschnittenen
Filzsohlen und verschimmelten alten – waren für Mr McCauley tröstlich. Hier tat sein Nachbar Herman Shultz, ein bleicher,
bebrillter, erfahrener Handwerker mit gebeugten Schultern,
jahrein, jahraus seine Arbeit – schlug Eisennägel und Nietnägel
ein und schnitt mit einem böse gekrümmten Messer aus dem
Leder die gewünschten Formen aus. Der Filz wurde mit etwas
geschnitten, was an eine winzige Kreissäge erinnerte. Die Po-
liermaschine machte ein scharrendes Geräusch, und das
Schmirgelpapierrad schnarrte, und der Schleifstein sirrte wie
ein mechanisches Insekt, und die Nähmaschine hämmerte auf

das Leder mit ernstem Industrierhythmus ein. Alle Geräusche und Gerüche und exakten Tätigkeiten an diesem Ort waren Mr McCauley seit Jahren vertraut, aber von ihm noch nie im Einzelnen bemerkt oder gar bedacht worden. Jetzt richtete sich Herman in seiner altersschwarzen Lederschürze mit einem Schuh in der Hand auf, lächelte, nickte, und Mr McCauley sah das ganze Leben des Mannes in dieser Höhle. Er wollte ihm sein Mitgefühl ausdrücken oder seine Bewunderung oder etwas Höheres, das er nicht verstand.

»Doch, ich erinnere mich«, sagte Herman. »Das waren schöne Stiefel.«

»Gute Stiefel. Wissen Sie, ich habe sie auf meiner Hochzeitsreise gekauft. Ich habe sie in England gekauft. Ich komme nicht mehr drauf, wo, aber es war nicht in London.«

»Ja, das haben Sie mir damals erzählt.«

»Sie haben das hervorragend gemacht. Die Stiefel sind immer noch in Ordnung. Hervorragend, Herman. Sie tun hier gute Arbeit. Sie tun ehrliche Arbeit.«

»Schön.« Herman warf rasch einen Blick auf den Schuh in seiner Hand. Mr McCauley wusste, dass der Mann wieder an die Arbeit gehen wollte, aber er konnte ihn nicht loslassen.

»Mir sind gerade die Augen geöffnet worden. Ein richtiger Schock.«

»Ist wahr?«

Der alte Mann zog den Brief hervor und las Stellen daraus vor, unterbrach sich immer wieder mit grimmigem Gelächter.

»Bronchitis. Er sagt, er leidet an Bronchitis. Er weiß nicht, wohin er sich wenden soll. *Ich weiß nicht, an wen ich mich wenden soll.* Dabei weiß er immer, an wen er sich wenden soll. Wenn er alles andere ausgeschöpft hat, bin ich dran. *Ein paar Hundert, nur bis ich wieder auf den Beinen bin.* Fleht und bettelt mich an, und die ganze Zeit über macht er mit meiner Haushälterin gemeinsame Sache. Haben Sie das gewusst? Die beiden haben unter einer Decke gesteckt. Diesem Mann habe ich ein ums andere

Mal aus der Klemme geholfen. Und nie einen Penny zurück-
bekommen. Nein, nein, ich muss bei der Wahrheit bleiben
und sagen: fünfzig Dollar. Fünfzig von Hunderten und Aber-
hunderten. Von Tausenden. Er war im Krieg bei der Luftwaffe,
wissen Sie. Diese klein geratenen Burschen, die waren oft bei
der Luftwaffe. Stolzierten herum und bildeten sich ein, sie
seien Kriegshelden. Ich sollte das wohl nicht sagen, aber ich
glaube, der Krieg hat einige von diesen Burschen verdorben,
sie konnten hinterher nicht mehr mit dem Leben zurechtkom-
men. Aber das ist keine ausreichende Entschuldigung. Oder?
Nur wegen des Krieges kann ich ihm nicht ewig alles nachsehen.«

»Nein, das können Sie nicht.«

»Dabei wusste ich von Anfang an: Dem ist nicht zu trauen.
Das ist ja das Merkwürdige. Ich habe es gewusst und mich
trotzdem von ihm einseifen lassen. Es gibt solche Menschen.
Man erbarmt sich ihrer, einfach weil sie nun mal Halunken
sind. Ich habe ihm da draußen diese Versicherungsvertretung
besorgt, ich hatte so meine Verbindungen. Natürlich hat er alles verpfuscht. Ein Nichtsnutz. So sind eben manche.«

»Da haben Sie Recht.«

Mrs Shultz war an dem Tag nicht im Geschäft. Stand nicht
wie sonst hinter dem Ladentisch und nahm die Schuhe an,
zeigte sie ihrem Mann und berichtete, was er gesagt hatte,
stellte die Reparaturscheine aus und nahm das Geld entgegen,
wenn die wiederhergestellten Schuhe zurückgegeben wurden.
Mr McCauley fiel ein, dass sie im Sommer wegen irgendwas
operiert worden war.

»Ihre Frau ist heute nicht da? Geht es ihr gut?«

»Sie meinte, besser, sie tritt heute mal kürzer. Ich habe
meine Tochter hier.«

Herman Shultz nickte zu den Regalen rechts vom Ladentisch, wo die fertigen Schuhe standen. Mr McCauley wandte
den Kopf um und sah Edith, die Tochter, die er beim Herein-

kommen nicht bemerkt hatte. Ein kindhaft dünnes Mädchen mit glattem schwarzen Haar, das ihm beim Umordnen der Schuhe den Rücken zuwandte. Genauso, fiel ihm auf, war sie immer in sein Blickfeld geglitten und wieder verschwunden, wenn sie als Sabithas Freundin in sein Haus kam. Nie kriegte man ihr Gesicht richtig zu sehen.

»Du wirst jetzt deinem Vater aushelfen?«, sagte Mr McCauley. »Du bist mit der Schule fertig?«

»Heute ist Samstag«, sagte Edith und wandte sich dabei mit leisem Lächeln ein wenig um.

»Ach ja. Jedenfalls ist es gut, dass du deinem Vater hilfst. Du musst dich um deine Eltern kümmern. Sie haben schwer gearbeitet, und es sind gute Menschen.« Mit leicht entschuldigender Miene, als wüsste er, wie salbungsvoll er redete, sagte Mr McCauley: »Du sollst deinen Vater und deine Mutter ehren, auf dass du lange lebest in …«

Edith sagte etwas, das nicht für seine Ohren bestimmt war. Sie sagte: »In der Schusterei.«

»Ich stehle Ihnen die Zeit, ich dränge mich auf«, sagte Mr McCauley traurig. »Sie haben zu tun.«

»Du brauchst gar nicht sarkastisch zu sein«, sagte Ediths Vater, als der alte Mann gegangen war.

Beim Abendessen erzählte er Ediths Mutter alles über Mr McCauley.

»Er ist wie verwandelt«, sagte er. »Er hat irgendwas.«

»Vielleicht einen kleinen Schlaganfall«, sagte sie. Seit ihrer Operation – Gallensteine – sprach sie sachkundig und mit sanfter Genugtuung von den Leiden anderer Leute.

Da nun Sabitha fort war, in ein anderes Leben entschwunden, das offenbar immer auf sie gewartet hatte, verwandelte Edith sich in die Person zurück, die sie vor Sabithas Aufenthalt in der Stadt gewesen war. Altklug, strebsam, naseweis. Nach drei Wochen in der High School wusste sie, dass sie in allen neuen Fächern – Latein, Algebra, englische Literatur – sehr gut sein würde. Sie war überzeugt, dass man ihre Klugheit erkennen und belobigen würde und dass eine bedeutende Zukunft vor ihr lag. Die Kindereien des letzten Jahres mit Sabitha gerieten langsam außer Sicht.

Doch wenn sie an Johanna und deren Aufbruch nach Westen dachte, dann spürte sie einen kalten Hauch aus ihrer Vergangenheit, eine wuchernde Furcht. Sie versuchte, dieses Gefühl zu unterdrücken, aber es wollte keine Ruhe geben.

Sobald sie mit dem Abwasch fertig war, ging sie auf ihr Zimmer und nahm das Buch für den Literaturunterricht mit, *David Copperfield*.

Sie war ein Kind, das von seinen Eltern nie Schlimmeres als sanfte Rügen erhalten hatte – ein Kind verhältnismäßig alter Eltern, was zur Erklärung ihres Wesens herangezogen wurde –, aber sie fühlte sich ganz im Einklang mit David in seiner unglückseligen Lage. Sie empfand, sie war wie er, könnte auch ein Waisenkind sein, denn sie würde wahrscheinlich weglaufen, sich verstecken, sich ganz allein durchschlagen müssen, sobald die Wahrheit ans Licht kam und ihre Vergangenheit ihr die Zukunft versperrte.

Alles hatte damit angefangen, dass Sabitha auf dem Weg zur Schule sagte: »Wir müssen beim Postamt vorbei. Ich muss einen Brief an meinen Vater aufgeben.«

Sie gingen den Schulweg jeden Tag gemeinsam. Manchmal mit geschlossenen Augen oder rückwärts. Manchmal, wenn ihnen Leute begegneten, schwatzten sie leise in einer erfundenen Sprache, um Verwirrung zu stiften. Die meisten ihrer guten Einfälle stammten von Edith. Der einzige Einfall, den Sabitha beisteuerte, war, den eigenen Namen und den eines Jungen aufzuschreiben, alle Buchstaben auszustreichen, die doppelt vorkamen, und die restlichen zu addieren. Die zählte man dann an den Fingern ab und sagte dabei *Hasst er mich, mag er mich, liebt er mich, Hochzeit*, bis man bei dem angelangt war, was einem mit diesem Jungen bevorstand.

»Das ist aber ein dicker Brief«, sagte Edith. Ihr fiel alles auf, und sie prägte sich alles ein, lernte ganze Seiten aus den Lehrbüchern so rasch auswendig, dass es den anderen Kindern unheimlich vorkam. »Hattest du deinem Vater so viel zu schreiben?«, fragte sie überrascht, denn sie konnte das nicht glauben – oder konnte zumindest nicht glauben, dass Sabitha es zu Papier bringen würde.

»Ich hab nur eine Seite geschrieben«, sagte Sabitha und befühlte den Brief.

»A-ha«, sagte Edith. »Ah. Ha.«

»Was aha?«

»Ich wette, sie hat was dazugesteckt. Johanna, meine ich.«

Es lief darauf hinaus, dass sie den Brief nicht gleich aufs Postamt brachten, sondern nach der Schule bei Edith zu Hause über Dampf öffneten. Solche Sachen konnten sie bei Edith zu Hause machen, weil ihre Mutter den ganzen Tag in der Schuhmacherei arbeitete.

Lieber Mr Ken Boudreau,
ich dachte einfach, ich schreibe Ihnen und bedanke mich bei Ihnen für die netten Worte, die Sie in Ihrem Brief an Ihre Tochter über mich geschrieben haben. Sie brauchen sich keine Sorgen zu machen, dass ich weggehe. Sie schreiben, ich wäre jemand, dem Sie vertrauen können. So habe ich es wenigstens verstanden, und soweit ich weiß, stimmt das. Ich bin Ihnen dankbar für diese Worte, denn manche Leute meinen, jemand wie ich, dessen Herkunft sie nicht kennen, ist nicht hasenrein. Also dachte ich, am besten erzähle ich Ihnen was über mich. Ich wurde in Glasgow geboren, aber meine Mutter musste mich weggeben, als sie geheiratet hat.

Ich kam mit fünf Jahren ins Heim. Ich habe so sehr gehofft, sie holt mich zurück, aber sie hat mich nicht geholt, und dann habe ich mich da eingewöhnt und es war gar nicht so schlimm. Aber mit elf Jahren wurde ich durch ein Programm nach Kanada geschickt und habe bei den Dixons gelebt und in ihrer Gemüsegärtnerei gearbeitet. Schule gehörte auch zu dem Programm, aber ich habe nicht viel davon gesehen. Im Winter habe ich im Haus für die Frau gearbeitet, aber Umstände veranlassten mich wegzugehen, und da ich für mein Alter groß und kräftig war, wurde ich bei einem Pflegeheim angenommen und habe alte Leute versorgt. Die Arbeit hat mir nichts ausgemacht, aber besserer Bezahlung halber bin ich gegangen und habe in einer Besenfabrik gearbeitet. Der Besitzer, Mr Willets, hatte eine alte Mutter, die vorbeikam, um nach dem Rechten zu sehen, und sie und ich, wir mochten uns irgendwie. Die Luft da machte mir Atembeschwerden, also sagte sie, ich sollte kommen und für sie arbeiten, und das habe ich getan. Ich war 12 Jahre bei ihr an einem See namens Mourning Dove Lake oben im Norden. Wir wohnten da ganz allein, nur sie und ich, aber ich durfte mich um alles drin und draußen kümmern, sogar mit dem Motorboot und mit dem Auto fahren. Ich lernte richtig lesen, denn ihre Augen ließen nach und sie hatte es gern, wenn ich ihr vorlas. Sie starb mit 96. Man könnte sagen, was für ein Leben für ein junges Mädchen, aber ich war glücklich. Wir haben immer zusammen gegessen, und die letzten anderthalb Jahre habe ich in ihrem Zimmer geschlafen. Aber nach ihrem Tod hat mir die Familie nur eine Woche Zeit gegeben, um meine Sachen zu packen. Sie hatte mir etwas Geld hinterlassen, und das gefiel denen wahrscheinlich nicht. Sie wollte, dass ich davon auf die Schule gehe, aber da wäre ich unter Kindern gewesen. Deshalb habe ich mich auf Mr McCauleys Anzeige im Globe beworben. Ich brauchte Arbeit, um über Mrs Willets' Tod hinwegzukommen. Jetzt habe ich Sie wahrscheinlich lange genug mit meiner Vergangenheit gelangweilt, und Sie sind bestimmt erleichtert, dass ich in der Gegenwart angekommen bin. Vielen Dank für Ihre gute Meinung und für die Mitnahme zum Volksfest. Ich bin nicht so wild auf die Fahrten oder auf die Sachen, die es da zu essen gibt, aber es war trotzdem eine Freude, einbezogen zu sein.

Ihre Freundin

Johanna Parry

Edith las Johannas Worte vor, mit flehentlicher Stimme und schmerzbewegtem Ausdruck.

»Ich wurde in Glasgow geboren, aber meine Mutter musste mich weggeben, sobald sie mich sah ...«

»Hör auf«, sagte Sabitha. »Ich muss so lachen, mir wird gleich schlecht.«

»Wie hat sie ihren Brief zu deinem tun können, ohne dass du es gemerkt hast?«

»Sie nimmt ihn mir einfach weg und steckt ihn in einen Umschlag und schreibt die Adresse drauf, weil sie meint, ich schreibe nicht schön genug.«

Edith musste Tesafilm auf die Lasche des Umschlags kleben, damit sie zu blieb, weil von dem Leim nicht mehr genug dran war. »Sie ist in ihn verliebt«, sagte sie.

»Ih, kotz-kotz«, sagte Sabitha und hielt sich den Bauch. »Unmöglich. Die alte Johanna.«

»Was hat er eigentlich über sie geschrieben?«

»Nur, dass ich Respekt vor ihr haben soll, und dass es schade wäre, wenn sie weggeht, weil wir von Glück sagen können, sie zu haben, und dass er kein Zuhause für mich hat und Opa ein Mädchen nicht allein aufziehen kann und Blabla. Er hat geschrieben, sie wäre eine Dame. Er würde so was merken.«

»Und daraufhin hat sie sich verliebt.«

Der Brief blieb über Nacht bei Edith, damit Johanna nicht

entdeckte, dass er nicht abgeschickt und mit Tesafilm zugeklebt worden war. Sie brachten ihn am nächsten Morgen zur Post.

»Mal sehen, was er ihr zurückschreibt. Pass auf«, sagte Edith.

Lange Zeit kam kein Brief. Und als einer kam, war er eine Enttäuschung. Sie öffneten ihn bei Edith über Dampf, fanden aber nichts für Johanna drin.

Liebe Sabitha,

Weihnachten dieses Jahr trifft mich ein bisschen knapp bei Kasse an, tut mir leid, dass ich dir nicht mehr als einen Zwei-Dollar-Schein schicken kann. Aber ich hoffe, du bist gesund und hast fröhliche Weihnachten und machst weiter deine Schularbeiten. Mir selber ist es gar nicht gut gegangen, ich habe eine Bronchitis, wie offenbar jeden Winter, aber diese hat mich zum ersten Mal vor Weihnachten ans Bett gefesselt. Wie du am Absender sehen kannst, bin ich umgezogen. Die Wohnung war in einem sehr lärmigen Haus, und zu viele Leute schauten vorbei und hofften auf eine Party. Das hier ist eine Pension, was mir ganz recht ist, da ich es nie mit dem Einkaufen und dem Kochen hatte.

Fröhliche Weihnachten und alles Liebe

Dad

»Arme Johanna«, sagte Edith. »Ihr wird das Herz zerbrechen.«

Sabitha sagte: »Na und?«

»Es sei denn, wir tun's«, sagte Edith.

»Was?«

»Ihr *antworten*.«

Sie mussten den Brief mit der Schreibmaschine schreiben, denn Johanna würde merken, dass die Handschrift nicht die von Sabithas Vater war. Aber das war nicht schwierig. Bei Edith zu Hause stand eine auf einem Klapptisch im Vorderzimmer.

Ihre Mutter hatte vor ihrer Heirat in einem Büro gearbeitet und verdiente sich manchmal immer noch ein bisschen Geld, indem sie für andere Leute Briefe schrieb, die amtlich aussehen sollten. Sie hatte Edith die Grundlagen des Tippens beigebracht, in der Hoffnung, auch Edith könnte eines Tages in einem Büro Arbeit finden.

»Liebe Johanna«, sagte Sabitha, »es tut mir leid, ich kann dich nicht lieben, weil du das ganze Gesicht voll hässlicher Pickel hast.«

»Ich meine es ernst«, sagte Edith. »Also halt den Mund.«

Sie tippte: »Ich war so froh, den Brief zu erhalten ...«, sprach die Worte ihres Werkes laut, machte eine Pause, wenn sie nachdachte, und ihr Tonfall wurde immer feierlicher und zärtlicher. Sabitha räkelte sich auf dem Sofa und kicherte. Irgendwann stellte sie den Fernseher an, aber Edith sagte: »Also bitte! Wie soll ich mich bei dieser Kacke da auf meine Gefühle konzentrieren?«

Edith und Sabitha benutzten die Wörter »Kacke« und »Sau« und »Himmel Arsch«, wenn sie allein waren.

Liebe Johanna,
ich war so froh, den Brief zu erhalten, den Sie zu Sabithas getan haben, und etwas über Ihr Leben zu erfahren. Es muss oft ein trauriges und einsames Leben gewesen sein, obwohl es für Sie offenbar ein Glück war, jemanden wie Mrs Willets zu finden. Sie waren immer fleißig und haben sich nie beklagt, und ich muss sagen, ich bewundere Sie sehr. Mein Leben war recht bewegt, und ich habe mich nie häuslich niedergelassen. Ich weiß nicht, woher diese innere Ruhelosigkeit und Einsamkeit kommen, sie sind wohl einfach mein Schicksal. Ich bin immer mit Menschen zusammen und rede mit vielen, aber manchmal frage ich mich: Wer ist mein Freund? Dann kommt Ihr Brief, und Sie schreiben am Ende: Ihre Freundin. Also überlege ich: Meint sie das wirk-

lich? Und was für ein schönes Weihnachtsgeschenk das für mich wäre, wenn Johanna mir sagen würde, dass sie meine Freundin ist. Vielleicht haben Sie einfach gedacht, dass es eine nette Art ist, einen Brief zu beenden, und dass Sie mich eigentlich nicht gut genug kennen. Jedenfalls fröhliche Weihnachten.

Ihr Freund

Ken Boudreau

Der Brief wanderte nach Hause zu Johanna. Der an Sabitha war schließlich noch abgetippt worden, denn warum sollte einer mit der Schreibmaschine geschrieben sein und der andere nicht? Sie waren diesmal sparsam mit dem Dampf umgegangen und hatten den Umschlag sehr vorsichtig geöffnet, damit kein verräterischer Tesafilm nötig war.

»Warum konnten wir nicht einen neuen Umschlag tippen? Das hätte er doch gemacht, wenn er den Brief mit der Schreibmaschine geschrieben hätte?«, sagte Sabitha und hielt sich für schlau.

»Weil auf einem *neuen* Umschlag kein Poststempel wäre. Dummchen.«

»Was, wenn sie ihn beantwortet?«

»Dann lesen wir ihn.«

»Ja, aber was, wenn sie antwortet und den Brief direkt an ihn schickt?«

Edith mochte nicht zeigen, dass sie daran nicht gedacht hatte.

»Das macht sie nicht. Die ist gerissen. Jedenfalls schreibst du ihm gleich zurück, damit sie auf die Idee kommt, sie kann ihren Brief wieder zu deinem stecken.«

»Ich hasse das, diese blöden Briefe schreiben.«

»Ach, mach schon. Du wirst nicht dran sterben. Willst du nicht wissen, was sie schreibt?«

Lieber Freund,

Sie fragen mich, ob ich Sie gut genug kenne, um Ihre Freundin zu sein, und meine Antwort ist: ja. Ich habe nur eine Freundin im Leben gehabt, Mrs Willets, die ich geliebt habe, und sie war sehr gut zu mir, aber sie ist tot. Sie war wesentlich älter als ich, und das Problem mit älteren Freunden ist, sie sterben und verlassen einen. Sie war so alt, dass sie mich manchmal mit dem Namen von jemand anders gerufen hat. Aber das hat mich nicht gestört.

Ich möchte Ihnen etwas Merkwürdiges erzählen. Die Aufnahme, die Sie von dem Fotografen auf dem Jahrmarkt machen ließen, die habe ich vergrößern und rahmen lassen und ins Wohnzimmer gestellt. Es ist keine sehr gute Aufnahme, und er hat Ihnen mehr als genug Geld dafür abgenommen, aber sie ist besser als nichts. Und als ich vorgestern darum Staub wischte, bildete ich mir ein, ich hörte Sie Hallo zu mir sagen. Hallo, sagten Sie, und ich sah mir Ihr Gesicht an, soweit man es in der Aufnahme erkennen kann, und ich dachte: Jetzt verliere ich den Verstand. Oder es muss ein Zeichen sein, dass ein Brief kommt. Ich mache nur Spaß, ich glaube nicht wirklich an solche Dinge. Aber dann kam gestern ein Brief. Sie sehen also, es ist nicht zu viel von mir verlangt, Ihre Freundin zu sein. Ich werde immer eine Beschäftigung finden, aber ein wahrer Freund ist etwas ganz anderes.
Ihre Freundin
Johanna Parry

Natürlich konnte das nicht wieder in den Umschlag gesteckt werden. Sabithas Vater würde merken, dass etwas faul war, wenn er die Anspielungen auf einen Brief las, den er nie geschrieben hatte. Johannas Worte mussten in winzige Schnipsel zerrissen und bei Edith in der Toilette heruntergespült werden.

Als der Brief kam, der von dem Hotel berichtete, waren etliche Monate vergangen. Es war Sommer. Und Sabitha fing den Brief nur durch einen glücklichen Zufall ab, denn sie war drei Wochen lang fort gewesen, im Sommerhaus am Lake Simcoe, das ihrer Tante Roxanne und ihrem Onkel Clark gehörte.

Fast das Erste, was Sabitha sagte, als sie in Ediths Haus kam, war: »Iggi-iggi. Hier stinkt's.«

»Iggi-iggi« war ein Ausdruck, den sie von ihren Kusinen aufgeschnappt hatte.

Edith schnupperte. »Ich rieche nichts.«

»Wie im Laden deines Vaters, nur nicht ganz so schlimm. Sie müssen's in ihren Sachen mit nach Hause bringen.«

Edith besorgte das Öffnen über Dampf. Auf dem Weg vom Postamt hatte Sabitha in der Bäckerei zwei Schokoladeneclairs gekauft. Jetzt lag sie auf dem Sofa und aß ihrs.

»Nur ein Brief. Für dich«, sagte Edith. »Arme alte Johanna. Allerdings hat er ihren ja gar nicht bekommen.«

»Lies ihn mir vor«, sagte Sabitha gottergeben. »Meine Hände sind voll klebriger Matsche.«

Edith las ihn hastig vor wie einen Geschäftsbrief und machte nach den Satzenden kaum eine Pause.

Ja, Sabitha, mein Schicksal hat einen anderen Lauf genommen, wie du siehst, bin ich nicht mehr in Brandon, sondern in einer Stadt namens Gdynia. Und nicht mehr bei meinem ehemaligen Arbeitgeber beschäftigt. Ich habe einen ausnehmend schweren Winter hinter mir mit meiner Brustschwäche, und sie, nämlich meine Arbeitgeber, meinten, ich müsste draußen unterwegs sein, selbst auf die Gefahr hin, dass ich mir eine Lungenentzündung hole, also kam es zu einem ziemlich heftigen Streit und wir beschlossen, uns zu trennen. Aber mit dem Glück ist das so eine Sache, und ausgerechnet um die Zeit bin ich in den Besitz eines Hotels gelangt. Es ist zu kompliziert, um es haarklein zu erklären, aber wenn dein Großvater was darüber wissen will, sag ihm einfach, ein Mann, der mir Geld schuldete, es aber nicht zurückzahlen konnte, hat mir stattdessen dieses Hotel überlassen. Und so sitze ich nun nicht mehr in einem Zimmer in einer Pension, sondern in einem Haus mit zwölf Gästezimmern, eben noch hat mir nicht mal das Bett gehört, in dem ich schlief, und jetzt besitze ich mehrere. Es ist etwas Wunderbares, am Morgen aufzuwachen und zu wissen, man ist sein eigener Herr. Es muss einiges in Ordnung gebracht werden, sogar ziemlich viel, und ich werde mich daranmachen, sobald es wärmer wird. Ich werde jemanden einstellen müssen, der mir hilft, und später werde ich einen guten Koch einstellen, damit ich neben der Schankstube ein Restaurant betreiben kann. Das müsste gehen wie warme Semmeln, da es in dieser Stadt sonst keins gibt. Ich hoffe, es geht dir gut und du machst deine Schularbeiten und gewöhnst dir gute Manieren an.

Alles Liebe
dein Dad

Sabitha fragte: »Hast du Kaffee?«

»Pulverkaffee«, sagte Edith. »Wieso?«

Sabitha sagte, im Sommerhaus sei immer Eiskaffee getrunken worden, und alle seien ganz verrückt danach gewesen. Sie sei auch ganz verrückt danach. Sie stand auf und kramte in der Küche herum, machte Wasser heiß und rührte Milch und Eiswürfel in den Kaffee. »Eigentlich brauchen wir dafür Vanilleeis«, sagte sie. »Hach, Eiskaffee ist einfach gigantisch. Willst du nicht dein Eclair?«

Gigantisch.

»Doch. Das ganze«, sagte Edith anzüglich.

So viele Veränderungen bei Sabitha in nur drei Wochen – in der Zeit hatte Edith im Laden gearbeitet, während sich ihre

Mutter zu Hause von der Operation erholte. Sabithas Haut hatte eine appetitliche goldbraune Farbe, und ihr Haar war kürzer und um ihr Gesicht aufgebauscht. Ihre Kusinen hatten es geschnitten und ihr eine Dauerwelle gemacht. Sie trug eine Art Spielanzug in einer kleidsamen blauen Farbe mit Shorts, die wie ein Rock geschnitten waren, und mit knöpfbarem Oberteil und Rüschen auf den Schultern. Sie war rundlicher geworden, und wenn sie sich vorbeugte, um nach ihrem Glas mit Eiskaffee zu langen, das auf dem Fußboden stand, war ein glatter, rosiger Busenansatz zu sehen.

Brüste. Sie mussten zu wachsen begonnen haben, bevor Sabitha wegfuhr, aber es war Edith nicht aufgefallen. Vielleicht waren sie einfach etwas, womit man eines Morgens aufwachte. Oder eben nicht.

Auf welche Weise sie auch zustande kamen, Brüste waren Merkmale eines völlig unverdienten und unfairen Vorteils.

Sabitha redete andauernd über ihre Kusinen und das Leben im Sommerhaus. So sagte sie immer wieder: »Hör zu, das *muss* ich dir erzählen, das ist zum Kreischen ...«, und dann ging es los, was Tante Roxanne zu Onkel Clark gesagt hatte, als sie sich gestritten hatten, wie Mary Jo mit offenem Verdeck und ohne Führerschein mit Starrs Auto gefahren war (wer war Starr?) und sie alle zu einem Drive-in mitgenommen hatte – aber was nun zum Kreischen oder der Witz an der Geschichte war, das wurde nie ganz klar.

Aber dafür nach einer Weile andere Dinge. Die wahren Abenteuer des Sommers. Die älteren Mädchen – darunter Sabitha – schliefen im Obergeschoss des Bootshauses. Manchmal machten sie Kitzelschlachten – sie taten sich alle gegen eine zusammen und kitzelten sie, bis sie um Gnade schrie und einwilligte, ihre Schlafanzughose herunterzuziehen und zu zeigen, ob sie schon Haare hatte. Sie erzählten sich Geschichten über Mädchen im Internat, die mit den Griffen von Haarbürsten und Zahnbürsten so Sachen machten. *Iggi-iggi*. Einmal gaben zwei Kusinen eine Vorstellung – die eine krabbelte auf die andere und tat so, als wäre sie ein Junge, und beide schlangen die Beine umeinander und keuchten und stöhnten und trieben es.

Onkel Clarks Schwester und ihr Mann waren auf ihrer Hochzeitsreise zu Besuch gekommen, und er war dabei gesehen worden, wie er die Hand in ihren Badeanzug steckte.

»Sie haben sich wirklich geliebt, sie waren Tag und Nacht zugange«, sagte Sabitha. Sie drückte ein Kissen an die Brust. »Wenn zwei sich so lieben, können sie nicht anders.«

Eine der Kusinen hatte es schon mit einem Jungen getan. Er war eine der Sommeraushilfen im Kurpark weiter unten an der Straße. Er ruderte sie in einem Boot hinaus und drohte damit, sie ins Wasser zu stoßen, bis sie ihm erlaubte, es zu tun. Es war also nicht ihre Schuld.

»Konnte sie nicht schwimmen?«, fragte Edith.

Sabitha stopfte sich das Kissen zwischen die Beine. »Uaah«, sagte sie. »Fühlt sich das gut an.«

Edith wusste alles über die süßen Qualen, die Sabitha durchmachte, aber sie war entsetzt, dass jemand sie aussprach. Sie selbst hatte große Angst davor. Schon vor Jahren, bevor sie wusste, was sie tat, war sie mit der Decke zwischen den Beinen eingeschlafen, und ihre Mutter hatte sie dabei entdeckt und ihr von einem Mädchen erzählt, das andauernd so etwas machte und schließlich deswegen operiert werden musste.

»Sie haben die Kleine mit kaltem Wasser übergossen, aber das hat sie nicht geheilt«, hatte ihre Mutter gesagt. »Also musste sie geschnitten werden.«

Sonst hätten sich ihre Organe verstopft, und sie hätte daran sterben können.

»Hör auf«, sagte sie zu Sabitha, aber Sabitha stöhnte trotzig und sagte: »Das ist nichts. So haben wir's alle gemacht. Hast du kein Kissen?«

Edith stand auf und ging in die Küche und füllte ihr leeres Eiskaffeeglas mit kaltem Wasser. Als sie zurückkam, lag Sabitha entspannt auf dem Sofa, sie lachte und hatte das Kissen auf den Boden geworfen.

»Was hast du denn gedacht, was ich da tue?«, sagte sie. »Hast du nicht gewusst, dass ich nur Quatsch mache?«

»Ich hatte Durst«, sagte Edith.

»Du hast gerade ein ganzes Glas Eiskaffee getrunken.«

»Ich hatte Durst auf Wasser.«

»Mit dir kann man keinen Spaß haben.« Sabitha richtete sich auf. »Wenn du solchen Durst hast, warum trinkst du's dann nicht?«

Sie saßen in verdrossenem Schweigen da, bis Sabitha in versöhnlichem, aber enttäuschtem Ton sagte: »Schreiben wir Johanna nicht noch einen Brief? Komm, wir schreiben ihr einen richtigen Liebesbrief.«

Edith hatte eigentlich kein großes Interesse mehr an den Briefen, aber es tat ihr wohl, dass Sabitha sich noch dafür interessierte. Das Gefühl, Macht über Sabitha zu haben, kehrte zurück, trotz Lake Simcoe und der Brüste. Seufzend, als täte sie es widerwillig, stand sie auf und nahm die Haube von der Schreibmaschine.

»Meine heiß geliebte Johanna …«, sagte Sabitha.

»Nein. Das ist zu eklig.«

»Sie findet das bestimmt nicht.«

»Doch, sie auch«, sagte Edith.

Sie überlegte, ob sie Sabitha etwas von der Gefahr verstopfter Organe sagen sollte. Sie entschied sich dagegen. Zum einen gehörte diese Information in eine bestimmte Kategorie von Warnungen ihrer Mutter, denen Edith skeptisch gegenüberstand: Sollte sie ihnen trauen oder nicht? Die Geschichte mit den Organen war nicht von so geringer Glaubwürdigkeit wie die Überzeugung, dass das Tragen von Gummigaloschen die Augen verdarb, aber wer weiß – eines Tages vielleicht doch.

Und zum anderen – Sabitha würde bloß lachen. Sie lachte

über Warnungen – sie würde sogar lachen, wenn man ihr sagte, dass Schokoladeneclairs dick machten.

»Ihr letzter Brief hat mich so glücklich gemacht ...«

»Ihr letzter Brief hat mich in Verzückung versetzt ...«, sagte Sabitha.

» ... hat mich so glücklich gemacht, denn nun weiß ich, ich habe eine wahre Freundin auf der Welt, nämlich Sie ...«

»Ich konnte die ganze Nacht nicht schlafen, weil ich mich danach gesehnt habe, Sie in die Arme zu schließen ...« Sabitha schlang die Arme um sich und schaukelte vor und zurück.

»*Nein*. Trotz eines extrovertierten Lebens habe ich mich oft sehr einsam gefühlt und nicht gewusst, an wen ich mich wenden soll ...«

»Was heißt das – ›extrovertiert‹? Sie wird nicht wissen, was das bedeutet.«

»*Sie* schon.«

Das brachte Sabitha zum Schweigen, und vielleicht kränkte es sie auch. Deshalb las Edith am Schluss vor: »Ich muss auf Wiedersehen sagen, und das schaffe ich nur, wenn ich mir vorstelle, wie Sie das lesen und rot werden ...« »Ist das eher das, was du willst?«

»Wie Sie das im Bett nur mit dem Nachthemd an lesen«, sagte Sabitha, die sich immer rasch erholte, »und daran denken, wie gern ich Sie in die Arme schließen würde, und ich würde an deinem Busen lutschen ...«

Meine liebe Johanna,

Ihr letzter Brief hat mich so glücklich gemacht, denn nun weiß ich, ich habe eine wahre Freundin auf der Welt, nämlich Sie. Trotz eines extrovertierten Lebens habe ich mich oft sehr einsam gefühlt und nicht gewusst, an wen ich mich wenden soll.

Ich habe ja Sabitha in meinem Brief schon von meinem Glück berichtet und dass ich nun Hotelbesitzer bin. Ich habe ihr nicht geschrieben, wie krank ich im letzten Winter wirklich war, weil ich sie nicht beunruhigen wollte. Ich will Sie auch nicht beunruhigen, liebe Johanna, will Ihnen nur sagen, wie oft ich an Sie gedacht und mich danach gesehnt habe, Ihr liebes Gesicht zu sehen. Als ich Fieber hatte, meinte ich, dass ich wirklich sah, wie Sie sich über mich beugten, und dass ich Ihre Stimme zu mir sagen hörte, ich würde bald gesund werden, und dass ich die Fürsorglichkeit Ihrer liebevollen Hände spürte. Ich befand mich da noch in der Pension, und als das Fieber vorbei war, musste ich mir viele Hänseleien anhören, vor allem: Wer ist denn diese Johanna? Aber ich war todtraurig, als ich aufwachte und merkte, Sie sind nicht da. Ich habe mich tatsächlich gefragt, ob Sie vielleicht durch die Luft geflogen kamen und bei mir waren, obwohl ich natürlich weiß, dass so etwas unmöglich ist. Glauben Sie mir, glauben Sie mir, der schönste Filmstar wäre mir nicht so willkommen gewesen wie Sie. Ich weiß nicht, ob ich Ihnen schreiben soll, was Sie sonst noch zu mir gesagt haben, denn das waren sehr liebe und intime Worte, aber sie könnten Ihnen peinlich sein. Ich beende diesen Brief nur äußerst ungern, weil ich jetzt das Gefühl habe, Sie in meinen Armen zu halten und leise mit Ihnen in unserem dunklen Zimmer zu reden, aber ich muss auf Wiedersehen sagen, und das schaffe ich nur, wenn ich mir vorstelle, wie Sie das lesen und rot werden. Es wäre wunderbar, wenn Sie das im Bett nur mit dem Nachthemd an lesen und daran denken würden, wie gern ich Sie in die Arme schließen möchte. In L–b–

Ken Boudreau

Überraschenderweise gab es auf diesen Brief keine Antwort. Als Sabitha ihre halbe Seite voll geschrieben hatte, steckte Johanna sie in den Umschlag, schrieb die Adresse drauf und fertig.

* * *

Als Johanna aus dem Zug stieg, war niemand da, um sie abzuholen. Sie machte sich deswegen keine Gedanken – sie hatte schon überlegt, dass der Brief unter Umständen gar nicht vor ihr hier eingetroffen war. (Tatsächlich war er schon da und lag unabgeholt auf dem Postamt, denn Ken Boudreau, der im letzten Winter nicht ernstlich krank gewesen war, litt jetzt wirklich an einer Bronchitis und hatte seit mehreren Tagen seine Post nicht geholt. An diesem Tag war ein weiteres Kuvert hinzugekommen, das den Scheck von Mr McCauley enthielt. Der allerdings schon gesperrt war.)

Was ihr mehr Sorge bereitete, war, dass es keine Stadt zu geben schien. Der Bahnhof war eine geschlossene Wartehalle mit Bänken an den Wänden und einem heruntergezogenen Rollladen vor dem Fenster des Fahrkartenschalters. Es gab auch einen Güterschuppen – oder etwas, was sie dafür hielt –, aber die Schiebetür ließ sich nicht öffnen. Sie spähte durch einen Spalt zwischen den Brettern, bis ihre Augen sich an das Dunkel im Innern gewöhnt hatten, dann sah sie, dass der Sandboden des Schuppens leer war. Keine Möbelkisten. Sie rief mehrmals: »Ist da jemand? Ist da jemand?«, erwartete aber keine Antwort.

Sie stand auf dem Bahnsteig und versuchte sich zu orientieren.

Ungefähr eine halbe Meile weit entfernt lag ein sanfter Hügel, der sofort auffiel, weil er von Bäumen bestanden war. Und der sandige Weg, den sie, als sie ihn vom Zug aus sah, für einen Feldweg gehalten hatte – das musste die Straße sein. Jetzt konnte sie hier und da niedrige Häuser zwischen den Bäumen ausmachen – und einen Wasserturm, der aus dieser Entfernung wie ein Spielzeug aussah, ein Zinnsoldat auf langen Beinen.

Sie nahm ihren Koffer – das müsste zu schaffen sein; schließlich hatte sie ihn schon von der Exhibition Road zu dem anderen Bahnhof getragen – und machte sich auf den Weg.

Es ging ein starker Wind, trotzdem war es sehr warm – wärmer als das Wetter, das sie in Ontario hinter sich gelassen hatte –, und auch der Wind kam ihr warm vor. Über ihrem neuen Kleid trug sie ihren alten Mantel, der im Koffer zu viel Platz beansprucht hätte. Sie schaute sehnsüchtig zu dem Schatten, den die Stadt vor ihr versprach, aber als sie dort anlangte, stellte sie fest, dass es sich bei den Bäumen entweder um Fichten handelte, die zu schlank und karg waren, um viel Schatten zu spenden, oder um schüttere, dünnblättrige Pappeln, die vom Wind gezaust wurden und ohnehin die Sonne durchließen.

Es herrschte ein abweisender Mangel an Struktur oder irgendeiner Form von Organisation in diesem Ort. Keine Bürgersteige oder gepflasterten Straßen, keine imposanten Gebäude außer einer großen Kirche wie eine Backsteinscheune. Über der Tür eine Malerei, auf der die Heilige Familie mit lehmfarbenen Gesichtern aus starren blauen Augen herabblickte. Sie hieß nach einem unbekannten Heiligen – Sankt Woitek.

Die Häuser zeigten in ihrer Lage oder Anlage nicht viel Vorbedacht. Sie standen in verschiedenen Winkeln zum Weg oder zur Straße, und die meisten hatten böse blickende kleine Fenster an unvorhergesehenen Stellen und um die Haustüren Windfänge wie Kisten. Niemand war draußen in den Vorgärten, und warum auch? Es gab nichts zu pflegen, nur Büschel braunes Gras und einmal eine riesige Rhabarberstaude, ungeerntet.

Die Hauptstraße, wenn sie es denn war, hatte einen aus Brettern gezimmerten Gehsteig, allerdings nur auf einer Seite, und war in unregelmäßigen Abständen von Läden gesäumt, von denen nur ein Lebensmittelgeschäft (das auch das Postamt beherbergte) und eine Autowerkstatt in Betrieb zu sein schienen. Ein einziges Haus hatte ein Obergeschoss, und sie dachte schon, es könnte das Hotel sein, aber es war eine Bank, und die war zu.

Der erste Mensch, den sie erblickte – bisher war sie nur von zwei Hunden angebellt worden –, war ein Mann vor der Autowerkstatt, der Ketten auf seinen Pick-up lud.

»Das Hotel?«, sagte er. »Da sind Sie hier zu weit.«

Er erklärte ihr, das sei unten beim Bahnhof, auf der anderen Seite der Gleise und dann noch ein Stück, blau angestrichen und nicht zu verfehlen.

Sie setzte ihren Koffer ab, nicht entmutigt, sondern weil sie sich kurz ausruhen musste.

Er sagte, wenn es ihr nichts ausmache, kurz zu warten, könne er sie hinfahren. Und obwohl es für sie etwas ganz Neues war, solch ein Angebot anzunehmen, saß sie bald darauf in der heißen, öligen Fahrerkabine seines Pick-ups und schaukelte auf der Schotterstraße zurück, die sie gerade zu Fuß hinter sich gelassen hatte, während auf der Ladefläche die Ketten einen Höllenlärm veranstalteten.

»Von wo haben Sie denn diese Hitzewelle mitgebracht?«, fragte er.

Sie sagte, von Ontario, in einem Ton, der nichts weiteres versprach.

»Von Ontario«, sagte er mitleidig. »Na ja. Da ist es. Ihr Hotel.« Er nahm eine Hand vom Steuer. Zur Begleitung machte das Auto einen Satz, als er auf ein zweigeschossiges Haus mit Flachdach wies, das ihr nicht entgangen war, sondern das sie schon vom Zug aus gesehen hatte. Vorhin hatte sie es für ein großes und ziemlich baufälliges, vielleicht leer stehendes Familienheim gehalten. Nachdem sie inzwischen die Häuser in der Stadt gesehen hatte, war ihr klar, sie hätte es nicht so rasch abtun dürfen. Es war mit gestanzten Blechplatten verkleidet, die Mauerwerk vortäuschen sollten und hellblau angestrichen waren. Neonröhren, die nicht brannten, bildeten über dem Eingang das Wort HOTEL.

»Ich bin zu blöd«, sagte sie und bot dem Mann für die Fahrt einen Dollar an.

Er lachte. »Halten Sie Ihr Geld zusammen. Man weiß nie, vielleicht brauchen Sie's noch mal.«

Ein ganz ordentlicher Wagen, ein Plymouth, stand vor dem

Hotel. Er war völlig verdreckt, aber wie sollte das auch anders sein, bei diesen Straßen?

An der Tür hingen Reklameschilder für eine Zigarettenmarke und für Bier. Sie wartete, bis der Pick-up gewendet hatte, bevor sie anklopfte – sie klopfte an, denn man schien hier überhaupt nicht auf Gäste eingestellt zu sein. Schließlich drückte sie auf die Klinke, ob nicht doch auf war, und gelangte in einen staubigen kleinen Vorraum mit einer Treppe und dann in einen großen dunklen Raum voll abgestandenem Bierdunst, in dem auf dem schmutzigen Fußboden ein Billardtisch stand. In einem Nebenraum sah sie einen Spiegel schimmern, leere Regale, einen Tresen. Überall waren die Rollläden heruntergezogen. Das einzige Licht kam aus zwei kleinen runden Fenstern, die in eine Schwingtür eingelassen waren. Sie ging hindurch in eine Küche. In der war es heller, dank einer Reihe hoher – und schmutziger – Fenster in der einen Wand. Und hier fanden sich die ersten Lebenszeichen – jemand hatte am Tisch gegessen und einen Teller mit verkrustetem Ketchup und eine Tasse halb voll mit kaltem Kaffee hinterlassen.

Eine der Küchentüren führte nach draußen und war abgeschlossen, eine in die Speisekammer, in der mehrere Konservendosen standen, eine in eine Besenkammer und eine zu einer zweiten Treppe. Sie stieg hinauf und stieß ihren Koffer vor sich her, denn die Treppe war schmal. Direkt vor sich im ersten Stock sah sie eine Toilette mit hochgeklappter Brille.

Die Tür zum Schlafzimmer am Ende des Flurs stand offen, und darin fand sie Ken Boudreau.

Bevor sie ihn sah, sah sie seine Sachen. Auf der Türkante hing sein Jackett, und am Türknauf hing seine Hose, so dass sie auf dem Boden schleifte. Ihr schoss sofort durch den Kopf, dass man so nicht mit guter Kleidung umging, also betrat sie kühn das Zimmer – ihren Koffer ließ sie auf dem Flur stehen – mit dem Gedanken, die Sachen ordentlich aufzuhängen.

Er lag im Bett, nur mit dem Überlaken zugedeckt. Die Decke und sein Hemd lagen auf dem Fußboden. Er atmete unruhig, als wäre er kurz vor dem Aufwachen, also sagte sie: »Guten Morgen. Guten Tag.«

Das grelle Sonnenlicht strömte durchs Fenster und fiel beinahe auf sein Gesicht. Das Fenster war zu und die Luft entsetzlich abgestanden – sie stank unter anderem nach dem vollen Aschbecher auf dem Stuhl, den er als Nachttisch benutzte.

Er hatte schlechte Angewohnheiten – er rauchte im Bett.

Er wachte von ihrer Begrüßung nicht auf – oder nur ein wenig. Er fing an zu husten.

Sie merkte gleich, das war ein schwerer Husten, der Husten eines Kranken. Er versuchte sich aufzurichten, immer noch mit geschlossenen Augen, und sie ging zum Bett und half ihm. Sie sah sich nach einem Taschentuch oder nach Kleenex um, fand aber nichts und hob sein Hemd auf, das sie danach auswaschen konnte. Sie wollte sich seinen Auswurf genau ansehen.

Als er abgehustet hatte, sank er murmelnd zurück und keuchte, das hübsche, draufgängerische Gesicht, das sie in Erinnerung hatte, zu einer angewiderten Grimasse verzogen. Er hatte Fieber, so, wie er sich anfühlte.

Das Zeug, das er ausgehustet hatte, war gelb-grünlich – ohne Rostflecke. Sie brachte das Hemd zum Toilettenwaschbecken, wo sie zu ihrer Überraschung ein Stück Seife fand, und wusch es aus und hängte es an den Türhaken, danach wusch sie sich gründlich die Hände. Sie musste sich am Rock ihres neuen braunen Kleides abtrocknen. Das hatte sie erst vor ein paar Stunden in einer anderen kleinen Toilette angezogen – der Damentoilette im Zug. Sie hatte sich dabei gefragt, ob sie sich nicht besser auch Make-up besorgt hätte.

Im Flurschrank fand sie eine Rolle Toilettenpapier und nahm sie mit in sein Zimmer für den nächsten Hustenanfall. Sie hob die Decke auf und deckte ihn gut zu, zog die Jalousie bis zum Fensterbrett herunter, schob das klemmende Fenster ein paar Zentimeter hoch und arretierte es mit dem Aschbecher, den sie geleert hatte. Dann zog sie sich draußen auf dem Flur um, schlüpfte aus dem braunen Kleid in alte Sachen aus ihrem Koffer. Was nützten ihr jetzt ein hübsches Kleid oder alles Make-up der Welt?

Sie wusste nicht genau, wie krank er war, aber sie hatte Mrs Willets – auch eine starke Raucherin – bei deren Bronchitis-anfällen gepflegt, und so meinte sie, noch eine Weile auskommen zu können, ohne einen Arzt zu holen. Im selben Flur-schrank lag ein Stapel sauberer, wenn auch fadenscheiniger und verwaschener Handtücher, und sie machte eines davon nass und wischte ihm damit Arme und Beine ab, um das Fieber zu senken. Er wachte davon ein wenig auf und begann wieder zu husten. Sie stützte ihn und ließ ihn in das Toilettenpapier spucken, betrachtete es wieder prüfend und spülte es in der Toilette herunter und wusch sich die Hände. Jetzt hatte sie ein Handtuch, um sich abzutrocknen. Sie ging hinunter und fand in der Küche ein Glas sowie eine große leere Gingerale-Flasche, die sie mit Wasser füllte. Das versuchte sie ihm einzuflößen. Er trank einen Schluck, protestierte und durfte sich zurücklegen. Nach ungefähr fünf Minuten versuchte sie es wieder. Sie fuhr damit fort, bis sie überzeugt war, dass er so viel geschluckt hatte, wie er konnte, ohne sich erbrechen zu müssen.

Immer wieder hustete er, und sie richtete ihn auf, stützte ihn mit einem Arm, während sie ihm mit der anderen Hand auf den Rücken klopfte, damit sich die Last in seiner Brust locker-te. Er schlug mehrere Male die Augen auf und schien sie ohne Angst oder Überraschung wahrzunehmen – allerdings auch ohne Dankbarkeit. Sie wischte ihn noch einmal kalt ab und achtete sorgfältig darauf, den Körperteil, den sie gerade gekühlt hatte, sofort wieder zuzudecken.

Sie sah, dass es dunkel wurde, ging in die Küche hinunter und fand den Lichtschalter. Das Licht und der alte Elektroherd funktionierten. Sie öffnete eine Dose Hühnersuppe mit Reis, machte sie heiß, trug sie nach oben und weckte ihn. Er schluckte ein paar Löffel voll. Sie nutzte seine kurze Wach-phase und fragte ihn, ob er eine Flasche mit Aspirin hatte. Er nickte, wurde aber ganz wirr, als er ihr sagen wollte, wo sie stand. »Im Mülleimer«, sagte er.

»Nein, nein«, sagte sie. »Sie meinen nicht den Mülleimer.«

»Im ... im ...«

Er versuchte, etwas mit den Händen zu formen. Tränen stie-gen ihm in die Augen.

»Nicht so wichtig«, sagte Johanna. »Nicht so wichtig.«

Sein Fieber sank jedenfalls. Er schlief eine Stunde lang oder länger, ohne zu husten. Dann wurde sein Körper wieder heiß. Doch inzwischen hatte sie das Aspirin gefunden – es lag in ei-ner Küchenschublade zusammen mit solchen Dingen wie ei-nem Schraubenzieher und Glühbirnen und einem Knäuel Schnur –, und sie brachte ihn dazu, zwei Tabletten zu schlu-cken. Bald danach bekam er einen heftigen Hustenanfall, be-hielt aber, so weit sie sah, das Aspirin bei sich. Als er sich wieder hinlegte, hielt sie das Ohr an seine Brust und horchte auf seinen pfeifenden Atem. Sie hatte schon nach Senf gesucht, um damit ein Pflaster zu machen, doch offenbar gab es keinen. Sie ging wieder hinunter und machte etwas Wasser heiß und trug es in einer Schüssel hoch. Sie half ihm auf, bis er sich darüber beugte, und breitete Handtücher über ihn, damit er den Dampf ein-atmen konnte. Er machte nur kurze Zeit mit, aber vielleicht half es – er hustete eine Menge Schleim aus.

Sein Fieber sank wieder, und er schlief ruhiger. Sie zerrte einen Sessel herein, den sie in einem anderen Zimmer entdeckt hatte, und nickte auch ein, wurde immer wieder wach und wusste nicht, wo sie war, dann erinnerte sie sich und stand auf und fasste ihn an – das Fieber schien besänftigt – und deckte ihn zu. Um sich selbst zuzudecken, nahm sie den unverwüstlichen alten Tweedmantel, den sie Mrs Willets verdankte.

Er wachte auf. Die Sonne stand schon hoch. »Was machen Sie hier?«, fragte er mit heiserer, schwacher Stimme.

»Ich bin gestern angekommen«, sagte sie. »Ich habe Ihre Möbel mitgebracht. Sie sind noch nicht da, aber auf dem Weg. Als ich ankam, waren Sie krank, auch noch in der Nacht. Wie geht es Ihnen jetzt?«

Er sagte: »Besser«, und fing an zu husten. Sie brauchte ihn nicht aufzurichten, er setzte sich von allein auf, aber sie ging zum Bett und klopfte ihm auf den Rücken. Als er fertig war, sagte er: »Danke.«

Seine Haut fühlte sich jetzt so kühl wie ihre eigene an. Und glatt – keine rauen Leberflecke, kein Gramm Fett. Sie konnte seine Rippen fühlen. Er war wie ein zarter, anfälliger Junge. Er roch wie Mais.

»Sie haben den Schleim heruntergeschluckt«, sagte sie. »Tun Sie das nicht, das ist nicht gut für Sie. Hier ist Toilettenpapier, da müssen Sie reinspucken. Wenn Sie das Zeug runterschlucken, kann das Ihre Nieren angreifen.«

»Davon hatte ich keine Ahnung«, sagte er. »Könnten Sie mal nach Kaffee schauen?«

Die Kaffeemaschine war innen schwarz. Sie reinigte sie, so gut sie konnte, und setzte den Kaffee auf. Dann wusch sie sich und richtete sich her, überlegte dabei, was sie ihm zu essen geben sollte. In der Speisekammer stand eine Schachtel mit Backmischung für Kuchenbrötchen. Sie fürchtete schon, sie mit Wasser anrühren zu müssen, doch dann fand sie eine Dose mit Milchpulver. Als der Kaffee fertig war, hatte sie ein Blech mit Kuchenbrötchen im Backofen.

Sobald er sie in der Küche hantieren hörte, stand er auf, um auf die Toilette zu gehen. Er war schwächer, als er gedacht hatte – er musste sich vorbeugen und mit einer Hand auf dem Spülkasten abstützen. Dann suchte er sich unten im Flurschrank, wo er saubere Kleidung aufbewahrte, frische Unterwäsche. Er hatte sich inzwischen zusammengereimt, wer sie war. Sie hatte gesagt, sie sei gekommen, um ihm seine Möbel zu bringen, obwohl er weder sie noch sonst jemanden darum gebeten hatte – er hatte überhaupt nicht um die Möbel gebeten, nur um das Geld. Er müsste ihren Namen wissen, aber er konnte sich nicht daran erinnern. Deshalb machte er ihre Handtasche auf, die im Flur neben ihrem Koffer stand. Ins Futter war ein Namensschildchen eingenäht.

Johanna Parry und die Adresse seines Schwiegervaters in der Exhibition Road.

Auch anderes fand sich. Ein Stoffbeutel mit ein paar Geldscheinen. Siebenundzwanzig Dollar. Noch ein Beutel, mit Münzgeld, das er gar nicht erst nachzählte. Ein hellblaues Kontobuch. Er blätterte es automatisch auf, ohne irgendetwas Ungewöhnliches zu erwarten.

Vor ein paar Wochen hatte Johanna endlich den Gesamtbetrag der Erbschaft von Mrs Willets ihrem Bankkonto gutschreiben können, zu dem hinzu, was sie angespart hatte. Dem Filialleiter hatte sie erklärt, sie wisse nicht, wann sie das Geld brauchen werde.

Die Summe war nicht umwerfend, aber beeindruckend. Machte sie zu jemandem. In Ken Boudreaus Kopf formte sie ein weiches Polster um den Namen Johanna Parry.

»Hatten Sie ein braunes Kleid an?«, fragte er, als sie den Kaffee heraufbrachte.

»Ja. Als ich angekommen bin.«

»Ich dachte, das war ein Traum. Aber das waren Sie.«

»Wie in Ihrem anderen Traum«, sagte Johanna, und ihre fleckige Stirn lief feuerrot an. Er verstand nicht, was das bedeuten sollte, und hatte nicht die Kraft nachzufragen. Vielleicht ein Traum, aus dem er erwacht war, als sie nachts bei ihm war – einer, an den er sich nicht mehr erinnerte. Er hustete wieder, aber nicht mehr so krampfhaft, und sie reichte ihm Toilettenpapier.

»So«, sagte sie, »wo wollen Sie den Kaffee hinhaben?« Sie

rückte den Stuhl heran, den sie sich zurechtgestellt hatte, um ihm besser helfen zu können. »Dahin«, sagte sie. Sie griff ihm unter die Achseln, richtete ihn auf und stopfte ihm das Kissen in den Rücken. Ein schmutziges Kissen, ohne Bezug, aber sie hatte gestern Nacht ein Handtuch darum gewickelt.

»Könnten Sie mal nachschauen, ob unten noch Zigaretten sind?«

Sie schüttelte den Kopf, sagte aber: »Ich werde nachsehen. Ich habe Kuchenbrötchen im Backofen.«

Ken Boudreau war es gewohnt, Geld zu verleihen, und ebenso, sich welches zu borgen. Viele der Schwierigkeiten, in die er geraten war – oder in die er sich gebracht hatte, um es anders auszudrücken –, hatten damit zu tun, dass er zu einem Freund nie nein sagen konnte. Man steht treu zu seinen Freunden. Er war nach dem Krieg nicht etwa unehrenhaft aus der Air Force entlassen worden, sondern hatte von sich aus den Dienst quittiert, aus Treue zu einem Freund, der vors Militärgericht gestellt worden war, weil er auf einem Kasinoabend den OvD beleidigt hatte. Auf einem Kasinoabend, wo doch angeblich jeder Witz erlaubt ist – das war nicht fair. Und er hatte die Stellung bei der Düngemittelfirma verloren, weil er mit einem Firmenlastwagen ohne Erlaubnis über die amerikanische Grenze gefahren war, noch dazu an einem Sonntag, um einen Kumpel abzuholen, der in eine Schlägerei verwickelt worden war und Angst hatte, festgenommen und verknackt zu werden.

Fester Bestandteil der Freundestreue war sein Problem mit Vorgesetzten. Er gestand freimütig, dass es ihm schwer fiel, auf den Knien zu rutschen. »Ja, Sir« und »Nein, Sir« waren in seinem Wortschatz keine geläufigen Ausdrücke. Er war von der Versicherungsgesellschaft nicht vor die Tür gesetzt, sondern so oft übergangen worden, dass man es auf seine Kündigung anzulegen schien, die er schließlich auch einreichte.

Alkohol hatte eine Rolle gespielt, das musste man zugeben. Und dazu die Vorstellung, das Leben müsste eigentlich viel heldenhaftere Abenteuer bereithalten, als es das heutzutage je tat.

Er erzählte allen gern, er habe das Hotel bei einem Pokerspiel gewonnen. Er war eigentlich kein Spieler, aber den Frauen gefiel das. Er mochte nicht zugeben, dass er es völlig unbesehen zur Begleichung von Schulden angenommen hatte. Und auch nachdem er es gesehen hatte, sagte er sich, dass es zu retten war. Die Vorstellung, sein eigener Herr zu sein, besaß für ihn große Anziehungskraft. Er sah es nicht als einen Ort, wo Leute übernachten würden – außer vielleicht die Jäger im Herbst. Er sah es als einen Ort, wo man sich traf, um etwas zu trinken und um etwas zu essen. Wenn er es schaffte, einen guten Koch aufzutreiben. Aber bevor sich etwas tun konnte, musste Geld ausgegeben werden. Musste viel gemacht werden – mehr, als er selbst in die Hand nehmen konnte, obwohl er nicht ungeschickt war. Wenn es ihm gelang, den Winter zu überstehen und alle Arbeiten auszuführen, die er allein verrichten konnte, seine guten Absichten unter Beweis zu stellen, vielleicht bekam er dann ein Darlehen von der Bank. Aber erst einmal brauchte er ein kleineres Darlehen, um durch den Winter zu kommen, und da kam sein Schwiegervater ins Spiel. Er hätte es lieber bei jemand anders probiert, aber niemand sonst hatte Geld zu verschenken.

Er hielt es für eine gute Idee, den Bettelbrief in die Form eines Vorschlags zum Verkauf der Möbel zu kleiden, zu dem sich, wie er wusste, der alte Mann nie aufraffen würde. Ihm war durchaus bewusst, wenn auch nicht in allen Einzelheiten, dass frühere Darlehen noch offen standen, aber er betrachtete sie inzwischen als Summen, die ihm zugestanden hatten, weil er für Marcelle in einer Phase der Haltlosigkeit (ihrer Haltlosigkeit, seine hatte da noch nicht begonnen) gesorgt hatte und weil er Sabitha trotz aller Zweifel als sein Kind anerkannt hatte. Außerdem waren für ihn die McCauleys die einzigen Leute, die Geld besaßen, das niemand der jetzt Lebenden verdient hatte.

Ich habe Ihre Möbel mitgebracht.

Er rätselte herum, was das für ihn zu bedeuten hatte, aber er kam nicht dahinter. Er war zu müde. Er mochte nichts essen, wollte lieber schlafen, als sie mit den Kuchenbrötchen kam (und ohne Zigaretten). Ihr zuliebe aß er ein halbes. Dann fiel er in Tiefschlaf. Er wurde nicht richtig wach, als sie ihn erst auf die eine Seite drehte, dann auf die andere, das schmutzige Laken abzog und ein sauberes ausbreitete, alles, ohne dass er aufstehen oder hellwach werden musste.

»Ich habe ein sauberes Laken gefunden, aber es ist dünn wie ein Putzlumpen«, sagte sie. »Es roch nicht besonders, deshalb habe ich es eine Weile auf die Leine gehängt.«

Später wurde ihm klar, dass ein Geräusch, das er lange Zeit im Traum gehört hatte, in Wirklichkeit das Geräusch der Waschmaschine war. Er überlegte, wie das angehen konnte – der Heißwasserspeicher hatte den Geist aufgegeben. Sie musste das Wasser eimerweise auf dem Herd heiß gemacht haben. Noch später hörte er das unverkennbare Geräusch seines Autos, das ansprang und wegfuhr. Sie musste sich die Schlüssel aus seiner Hosentasche genommen haben.

Möglich, dass sie mit seiner einzigen wertvollen Habe wegfuhr, ihn im Stich ließ, und er konnte nicht einmal die Polizei anrufen, um sie zu schnappen. Das Telefon war gesperrt, selbst wenn er die Kraft gehabt hätte hinzugehen.

Diese Möglichkeit gab es immer – Diebstahl und nichts wie weg –, doch er drehte sich auf dem frischen Laken um, das nach Präriewind und Gras roch, und schlief wieder ein, in der Gewissheit, dass sie nur losgefahren war, um Milch und Eier und Butter und Brot und andere Dinge zu kaufen – sogar Zigaretten –, die für ein ordentliches Leben notwendig waren, und dass sie zurückkommen und sich unten ans Werk machen würde und dass die Geräusche ihrer Tätigkeit wie ein Netz unter ihm sein würden, vom Himmel gesandt, ein wahrer Segen, den man nicht anzweifeln durfte.

In seinem Leben gab es gerade ein Frauenproblem. Nämlich zwei Frauen, eine junge und eine ältere (also eine in seinem Alter), die voneinander wussten und bereit waren, sich gegenseitig die Haare auszureißen. Alles, was er in letzter Zeit von ihnen bekommen hatte, waren Tränen und Klagen, unterstrichen von wütenden Beteuerungen, dass sie ihn liebten.

Vielleicht war auch dafür eine Lösung eingetroffen.

Als Johanna im Laden Lebensmittel kaufte, hörte sie einen Zug, und auf der Rückfahrt zum Hotel sah sie am Bahnhof ein Auto stehen. Noch bevor sie in Ken Boudreaus Auto anhalten konnte, sah sie die übereinander gestapelten Möbelkisten auf dem Bahnsteig. Sie sprach den Stationsvorsteher an – das Auto am Bahnhof gehörte ihm –, und der war von der Ankunft so vieler großer Kisten sehr überrascht und verärgert. Nachdem sie ihm den Namen eines Mannes mit einem Lastwagen – einem sauberen Lastwagen, darauf bestand sie – entlockt hatte, der zwanzig Meilen weit entfernt wohnte und manchmal Transporte machte, rief sie den Mann vom Bahnhofstelefon aus an und beschwor ihn, halb mit Bestechung, halb mit Befehlen, sofort zu kommen. Dann schärfte sie dem Stationsvorsteher ein, dass er bei den Kisten bleiben musste, bis der Lastwagen eintraf. Bevor es Zeit fürs Abendbrot wurde, war der Lastwagen gekommen, und der Mann und sein Sohn hatten alle Möbel abgeladen und in den Schankraum des Hotels getragen.

Am nächsten Tag sah sie sich das Haus gründlich an, um einen Entschluss zu fassen.

Am Tag danach hielt sie Ken Boudreau für fähig, sich aufzusetzen und ihr zuzuhören, und sagte: »Das hier ist ein Fass ohne Boden. Und die Stadt pfeift auf dem letzten Loch. Das Vernünftigste ist, alles, was noch Geld bringen kann, zu verkaufen. Ich meine nicht die Möbel, die gebracht worden sind, ich meine Sachen wie den Billardtisch und den Küchenherd. Dann sollten wir das Haus jemandem verkaufen, der Altmetall sucht und die Blechverkleidung haben will. Auch aus Zeugs, das man für völlig wertlos hält, lässt sich immer noch ein bisschen was rausschlagen. Und dann … Was wollten Sie eigentlich machen, bevor Sie an das Hotel geraten sind?«

Er sagte, dass er daran gedacht hatte, nach British Columbia zu gehen, nach Salmon Arm, wo ein Freund von ihm saß, der ihm angeboten hatte, dort als Betriebsleiter von Obstplantagen zu arbeiten. Aber er konnte nicht hinfahren, denn das Auto brauchte neue Reifen, und vor einer so weiten Reise musste einiges daran gemacht werden, und sein Geld reichte nur fürs tägliche Leben. Dann war ihm das Hotel in den Schoß gefallen.

»Wie ein Haufen Wackersteine«, sagte sie. »Die Reifen und die Autoreparaturen wären eine bessere Investition, als Geld in dieses Haus zu stecken. Ich halte es für eine gute Idee, von hier zu verschwinden, bevor der Schnee kommt. Und die Möbel wieder mit der Bahn zu verschicken, damit sie da sind, wenn wir ankommen. Wir haben alles, was wir brauchen, um uns häuslich niederzulassen.«

»Sein Angebot ist vielleicht nicht ganz ernst gemeint.«

Sie sagte: »Ich weiß. Aber es wird schon alles gut.«

Er verstand, dass sie Rat wusste und dass es gut so war, dass alles gut werden würde. Man könnte sagen, jemand wie er war genau ihr Fall.

Nicht, dass er ihr dafür nicht dankbar sein würde. Er war an einem Punkt angelangt, wo Dankbarkeit keine Last war, sondern etwas ganz Natürliches – besonders, wenn sie nicht eingefordert wurde.

Gedanken an ein neues Leben keimten auf. *Das ist die Veränderung, die ich brauche.* Er hatte das schon öfter gesagt, aber einmal musste es doch stimmen. Die milden Winter, der Geruch immergrüner Wälder und reifer Äpfel. *Alles, was wir brauchen, um uns häuslich niederzulassen.*

Er hat seinen Stolz, dachte sie. Darauf musste Rücksicht genommen werden. Vielleicht war es besser, die Briefe, in denen er ihr sein Herz ausgeschüttet hatte, nie zu erwähnen. Vor ihrer Abreise hatte sie alle vernichtet. Tatsächlich hatte sie jeden vernichtet, sobald sie ihn oft genug gelesen hatte, um ihn auswendig zu können, was nicht lange dauerte. Denn sie wollte auf keinen Fall, dass diese Briefe je der kleinen Sabitha und ihrer verschlagenen Freundin in die Hände fielen. Besonders nicht die Stelle im letzten Brief, über ihr Nachthemd und wie sie im Bett lag. Nicht, dass so was nicht vorkam, aber es könnte für unanständig oder kitschig oder lächerlich gehalten werden, so was zu Papier zu bringen.

Sie bezweifelte, dass er Sabitha oft sehen würde. Aber wenn er es unbedingt wollte, würde sie ihm nichts in den Weg legen.

All das, dieses lebhafte Gefühl von Erweiterung und Verantwortung, war eigentlich keine neue Erfahrung. Sie hatte etwas Ähnliches für Mrs Willets empfunden – auch eine zartgliedrige, flatterhafte Person, die Pflege und Betreuung brauchte. Allerdings war sie nicht darauf gefasst gewesen, dass Ken Boudreau sich in dieser Hinsicht als noch bedürftiger erwies, und dann waren da die Unterschiede, mit denen man bei einem Mann rechnen musste, aber in ihm war bestimmt nichts, womit sie nicht fertig werden konnte.

Nach Mrs Willets war ihr Herz verdorrt, und sie hatte schon für möglich gehalten, dass es immer so bleiben könnte. Und jetzt so warme Unruhe, so geschäftige Liebe.

Mr McCauley starb etwa zwei Jahre nach Johannas Weggang. Seine Beerdigung war die letzte, die in der anglikanischen Kirche abgehalten wurde. Es fand sich eine ansehnliche Trauergemeinde ein. Sabitha – die mit der Kusine ihrer Mutter, der Frau aus Toronto, kam – war jetzt zurückhaltend und hübsch und bemerkenswert, staunenswert schlank. Sie trug einen eleganten schwarzen Hut und sprach mit niemandem, es sei denn, sie wurde von anderen angesprochen. Und auch dann konnte sie sich offenbar nicht an sie erinnern.

Die Todesanzeige in der Zeitung vermerkte als Hinterbliebene von Mr McCauley dessen Enkeltochter Sabitha Boudreau und dessen Schwiegersohn Ken Boudreau mit Ehefrau Johanna und Söhnchen Omar, wohnhaft in Salmon Arm, B.C.

Ediths Mutter las das vor – Edith selbst warf nie einen Blick in die Lokalzeitung. Natürlich war die Heirat für beide keine Neuigkeit – auch nicht für Ediths Vater, der um die Ecke im Wohnzimmer vor dem Fernseher saß. Die Heirat hatte sich herumgesprochen. Die einzige Neuigkeit war Omar.

»Die und ein Baby!«, sagte Ediths Mutter.

Edith machte am Küchentisch ihre Hausaufgaben und übersetzte Latein. *Tu ne quaesieris, scire nefas, quem mihi, quem tibi ...*

In der Kirche hatte sie sorgfältig darauf geachtet, Sabitha nicht in Gegenwart anderer anzusprechen.

Sie hatte eigentlich keine Angst mehr davor, erwischt zu werden – obwohl sie immer noch nicht ganz verstand, warum Sabitha und sie nicht erwischt worden waren. Und in gewisser Weise kam es ihr nur richtig vor, dass die dummen Streiche ihres früheren Ichs nicht mit ihrem jetzigen Ich in Verbindung gebracht wurden – oder gar mit ihrem wahren Ich, das bestimmt zu Tage treten würde, sobald sie diese Stadt hinter sich gelassen hatte und mit ihr alle Menschen, die meinten, sie zu kennen. Es war dieser ganze Lauf der Dinge, der sie verstörte – so märchenhaft, dabei gleichzeitig banal. Auch beleidigend, wie ein schlechter Scherz oder eine plumpe Warnung, die sie verunsichern sollte. Denn wo stand auf der Liste der Dinge, die sie in ihrem Leben erreichen wollte, irgendetwas davon, für das

Erdendasein eines Wesens namens Omar verantwortlich zu sein?

Sie ging nicht auf ihre Mutter ein und schrieb: »Du darfst nicht fragen, es ist uns verboten, zu wissen ...«

Sie hielt inne und kaute auf ihrem Bleistift herum, fuhr dann mit einem Schauder der Befriedigung fort: » ... was das Schicksal bereithält, sei es für mich oder für dich ...«

Eine schwimmende Brücke

Einmal hatte sie ihn verlassen. Der unmittelbare Anlass war relativ unbedeutend gewesen. Er hatte sich zwei jugendlichen Straftätern angeschlossen (zwei Jujus, wie er sie nannte) und mit ihnen einen Ingwerkuchen aufgefuttert, den sie gerade gebacken hatte und am selben Abend nach einem Meeting auftischen wollte. Unbemerkt – zumindest von Neal und den Jujus – hatte sie das Haus verlassen und war zu dem Wartehäuschen an der Hauptstraße gelaufen, wo der Bus in die City zweimal am Tag hielt. Sie hatte sich noch nie darin aufgehalten und gut zwei Stunden Wartezeit vor sich. Also saß sie da und las alles, was an die hölzernen Wände geschrieben oder in sie eingeritzt worden war. Diverse Monogramme liebten sich für immer. Laurie G. lutschte Schwänze. Dunk Cultis war schwul. Ebenso Mr Garner (Mathe).

Leck mich H. W. Dope an die Macht. Skaten oder Sterben. Gott hasst Schmutz. Kevin S. hat verschissen. Amanda W. ist ganz süß und ich wünsche mir, sie kommt bald aus dem Knast, denn ich sehne mich so nach ihr. Ich will V. P. nageln. Hier müssen Frauen sitzen und das Dreckzeug lesen, was ihr hinschreibt.

Beim Betrachten dieses Hagelschauers menschlicher Botschaften – und besonders angesichts des von Herzen kommenden, sehr säuberlich geschriebenen Satzes über Amanda W. – überlegte Jinny, ob die Verfasser wohl allein waren, wenn sie solche Dinge hinschrieben. Und sie stellte sich weiter vor, wie sie selbst hier oder an einem ähnlichen Ort saß, ganz allein, und auf einen Bus wartete, was ihr sicherlich bevorstand, wenn sie den Plan ausführte, für den sie sich gerade entschieden hatte. Würde auch sie unter dem Zwang stehen, auf öffentlichen Wänden Erklärungen abzugeben?

Sie fühlte sich in diesem Augenblick dem Zustand nahe, in dem sich Menschen befanden, wenn sie bestimmte Dinge hinschreiben mussten – nahe durch ihren Zorn, ihr Gefühl des Verletztseins (vielleicht war es nur ein Gefühl?) und ihre Erregung über das, was sie Neal antat, um es ihm heimzuzahlen. Aber das Leben, in das sie sich begab, bot ihr vielleicht niemanden, über den sie sich ärgern konnte, niemanden, der ihr etwas schuldig war, niemanden, der von dem, was sie tat, in irgendeiner Weise belohnt oder bestraft oder ernsthaft berührt werden konnte. Möglich, dass dann ihre Gefühle für niemanden außer ihr selbst von Bedeutung waren, und trotzdem würden sie in ihrem Innern anschwellen, ihr das Herz und den Atem abdrücken.

Sie war schließlich keine Person, die alle Menschen sofort für sich einnahm. Dennoch war sie auf ihre Art wählerisch.

Vom Bus war immer noch nichts zu sehen, als sie aufstand und nach Hause ging.

Neal war nicht da. Er brachte die Jungen in die Schule zurück, und als er zurückkam, hatte sich schon jemand zu früh für das Meeting eingefunden. Was sie getan hatte, erzählte sie ihm erst, als sie darüber hinweg war und daraus eine spaßige Geschichte machen konnte. Es wurde tatsächlich zu einer Anekdote, die sie in geselliger Runde oft erzählte. Das, was sie an den Wänden gelesen hatte, ließ sie dabei aus oder beschrieb es nur ganz allgemein.

»Wäre dir je der Gedanke gekommen, mir nachzugehen?«, fragte sie Neal.

»Sicher. So mit der Zeit.«

* * *

Der Onkologe gab sich priesterlich. Unter dem weißen Kittel trug er sogar ein schwarzes Stehkragenhemd – eine Uniform, die wirkte, als käme er gerade von einer Zeremonie des Mischens und Dosierens. Seine Haut war jung und glatt – sie sah aus wie Karamellbonbons. Nur auf der Kuppe seines Schädels fand sich spärlicher schwarzer Haarwuchs, ein zartes Sprießen, ganz ähnlich dem Flaum, den Jinny auf dem Kopf trug. Bei ihr war er allerdings graubraun, wie Mäusefell. Anfangs hatte Jinny sich gefragt, ob er vielleicht nicht nur Arzt, sondern auch selbst Patient war. Dann, ob er sich diesen Stil zugelegt hatte, damit die Patienten sich wohler fühlten. Aber wahrscheinlich war es ein Transplantat. Oder einfach nur die Frisur, die ihm gefiel.

Man konnte ihn nicht fragen. Er kam aus Syrien oder Jordanien oder einem Land, wo die Ärzte ihre Würde wahrten. Seine Höflichkeit war frostig.

»Zunächst einmal«, sagte er, »möchte ich nicht, dass Sie einen falschen Eindruck bekommen.«

Sie begab sich aus dem klimatisierten Gebäude in die grelle Glut eines späten Augustnachmittags in Ontario. Manchmal brannte sich die Sonne durch die Schleierwolken, manchmal blieb sie dahinter – auf die Hitze hatte das keinen Einfluss. Die geparkten Autos, das Pflaster, die Backsteine der Gebäude, so kam es Jinny vor, bombardierten sie regelrecht, als wären sie alle gesonderte Begebenheiten, in absurder Reihenfolge aneinander gefügt. Sie wurde derzeit nicht gut mit Veränderungen der Umgebung fertig, sie wollte alles vertraut und gleich bleibend haben. Ebenso erging es ihr mit wechselnden Informationen.

Sie sah, wie der Transporter sich von seinem Platz am Bordstein entfernte und die Straße herauffuhr, um sie abzuholen. Er war hellblau, eine schimmernde, Ekel erregende Farbe. Helleres Blau, wo die Roststellen übermalt worden waren. Seine Aufkleber verkündeten ICH WEISS, ICH FAHRE EINEN SCHROTTHAUFEN, ABER SIE SOLLTEN ERST MAL MEIN HAUS SEHEN und EHRE DEINE MUTTER – DIE ERDE und (der war neueren Datums) BENUTZT PESTIZI-DE, ROTTET DAS UNKRAUT AUS, FÖRDERT DEN KREBS.

Neal kam ums Auto, um ihr behilflich zu sein.

»Sie ist im Transporter«, sagte er. Seine Stimme hatte einen ungeduldigen Unterton, der sich als unbestimmte Warnung oder Bitte übertrug. Eine Geschäftigkeit, eine Spannung um ihn, die Jinny verriet, dass es nicht der richtige Zeitpunkt war, um ihm ihre Neuigkeiten mitzuteilen, wenn man sie über-haupt Neuigkeiten nennen konnte. Wenn andere Menschen um Neal waren, auch nur eine andere Person außer Jinny, dann änderte sich sein Verhalten, wurde lebhafter, enthusiasti-scher, liebenswürdiger. Jinny machte das inzwischen kaum noch zu schaffen – sie waren seit einundzwanzig Jahren zu-sammen. Außerdem hatte sie sich verändert – als Reaktion darauf, dachte sie immer – und war reservierter und ein wenig ironisch geworden. Manche Maskeraden waren eben notwen-dig oder zu sehr zur Gewohnheit geworden, um abgelegt zu werden. Wie Neals antiquierte Erscheinung – das bunte Tuch um die Stirn, der struppige graue Pferdeschwanz, der kleine goldene Ohrring, der im Licht so blitzte wie die Goldeinfas-sungen seiner Zähne, dazu seine abgetragenen Revoluzzerkla-motten.

Während sie beim Arzt war, hatte er das Mädchen abgeholt, das ihnen jetzt zur Hand gehen sollte. Er kannte sie aus dem Jugendgefängnis, in dem er Lehrer war und in dem sie in der Küche gearbeitet hatte. Das Jugendgefängnis lag gleich außer-halb der Stadt, in der sie wohnten, ungefähr zwanzig Meilen entfernt. Das Mädchen hatte den Küchenjob vor ein paar Mo-naten aufgegeben und den Haushalt einer Farmersfamilie besorgt, in der die Mutter erkrankt war. Irgendwo nicht weit von dieser größeren Stadt. Zum Glück war sie jetzt frei.

»Was ist aus der Frau geworden?«, hatte Jinny gefragt. »Ist sie gestorben?«

Neal sagte: »Sie ist ins Krankenhaus gekommen.«

»Läuft aufs selbe hinaus.«

Sie mussten in verhältnismäßig kurzer Zeit eine ganze Reihe von Vorkehrungen treffen. Aus dem Vorderzimmer ihres Hauses alle Akten rausschaffen, die Zeitungen und Zeitschriften mit wichtigen Artikeln, die noch nicht auf Diskette waren – sie hatten die Regale gefüllt, die an den Wänden des Zimmers bis zur Decke reichten. Auch die beiden Computer, die alten Schreibmaschinen, den Drucker. All das musste – vorübergehend, obwohl das niemand aussprach – im Haus von jemand anders untergebracht werden. Das Vorderzimmer war als Krankenzimmer vorgesehen.

Jinny hatte zu Neal gesagt, dass er wenigstens einen Computer behalten sollte, im Schlafzimmer. Aber er hatte das abgelehnt. Er sprach es nicht aus, aber sie verstand, dass er der Meinung war, dafür würde er keine Zeit haben.

Neal hatte in den Jahren, seit sie mit ihm zusammen war, fast seine gesamte Freizeit mit dem Organisieren und Durchführen von Aktionen verbracht. Nicht nur politische Aktionen (die auch), sondern Bürgerinitiativen, um historische Gebäude und Brücken und Friedhöfe zu retten, um zu verhindern, dass Bäume entlang der städtischen Straßen und in verbliebenen Waldstücken gefällt wurden, um Flüsse vor giftigen Einleitungen und schöne Landschaften vor Immobilienhaien und die Stadtbewohner vor Spielcasinos zu bewahren. Ständig waren Briefe und Eingaben geschrieben, Behörden bestürmt, Plakate verteilt, Demonstrationen organisiert worden. Das Vorderzimmer war die Bühne für empörte Ausbrüche (die den Leuten offensichtlich gut taten, fand Jinny) und verwirrte Vorschläge und Streitereien und Neals nervende Lebhaftigkeit gewesen. Und als es nun plötzlich leer stand, musste sie daran denken, wie sie zum ersten Mal dieses Haus betreten hatte, geradewegs aus dem Halbgeschosshaus ihrer Eltern mit den gerafften Portieren an den Fenstern kommend, und all die mit Büchern gefüllten Regale betrachtet hatte, die hölzernen Fensterläden und die schönen Orientteppiche, deren Namen sie immer wieder vergaß, auf den gefirnissten Dielen. Der Canaletto-Druck, den sie für ihr Zimmer im College gekauft hatte, an der einzigen leeren Wand. *Lord Mayor's Day auf der Themse*. Sie hatte ihn selbst aufgehängt, auch wenn sie ihn inzwischen gar nicht mehr wahrnahm.

Sie mieteten ein Krankenhausbett – sie brauchten es eigentlich noch nicht, aber es war besser, eins zu besorgen, solange es eins gab, denn oft waren sie knapp. Neal dachte einfach an alles. Er hängte schwere Vorhänge auf, ausgemusterter Wohnzimmerschmuck eines Freundes. Sie hatten ein Muster aus Bierhumpen und Stirnschmuckschildern von Brauereipferden, und Jinny fand sie sehr hässlich. Aber sie wusste inzwischen, es kommt eine Zeit, da erfüllen das Hässliche und das Schöne so ziemlich denselben Zweck, da ist alles, was man erblickt, nur ein Haken, um daran die empörten Ausbrüche des eigenen Körpers aufzuhängen, die Bruchstücke des eigenen Geistes.

Sie war zweiundvierzig, und bis vor kurzem hatte sie jünger ausgesehen. Neal war sechzehn Jahre älter als sie. Also hatte sie gedacht, dem natürlichen Lauf der Dinge zufolge werde sie sich einst in der Situation befinden, in der er jetzt war, und sie hatte sich manchmal Sorgen gemacht, wie sie damit fertig werden sollte. Eines Nachts, als sie im Bett beim Einschlafen seine Hand hielt, seine warme und lebendige Hand, hatte sie gedacht, sie werde, wenn er gestorben sei, wenigstens einmal seine Hand halten oder berühren. Und sie werde diese Tatsache nicht glauben können. Die Tatsache, dass er tot und kraftlos war. Ganz egal, wie lange dieser Zustand vorauszusehen gewesen sei, sie werde ihn nicht glauben können. Sie werde nicht glauben können, dass er diesen Augenblick, dass er sie, Jinny, tief im Innersten nicht doch wahrnahm. Der Gedanke, er werde dazu nicht mehr in der Lage sein, löste bei ihr so etwas wie emotionale Gleichgewichtsstörungen aus, ein Gefühl, ins Bodenlose zu fallen.

Und gleichzeitig eine gewisse Erregung. Die Erregung, die man spürt, wenn ein im Sauseschritt nahendes Unheil verspricht, einem alle Verantwortung für das eigene Leben abzunehmen. Gleich danach schämt man sich dafür und ringt um Fassung und zwingt sich zu Ruhe.

»Wo gehst du hin?«, hatte er gefragt, als sie ihre Hand wegzog.

»Nirgendwohin. Ich dreh mich nur um.«

Sie wusste nicht, ob Neal auch so etwas empfand, jetzt, wo es sie getroffen hatte. Einmal fragte sie ihn, ob er sich schon an den Gedanken gewöhnt hatte. Er schüttelte den Kopf.

Sie sagte: »Ich auch nicht.«

Dann sagte sie: »Lass bloß nicht die Trauerhelfer rein. Vielleicht sind sie schon in Lauerstellung. Für einen Präventivschlag.«

»Quäl mich nicht«, sagte er mit seltenem Zorn.

»Tut mir leid.«

»Du musst nicht immer alles von der heiteren Seite sehen.«

»Ich weiß«, sagte sie. Aber tatsächlich, da so vieles vor sich ging und die täglichen Ereignisse so viel von ihrer Aufmerksamkeit beanspruchten, fand sie es schwer, die Dinge von irgendeiner Seite zu sehen.

»Das ist Helen«, sagte Neal. »Sie wird von jetzt an auf uns aufpassen. Und sie duldet keine Dummheiten.«

»Na prima«, sagte Jinny. Sie streckte die Hand aus, sobald sie sich hingesetzt hatte. Aber vielleicht sah das Mädchen die Hand nicht, ziemlich weit unten zwischen den beiden Vordersitzen.

Oder sie wusste nicht, was sie tun sollte. Neal hatte gesagt, dass sie aus unglaublichen Verhältnissen kam, aus einer absolut barbarischen Familie. Da waren Dinge vorgegangen, wie man sie in der heutigen Zeit gar nicht mehr für möglich hielt. Eine abgelegene Farm, eine tote Mutter, eine schwachsinnige Tochter und ein tyrannischer, geistesgestörter alter Vater, der mit der eigenen Tochter zwei Kinder gezeugt hatte, zwei Mädchen. Helen, die Ältere, war mit vierzehn von zu Hause weggelaufen, nachdem sie den alten Mann zusammengeschlagen hatte. Sie fand bei einem Nachbarn Zuflucht, der die Polizei rief, und die Polizei war gekommen und hatte die jüngere Schwester abgeholt und beide Kinder der Fürsorge übergeben. Der alte Mann und seine Tochter – also ihr Vater und ihre Mutter – wurden in eine psychiatrische Anstalt eingewiesen. Pflegeeltern nahmen sich der Geschwister an, die beide geistig und körperlich normal waren. Sie wurden in die Schule geschickt und hatten es dort sehr schwer, denn sie mussten in der ersten Klasse anfangen. Aber beide lernten genug, um Arbeitsstellen zu finden.

Als Neal den Transporter angelassen hatte, beschloss das Mädchen, etwas zu sagen.

»Sie haben sich aber einen richtig heißen Tag für die Fahrt ausgesucht«, sagte sie. Es war so ein Satz, wie sie ihn vielleicht von Leuten gehört hatte, die ein Gespräch beginnen wollten. Sie sprach im harten, ausdruckslosen Tonfall der Feindseligkeit und des Misstrauens, aber auch das, wusste Jinny inzwischen, durfte man nicht persönlich nehmen. In diesem Teil der Welt hörten sich manche Leute – besonders solche vom Lande – eben so an.

»Wenn dir heiß ist, kannst du die Klimaanlage anstellen«, sagte Neal. »Unsere ist von der altmodischen Sorte – einfach alle Fenster runterkurbeln.«

An der nächsten Ecke bog Neal ab, was Jinny nicht erwartet hatte.

»Wir müssen nochmal ins Krankenhaus fahren«, sagte Neal. »Keine Panik. Helens Schwester arbeitet da und hat etwas, was Helen abholen will. Stimmt doch, Helen?«

Helen sagte: »Ja. Meine guten Schuhe.«

»Deine guten Schuhe.« Neal sah in den Rückspiegel. »Rosenrots gute Schuhe.«

»Ich heiße nicht Rosenrot«, sagte Helen. Offenkundig sagte sie das nicht zum ersten Mal.

»Ich sage das bloß zu dir, weil du so ein rosiges Gesicht hast«, sagte Neal.

»Hab ich nicht.«

»Doch. Stimmt's, Jinny? Jinny findet das auch, du hast ein rosiges Gesicht. Rosenrot.«

Das Mädchen hatte wirklich eine zarte rosafarbene Haut. Jinny war das schon aufgefallen, ebenso wie die nahezu weißen Wimpern und Augenbrauen, das blonde Babyflaum-Haar und der Mund, der seltsam nackt aussah, nicht einfach wie ein Mund ohne Lippenstift. Wie frisch aus dem Ei geschlüpft sah sie aus, als fehlte ihr noch eine Hautschicht und der gröbere Haarwuchs Erwachsener. Sie war bestimmt anfällig für Ausschläge und Entzündungen, bekam leicht Schrammen und blaue Flecke und neigte zu wunden Stellen am Mund und zu Gerstenkörnern zwischen den weißen Wimpern. Trotzdem sah sie nicht schwach aus. Sie hatte breite Schultern und war mager, aber kräftig gebaut. Sie sah auch nicht dumm aus, trotz des naiv-direkten Gesichtsausdrucks wie bei einem Kalb oder einem Reh. Offenbar war bei ihr alles an der Oberfläche, ihre Aufmerksamkeit und ihre ganze Persönlichkeit kamen schnurstracks auf einen zu, mit einer unschuldigen und – für Jinny – unangenehmen Kraft.

Sie fuhren die lange Steigung zum Krankenhaus hinauf – dort war Jinny operiert worden und hatte ihre erste Chemotherapie über sich ergehen lassen. Auf der anderen Straßenseite, gleich gegenüber vom Krankenhauskomplex, lag ein Friedhof. Die Straße war eine der Hauptstraßen, und immer, wenn sie hier entlangkamen – früher, als sie noch in diese Stadt fuhren, nur um einzukaufen oder ausnahmsweise mal ins Kino zu gehen –, sagte Jinny etwas wie »Welch eine deprimierende Aussicht« oder »Man kann es mit dem Praktischen auch übertreiben«.

Jetzt schwieg sie. Der Friedhof störte sie nicht mehr. Ihr war klar geworden, dass er nichts zu bedeuten hatte.

Neal musste das auch klar geworden sein. Er sagte in den Rückspiegel: »Was meinst du, wie viel tote Menschen sind auf dem Friedhof?«

Helen sagte erst nichts. Dann – sehr mürrisch: »Weiß nicht.«

»Na alle – alle da sind tot.«

»Damit hat er mich auch reingelegt«, sagte Jinny. »Das ist ein Witz aus der vierten Klasse.«

Helen antwortete nicht. Vielleicht hatte sie es nicht bis in die vierte Klasse geschafft.

Sie fuhren zum Haupteingang des Krankenhauses, dann auf Helens Anweisung durchs Gelände zum hinteren Teil. Leute in Krankenhausbademänteln, manche mit ihrem Infusionsständer im Schlepptau, waren herausgekommen, um zu rauchen.

»Siehst du die Bank da«, sagte Jinny. »Ach, jetzt sind wir schon vorbei. Jedenfalls ist ein Schild dran – BITTE NICHT RAUCHEN. Aber die steht da, damit die Leute sich hinsetzen können, wenn sie aus dem Krankenhaus spazieren. Und warum spazieren sie hinaus? Um zu rauchen. Also dürfen sie sich dabei nicht hinsetzen? Ich versteh das nicht.«

»Helens Schwester arbeitet in der Wäscherei«, sagte Neal. »Wie heißt sie, Helen? Wie heißt deine Schwester?«

»Lois«, sagte Helen. »Halten Sie hier. Ja, hier.«

Sie befanden sich auf einem Parkplatz hinter einem Seitenflügel des Krankenhauses. Das Erdgeschoss hatte keine Türen,

nur ein Lieferantentor, das geschlossen war. In den drei Stock-
werken darüber führten Türen zu einer Feuertreppe.

Helen stieg aus.

»Weißt du, wie du reinkommst?«, fragte Neal.

»Klar.«

Die Feuertreppe endete etwa anderthalb Meter über dem
Boden, aber sie packte das Geländer und schaffte es innerhalb
von Sekunden, sich emporzuschwingen, stützte sich vielleicht
mit einem Fuß in einem Mauerspalt ab. Jinny vermochte nicht
zu sagen, wie es ihr gelang. Neal lachte.

»Los, Mädel, zeig's ihnen«, sagte er.

»Gibt es keinen anderen Weg?«, fragte Jinny.

Helen war zum dritten Stock hochgerannt und verschwunden.

»Wenn's einen gibt, wird sie ihn nicht benutzen«, sagte Neal.

»Sie hat Mumm in den Knochen«, sagte Jinny angestrengt.

»Sonst wäre sie nie ausgebrochen«, sagte er. »Dafür hat sie
jede Menge Mumm gebraucht.«

Jinny trug einen Strohhut mit breiter Krempe. Sie nahm ihn
ab und fächelte sich damit zu.

Neal sagte: »Tut mir leid. Gibt weit und breit keinen schatti-
gen Parkplatz. Sie ist bestimmt gleich zurück.«

»Sehe ich zu scheußlich aus?«, fragte Jinny. Er war solche
Fragen von ihr gewohnt.

»Du siehst gut aus. Außerdem ist hier niemand.«

»Der Arzt vorhin, das war ein anderer als sonst. Ich glaube,
der heute war wichtiger. Das Komische an ihm war, sein Haarwuchs sah ungefähr so aus wie meiner. Vielleicht macht er das,
damit die Patienten sich nicht genieren.«

Sie wollte eigentlich weiterreden und ihm erzählen, was der
Arzt gesagt hatte, aber er sagte: »Ihre Schwester ist nicht ganz so
aufgeweckt wie sie. Helen passt auf sie auf und scheucht sie rum.
Das mit den Schuhen – das ist typisch. Kann sie sich ihre
Schuhe nicht selber kaufen? Sie hat nicht mal eine eigene

Bude – sie wohnt immer noch bei den Leuten, die sie in Pflege genommen haben, irgendwo draußen auf dem Land.«

Jinny erzählte nicht weiter. Das Fächeln beanspruchte den größten Teil ihrer Energie. Er beobachtete das Gebäude.

»Ich hoffe zu Gott, sie kriegen sie nicht am Schlafittchen, weil sie auf dem falschen Weg reingekommen ist«, sagte er. »Gegen die Vorschrift. Sie ist eben nicht der Typ, sich an Vorschriften zu halten.«

Nach einigen Minuten stieß er einen Pfiff aus.

»Da kommt sie schon. Da kommt sie! Ist jetzt auf der Zielgeraden. Wird-sie-wird-sie-wird-sie so schlau sein und anhalten, bevor sie springt? Nach unten schauen, bevor sie springt? Wird-sie-wird-sie – nein. Nein. M-m.«

Helen hielt keine Schuhe in den Händen. Sie warf sich in den Transporter und knallte die Tür zu und sagte: »Blöde Idioten. Ich komm da hoch, und so ein Arschloch hält mich auf. Wo's Ihr Namensschild? Sie brauchen ein Namensschild. Sie können hier nicht ohne Namensschild rein. Ich hab Sie von der Feuertreppe reinkommen sehen, das dürfen Sie nicht. Ja, ja, ich muss nur kurz zu meiner Schwester. Sie können jetzt nicht zu ihr, sie hat gerade keine Pause. Das weiß ich, deshalb komm ich ja von der Feuertreppe rein, ich muss nur was abholen. Ich will nicht mit ihr reden, und ich werd ihr nicht die Zeit stehlen, ich muss nur was abholen. Das geht nicht. Doch, das geht. Nein, das geht nicht. Und dann hab ich gerufen *Lois, Lois.* Und alle Maschinen laufen, da drin sind zweihundert Grad, allen läuft der Schweiß übers Gesicht, Zeug fährt vorbei und *Lois, Lois.* Ich weiß nicht, wo sie ist, kann sie mich hören oder nicht. Aber sie kommt angerast, und sowie sie mich sieht – au Scheiße. Au Scheiße, sagt sie, ich hab's vergessen. *Sie hat vergessen, meine Schuhe mitzubringen.* Ich hab sie gestern Abend angerufen und dran erinnert, aber nein, au Scheiße, sie hat's *vergessen.* Ich hätt sie verprügeln können. Jetzt verschwinden Sie, sagt er. Die Treppe runter und raus. Aber nicht die Feuertreppe, das ist verboten. Da scheiß ich drauf.«

Neal lachte und lachte und schüttelte den Kopf.

»Also sie hat tatsächlich deine Schuhe liegen lassen?«

»Draußen bei June und Matt.«

»Was für eine Tragödie.«

Jinny sagte: »Können wir denn jetzt losfahren und ein bisschen Luft reinlassen? Ich habe den Eindruck, das Fächeln hilft nicht allzu viel.«

»Gemacht«, sagte Neal. Er setzte zurück und wendete, und ein weiteres Mal kamen sie an der vertrauten Fassade des Krankenhauses vorbei, mit denselben oder anderen Rauchern, die in ihrer tristen Krankenhauskleidung mit ihren Infusionsständern umherwandelten. »Helen braucht uns nur zu sagen, wie wir fahren müssen.«

Er rief nach hinten: »Helen?«

»Was?«

»Wo müssen wir jetzt lang zu diesen Leuten?«

»Zu welchen Leuten?«

»Wo deine Schwester wohnt. Wo deine Schuhe sind. Sag uns, wie wir da hinkommen.«

»Wir fahren nicht hin, also sag ich's auch nicht.«

Neal fuhr den Weg zurück, den sie gekommen waren.

»Ich fahre hier nur lang, damit du dich orientieren kannst. Ist es für dich einfacher, wenn ich zur Fernstraße rausfahre? Oder in die Stadtmitte? Von wo aus soll's losgehen?«

»Von nirgendwo. Wir fahren nicht hin.«

»Das ist doch gar nicht so weit? Warum fahren wir nicht hin?«

»Sie haben mir schon einen Gefallen getan, und das reicht.« Helen setzte sich so weit vor, wie sie konnte, und streckte den Kopf zwischen Neals und Jinnys Sitz. »Sie haben mich zum Krankenhaus gefahren, reicht das nicht? Sie müssen nicht meinetwegen überall hinfahren.«

Neal fuhr langsamer, bog in eine Seitenstraße.

»Das ist doch albern«, sagte er. »Du fährst zwanzig Meilen weit weg und kommst vielleicht eine ganze Weile lang nicht mehr da hin. Vielleicht wirst du die Schuhe brauchen.«

Keine Antwort. Er versuchte es wieder.

»Oder weißt du den Weg nicht? Weißt du den Weg von hier aus nicht?«

»Ich weiß ihn, aber ich sag ihn nicht.«

»Dann müssen wir eben durch die Gegend fahren, kreuz und quer durch die Gegend fahren, bis du bereit bist, ihn uns zu sagen.«

»Ich bin nicht bereit. Also werd ich ihn auch nicht sagen.«

»Wir können zurückfahren und deine Schwester fragen. Die sagt ihn uns bestimmt. Sie muss doch bald Dienstschluss haben, dann können wir sie nach Hause fahren.«

»Die hat Spätschicht, ha-ha.«

Sie kamen durch einen Teil der Stadt, den Jinny noch nie gesehen hatte. Sie fuhren sehr langsam und bogen häufig ab, so dass im Auto kaum ein Luftzug zu spüren war. Eine Fabrik, die dichtgemacht hatte, Discountläden, Pfandleiher. BARGELD, blinkte eine Neonreklame über vergitterten Schaufenstern. Auch Wohnhäuser, verkommene alte Zweifamilienhäuser und die kleinen Holzhäuser, die im Zweiten Weltkrieg rasch hochgezogen worden waren. Ein winziger Hof voll Trödel – Kleidungsstücke an einer Wäscheleine, Tische, auf denen sich Geschirr und Haushaltswaren stapelten. Ein Hund schnüffelte unter einem Tisch herum und hätte ihn umstoßen können, aber die Frau, die auf der Türschwelle saß und rauchte und den Mangel an Kundschaft besichtigte, schien das nicht zu stören.

Vor einem Eckladen leckten einige Kinder Eis am Stiel. Ein Junge am Rand der Gruppe – wahrscheinlich war er nicht älter als vier oder fünf Jahre – warf sein Eis nach dem Transporter. Ein erstaunlich kräftiger Wurf. Er traf Jinnys Tür direkt unter ihrem Arm, und sie stieß einen leisen Schrei aus.

Helen streckte den Kopf aus dem hinteren Fenster.

»Willst du deinen Arm in der Schlinge tragen?«

Der kleine Junge fing an zu heulen. Mit Helen hatte er nicht gerechnet, und wohl auch nicht damit, dass sein Eis futsch war.

Helen zog den Kopf zurück und sagte etwas zu Neal.

»Sie verschwenden nur Ihr Benzin.«

»Im Norden der Stadt?«, sagte Neal. »Im Süden der Stadt? Norden Süden Osten Westen, Helen sagt uns, wo's am besten.«

»Ich hab's schon gesagt. Sie haben alles für mich getan, was Sie heute tun werden.«

»Und ich hab's dir gesagt. Wir werden deine Schuhe abholen, bevor wir nach Hause fahren.«

Ganz gleich, mit welcher Strenge Neal sprach, er lächelte dabei. Sein Gesicht trug einen Ausdruck bewusster, aber hilfloser Albernheit. Anzeichen eines Anfalls von Glückseligkeit. Neals ganzes Wesen wurde gepackt, er strotzte von alberner Glückseligkeit.

»Sie sind bloß stur«, sagte Helen.

»Du wirst schon sehen, wie stur.«

»Ich bin auch stur. Genauso stur als wie Sie.«

Jinny hatte das Gefühl, die Glut von Helens Wange dicht neben der ihren zu spüren. Jedenfalls hörte sie den Atem des Mädchens, der vor Aufregung schwer ging und ein wenig nach Asthma klang. Helens Präsenz glich der einer Hauskatze, die man nie in einem Fahrzeug mitnehmen darf, weil sie zu nervös ist, um vernünftig zu sein, nur allzu bereit, zwischen die Sitze zu springen.

Die Sonne hatte sich wieder durch die Wolken gebrannt. Sie stand immer noch hoch am Himmel, wie aus Messing.

Neal lenkte den Wagen in eine Straße, die von dichten alten Bäumen und von etwas ansehnlicheren Häusern gesäumt wurde.

»Hier besser?«, fragte er Jinny. »Mehr Schatten für dich?« Er sprach in leisem, vertraulichen Tonfall, als könne alles, was mit dem Mädchen zu tun hatte, für einen Augenblick außer Acht gelassen werden, sei nichts als reiner Unsinn.

»Die landschaftlich schöne Strecke«, sagte er und sprach wieder lauter zum Rücksitz. »Wir fahren heute die landschaftlich schöne Strecke, Rosenrot zuliebe.«

»Vielleicht sollten wir uns einfach auf den Weg machen«, sagte Jinny. »Vielleicht sollten wir uns einfach auf den Weg nach Hause machen.«

Helen fiel ihr ins Wort, schrie fast. »Ich will keinen davon abhalten, nach Hause zu fahren.«

»Dann sag mir doch einfach, wo ich lang fahren soll«, sagte Neal. Er gab sich große Mühe, seine Stimme in die Gewalt zu bekommen, etwas normale Nüchternheit hineinzulegen. Und das Lächeln zu verbannen, das sich immer wieder einstellte, ganz gleich, wie oft er es hinunterschluckte. »Los, wir fahren jetzt da hin und erledigen das mit den Schuhen, und dann geht's nach Hause.«

Nach einem weiteren Stück Schleichfahrt stöhnte Helen auf.

»Wenn ich muss, dann muss ich wohl«, sagte sie.

Sie brauchten gar nicht weit zu fahren. Als sie an parzelliertem Gelände vorbeikamen, sagte Neal, diesmal wieder zu Jinny: »Ich sehe weit und breit keinen Bach. Und auch keine Siedlung.«

Jinny fragte: »Wie?«

»*Silberbachsiedlung*. Das Schild.«

Er musste ein Schild gelesen haben, das sie übersehen hatte.

»Abbiegen«, sagte Helen.

»Links oder rechts?«

»Beim Schrottplatz.«

Sie fuhren an einem Schrottplatz vorbei, ein schiefer Blechzaun verbarg nur teilweise die Autowracks. Dann einen Hügel hinauf und vorbei am Tor zu einer Kiesgrube, die den Hügel in der Mitte aushöhlte.

»Das sind sie. Das da vorn ist ihr Briefkasten«, verkündete Helen mit einiger Wichtigkeit, und als sie nah genug waren, las sie die Namen vor.

»Matt und June Bergson. Das sind sie.«

Zwei Hunde kamen bellend die kurze Auffahrt herunter. Einer war groß und schwarz und der andere klein und hellbraun, wie ein Welpe. Sie sprangen um die Reifen herum, und Neal hupte. Dann glitt noch ein Hund – dieser war schlauer und zielstrebiger, mit glattem Fell und bläulichen Flecken – aus dem langen Gras.

Helen rief ihnen zu, sie sollten still sein, sich hinlegen, abhauen.

»Vor denen brauchen Sie keine Angst zu haben, nur vor Pinto«, sagte sie. »Die andern beiden sind Feiglinge.«

Neal hielt auf einem weiten, schwer definierbaren Platz, auf dem etwas Kies verteilt worden war. Auf einer Seite stand eine Scheune oder ein Geräteschuppen mit einem Blechdach, und schräg dahinter, am Rande eines Maisfelds, ein verlassenes Farmhaus, von dem die meisten Ziegelsteine entfernt worden waren, so dass dunkles Holz zum Vorschein kam. Das derzeit bewohnte Haus war ein Wohnwagen, hübsch mit einer Terrasse und einer Markise ausgestattet und mit einem Blumengarten hinter einem Miniaturzaun. Der Wohnwagen und sein Garten sahen gepflegt und ordentlich aus, während der Rest des Grundstücks mit Gegenständen übersät war, die vielleicht noch zu etwas nutze waren oder vielleicht auch nur herumlagen, um zu verrosten und zu zerfallen.

Helen war aus dem Transporter gesprungen und scheuchte die Hunde. Aber sie kamen immer wieder zurück und umsprangen bellend das Auto, bis ein Mann aus dem Schuppen trat und sie rief. Jinny konnte seine Befehle und Schimpfworte nicht verstehen, aber die Hunde beruhigten sich.

Sie setzte ihren Hut auf, den sie die ganze Zeit über in der Hand gehalten hatte.

»Die geben bloß an«, sagte Helen.

Neal stieg auch aus und redete energisch auf die Hunde ein. Der Mann aus dem Schuppen kam auf sie zu. Er trug ein violettes T-Shirt, das schweißnass war und an ihm klebte. Er war so dick, dass er Brüste hatte und sein Bauchnabel sich hervorstülpte wie der einer Hochschwangeren. Der Nabel thronte auf seinem Schwabbelbauch wie ein riesiges Nadelkissen.

Neal ging ihm mit ausgestreckter Hand entgegen. Der Mann wischte sich seine Hand an seiner Arbeitshose ab, lachte und reichte sie Neal. Jinny konnte nicht hören, was sie sagten. Eine Frau kam aus dem Wohnwagen, machte die Miniaturgartentür auf und hinter sich wieder zu.

»Lois hat glatt vergessen, dass sie meine Schuhe mitbringen sollte«, rief Helen ihr zu. »Ich hab sie extra angerufen, aber sie hat's einfach vergessen, also hat Mr Lockyer mich hergefahren, damit ich sie hole.«

Die Frau war auch dick, aber nicht so dick wie ihr Mann. Sie trug ein kurzes, weites Hawaiikleid in Rosa mit Azteken-Sonnen, und ihr Haar hatte goldblonde Strähnen. Sie bewegte sich mit gesetzter und gastfreundlicher Miene über den Kies. Neal wandte sich ihr zu und stellte sich vor, dann begleitete er sie zum Transporter und stellte Jinny vor.

»Freut mich«, sagte die Frau. »Sie sind die Dame, die nicht wohlauf ist?«

»Geht schon«, sagte Jinny.

»Wo Sie schon mal hier sind, kommen Sie besser rein. Aus der Hitze raus.«

»Ach, wir wollten nur kurz vorbeischauen«, sagte Neal.

Der Mann war näher gekommen. »Wir haben da drin eine Klimaanlage«, sagte er. Er inspizierte den Transporter, und sein Gesichtsausdruck war freundlich, aber abschätzig.

»Wir sind nur gekommen, um die Schuhe abzuholen«, sagte Jinny.

»Sie müssen mehr als das tun, wo Sie jetzt hier sind«, sagte die Frau – June – lachend, als sei die Vorstellung, die beiden kämen nicht herein, ein schlechter Witz. »Sie kommen rein und ruhen sich aus.«

»Wir möchten Sie nicht beim Abendessen stören«, sagte Neal.

»Wir sind schon fertig«, sagte Matt. »Wir essen früh.«

»Aber es ist noch jede Menge Chili übrig«, sagte June. »Sie müssen reinkommen und uns helfen, dass dieses Chili alle wird.«

Jinny sagte: »Vielen Dank, aber ich glaube, ich kann jetzt nichts essen. Bei solcher Hitze mag ich nichts essen.«

»Dann trinken Sie stattdessen was«, sagte June. »Wir haben Gingerale, Cola. Wir haben Pfirsichgeist.«

»Bier«, sagte Matt zu Neal. »Wie wär's mit einem Blue?«

Jinny winkte Neal zu sich ans Fenster.

»Ich kann nicht«, sagte sie. »Sag ihnen einfach, ich kann nicht.«

»Du weißt, das wird sie kränken«, flüsterte er. »Sie geben sich Mühe, nett zu sein.«

»Aber ich kann nicht. Vielleicht kannst du gehen.«

Er beugte sich zu ihr. »Du weißt, wie das aussieht, wenn du nicht gehst. Es sieht aus, als wären sie dir nicht gut genug.«

»Geh du.«

»Sobald du drin bist, wird's dir besser gehen. Die Klimaanlage wird dir bestimmt gut tun.«

Jinny schüttelte den Kopf.

Neal richtete sich auf.

»Jinny meint, sie bleibt lieber hier und ruht sich im Schatten aus.«

June sagte: »Aber sie kann sich gerne im Haus ausruhen …«

»Ich hätte nichts gegen ein Blue einzuwenden«, sagte Neal. Er drehte sich mit schmalem Lächeln zu Jinny um. Er wirkte auf sie betrübt und zornig. »Du willst also lieber hier bleiben?«, sagte er so, dass die anderen es hören konnten. »Bestimmt?

Und du hast nichts dagegen, wenn ich ein Weilchen mit reingehe?«

»Nein, nein, keine Sorge«, sagte Jinny.

Er legte die eine Hand auf Helens Schulter und die andere auf Junes Schulter und ging mit ihnen kameradschaftlich zum Wohnwagen. Matt lächelte Jinny neugierig zu und folgte ihnen.

Als er diesmal die Hunde zu sich rief, bekam Jinny ihre Namen mit.

Goober. Sally. Pinto.

Der Transporter stand unter einer Reihe von Weiden. Es waren große alte Bäume, aber ihre schmalen Blätter spendeten nur flimmernden Schatten. Doch allein zu sein war eine große Erleichterung.

Am Vormittag, auf der Fahrt von der Stadt, in der sie wohnten, hatten sie bei einem Stand am Straßenrand gehalten und Frühäpfel gekauft. Jinny holte einen aus der Tüte zu ihren Füßen und biss ein kleines Stück ab – mehr oder weniger, um zu probieren, ob sie es schmecken und schlucken und bei sich behalten konnte. Sie brauchte etwas, um gegen den Gedanken an Chili und Matts gewaltigen Bauchnabel anzukämpfen.

Es ging gut. Der Apfel war fest und säuerlich, aber nicht zu sauer, und wenn sie ihn in kleinen Bissen aß und gut kaute, konnte es gelingen.

Sie hatte Neal so – oder so ähnlich – schon ein paar Mal erlebt. Bislang immer wegen eines Jungen in der Schule. Eine Erwähnung des Namens, ganz beiläufig, sogar bagatellisierend. Ein schwärmerischer Gesichtsausdruck, entschuldigendes, dabei irgendwie trotziges Gekicher.

Aber das war nie jemand gewesen, den sie im Haus um sich

haben musste, und es war nie zu etwas gekommen. Die Strafzeit des Jungen lief ab, er ging weg.

Auch diese Zeit würde ablaufen. Eigentlich sollte es nichts zu bedeuten haben.

Doch sie konnte nicht anders, sie fragte sich, ob es ihr gestern weniger bedeutet hätte als heute.

Sie stieg aus dem Transporter und ließ die Tür offen, damit sie sich am Innengriff festhalten konnte. Alles draußen war zu heiß, um auch nur für kurze Zeit Halt zu bieten. Sie musste ausprobieren, ob sie sicher auf den Beinen war. Dann ging sie im Schatten ein paar Schritte. Einige der Weidenblätter wurden schon gelb. Einige lagen auf dem Boden. Sie betrachtete aus dem Schatten die Dinge, die den Hof bevölkerten.

Ein verbeulter Lieferwagen, dem beide Scheinwerfer fehlten und dessen Firmenname auf der Seite übermalt worden war. Ein Kinderwagen, dessen Sitz von den Hunden herausgekaut worden war, eine Fuhre Brennholz, nur hingeworfen, nicht aufgestapelt, ein Haufen riesiger Autoreifen, zahlreiche Plastikkanister, einige Ölkanister, altes Bauholz und an der Wand des Schuppens zwei zusammengeknüllte orangegelbe Plastikplanen. Im Schuppen selbst standen ein schwerer GM-Trecker, ein kleinerer ramponierter Mazda-Trecker und ein Gartentraktor, daneben ganze oder zerbrochene Gerätschaften, einzelne Räder, Schäfte und Stangen, die vielleicht noch brauchbar waren oder auch nicht, je nachdem, was für eine Verwendungsmöglichkeit einem einfiel. Für welch eine Unzahl von Dingen Menschen zuständig werden konnten! So wie sie zuständig gewesen war für die vielen Fotos, Behördenbriefe, Versammlungsprotokolle und Zeitungsausschnitte, tausend Kategorien, die sie eingerichtet und auf Disketten übertragen hatte, bis sie zur Chemo musste und alles weggeräumt wurde. Vielleicht landete es am Ende auf dem Müll. Wie all das hier, wenn Matt einmal tot war.

Das Maisfeld, da wollte sie eigentlich hin. Der Mais stand

schon hoch und überragte sie, vielleicht sogar Neal – sie wollte in seinen Schatten gelangen. Mit diesem einen Gedanken im Kopf ging sie über den Hof. Die Hunde waren wohl Gott sei Dank eingesperrt worden.

Es gab keinen Zaun. Das Maisfeld verlor sich einfach auf dem Hof. Sie ging geradewegs hinein, auf einem der schmalen Pfade zwischen den Reihen. Die Blätter streiften wie Wimpel aus Ölzeug ihr Gesicht und ihre Arme. Sie musste den Hut absetzen, damit er ihr nicht vom Kopf gerissen wurde. Jeder Stängel hatten seinen Maiskolben, wie ein Baby in einem Leichentuch. Es roch stark, fast Ekel erregend, nach pflanzlichem Wachstum, nach frischer Stärke und heißem Saft.

Sie hatte vorgehabt, sich ins Maisfeld zu legen. Sich im Schatten dieser großen, rauen Blätter hinzulegen und nicht herauszukommen, bis sie Neal rufen hörte. Vielleicht nicht einmal dann. Aber die Reihen standen zu dicht beieinander, um das zu erlauben, außerdem musste sie zu intensiv an etwas denken, um sich die Mühe zu machen. Sie war zu wütend.

Nicht über etwas, das sich erst vor kurzem ereignet hatte. Sie hatte sich in Erinnerung gerufen, wie eines Abends mehrere Leute auf dem Boden ihres Wohnzimmers – oder des Versammlungsraums – gehockt und eines dieser ernst gemeinten psychologischen Spiele gespielt hatten. Eines dieser Spiele, die einem angeblich dazu verhalfen, ehrlicher und härter im Nehmen zu werden. Man musste einfach das Erstbeste sagen, was einem zu den anwesenden Personen in den Sinn kam, während man sie der Reihe nach ansah. Und eine weißhaarige Frau namens Addie Norton, eine Freundin von Neal, hatte gesagt: »Ich sage dir das höchst ungern, Jinny, aber immer, wenn ich dich ansehe, fällt mir nur eins ein: prüde Zimtzicke.«

Jinny konnte sich nicht erinnern, damals etwas erwidert zu haben. Vielleicht durfte man das nicht. Jetzt, nur im Kopf, antwortete sie: »Warum sagst du, du sagst das höchst ungern? Ist dir noch nie aufgefallen, dass Leute, die sagen, sie sagen etwas höchst ungern, es in Wirklichkeit wahnsinnig gern sagen? Meinst du nicht, wir sollten erst einmal damit anfangen, wenn wir schon so ehrlich sind?«

Nicht zum ersten Mal hatte sie in Gedanken diese Antwort gegeben. Und Neal klargemacht, was für ein Theater dieses Spiel war. Denn hatte etwa, wenn die Reihe an Addie kam, jemand gewagt, ihr etwas Unangenehmes zu sagen? O nein. »Nicht unterzukriegen«, hatten sie gesagt, oder: »Ehrlich wie ein Schluck kaltes Wasser.« Sie hatten Angst vor ihr, weiter nichts.

»Ein Schluck kaltes Wasser«, sagte sie jetzt laut, sarkastisch.

Andere hatten freundlichere Dinge zu ihr gesagt. »Blumenkind« oder »Madonna von den Quellen«. Sie wusste zufällig, dass damit »Manon von den Quellen« gemeint war, aber sie verbesserte es nie. Sie war empört, weil sie dasitzen und sich anhören musste, was andere von ihr dachten. Alle hatten Unrecht. Sie war weder schüchtern noch fügsam oder natürlich oder rein.

Wenn man starb, waren diese falschen Meinungen natürlich alles, was übrig blieb.

Während ihr das durch den Kopf ging, hatte sie das Einfachste getan, was man in einem Maisfeld tun kann – sie hatte sich verlaufen. Sie war von einer Reihe in eine andere getreten und dann noch in eine andere und hatte dabei die Richtung verloren. Sie versuchte, auf dem Weg zurückzugehen, den sie gekommen war, aber es war offensichtlich nicht der Richtige. Es hingen wieder Wolken vor der Sonne, also konnte sie nicht erkennen, wo Westen war. Außerdem hatte sie keine Ahnung, in welche Richtung sie gegangen war, als sie in das Feld hineinlief, also hätte ihr das ohnehin nicht geholfen. Sie blieb stehen und hörte nichts als das Wispern der Maisstauden und fernen Verkehr.

Ihr Herz hämmerte geradeso wie irgendein Herz, das noch viele Jahre Leben vor sich hatte.

Dann ging eine Tür auf, sie hörte die Hunde bellen und

Matt brüllen und die Tür zuknallen. Sie wandte sich diesen Geräuschen zu und bahnte sich einen Weg durch die Stängel und Blätter.

Und es stellte sich heraus, dass sie gar nicht weit gegangen war. Sie war die ganze Zeit in einer kleinen Ecke des Feldes herumgestolpert.

Matt winkte ihr zu und schickte die Hunde weg.

»Keine Angst vor denen, bloß keine Angst«, rief er. Er ging ebenso wie sie auf den Wagen zu, nur aus einer anderen Richtung. Als sie sich näher kamen, sprach er leiser, vielleicht auch vertraulicher.

»Sie hätten doch kommen und klopfen können.«

Er dachte, sie sei ins Maisfeld gegangen, um auszutreten.

»Ich hab grad zu Ihrem Mann gesagt, ich geh mal raus und schau nach Ihnen.«

Jinny sagte: »Alles bestens. Danke.« Sie stieg in den Transporter, ließ aber die Tür offen. Sie zu schließen könnte ihn kränken. Außerdem fühlte sie sich zu schwach.

»Er hatte mächtig Appetit auf das Chili.«

Von wem redete er?

Von Neal.

Sie zitterte und schwitzte, und in ihrem Kopf sirrte es, als sei zwischen ihren Ohren ein Draht gespannt.

»Ich könnte Ihnen was davon rausbringen, wenn Sie möchten.«

Sie schüttelte lächelnd den Kopf. Er hielt die Bierflasche in seiner Hand hoch – er schien vor ihr zu salutieren.

»Was zu trinken?«

Sie schüttelte wieder den Kopf, immer noch lächelnd.

»Nicht mal einen Schluck Wasser? Wir haben hier gutes Wasser.«

»Nein, danke.«

Sie durfte sich nicht zu ihm umdrehen, denn wenn sie seinen violetten Bauchnabel sah, würde ihr alles hochkommen.

»Wissen Sie, da war mal so ein Bursche«, sagte er in verändertem Tonfall. Gemütlich, humorig. »Also dieser Bursche ging zur Tür raus, in der einen Hand hat er ein paar Schoten Pferdebohnen. Sagt sein Vater zu ihm: Wo willst du denn mit den Pferdebohnen hin?

Mir ein Pferd holen, sagt er.

Mit Pferdebohnen wirst du nie im Leben ein Pferd fangen.

Nächsten Morgen kommt er mit dem schönsten Pferd zurück, das man sich vorstellen kann. Da sieh mal, mein Pferd. Und bringt's in den Stall.«

Ich möchte nicht, dass Sie einen falschen Eindruck bekommen. Wir dürfen nicht zu optimistisch sein. Aber es sieht ganz so aus, als hätten wir hier einige unerwartete Resultate.

»Nächsten Tag sieht der Vater ihn wieder rausgehen. Mit einer Schüssel Entengrütze unterm Arm. Wo willst du jetzt wieder hin?

Mama hat doch gesagt, sie will einen leckeren Entenbraten.

Du blöder Hammel, du glaubst doch nicht, dass du eine Ente mit Entengrütze fängst?

Wart's ab.

Nächsten Morgen kommt er mit einer schönen fetten Ente unterm Arm zurück.«

Es sieht so aus, als wäre das Wachstum deutlich zurückgegangen. Worauf wir natürlich gehofft haben, was wir aber offen gestanden nicht erwartet haben. Und ich meine damit nicht, dass die Schlacht gewonnen ist, nur, es ist ein gutes Zeichen.

»Paps wusste nicht, was er sagen sollte. Was sagt man bloß dazu!

Nächsten Abend, gleich nächsten Abend sieht er seinen Sohn mit einem großen Büschel Farn in der Hand zur Tür rausgehen.«

Ein sehr gutes Zeichen. Wir wissen nicht, ob in Zukunft weitere Probleme auftreten werden, aber wir können sagen, dass wir mit aller Vorsicht optimistisch sind.

»Was hast du da für Farn in der Hand?

Das ist Frauenfarn.

Gut, sagt Paps. Warte einen Moment.

Warte einen Moment, ich hol bloß meinen Hut. Ich hol meinen Hut und komm mit!«

»Das ist zu viel«, sagte Jinny laut.

Und redete in Gedanken mit dem Arzt.

»Was?«, sagte Matt. Ein gekränkter, kindlicher Ausdruck machte sich auf seinem Gesicht breit, obwohl er immer noch in sich hineinlachte. »Was ist denn jetzt los?«

Jinny schüttelte den Kopf und hielt sich die Hand vor den Mund.

»Das war doch bloß ein Witz«, sagte er. »Ich wollte Sie nicht beleidigen.«

Jinny sagte: »Nein, nein. Ich … Nein.«

»Na, ich geh wieder rein. Werd Ihre Zeit nicht länger in Anspruch nehmen.« Und er kehrte ihr den Rücken zu, rief nicht einmal die Hunde zu sich.

Dabei hatte sie das zu dem Arzt gar nicht gesagt. Warum auch? Er konnte ja nichts dafür. Aber es stimmte. Es war zu viel. Was er gesagt hatte, machte alles noch schwerer. Es zwang sie, umzukehren und dieses Jahr von vorn zu beginnen. Es nahm ihr eine gewisse geringfügige Freiheit. Eine trübe, schützende Membran, die sie gar nicht bemerkt hatte, war weggezogen worden und ließ sie wund zurück.

Matts Annahme, sie sei ins Maisfeld gegangen, um auszutreten, brachte sie darauf, dass sie wirklich austreten musste. Sie stieg aus dem Transporter, probierte zu stehen, stellte sich dann breitbeinig hin und hob ihren weiten Baumwollrock an. Sie war in diesem Sommer dazu übergegangen, weite lange Röcke und keinen Slip zu tragen, weil sie ihre Blase nicht mehr völlig unter Kontrolle hatte.

Ein dunkles Rinnsal rieselte von ihr fort durch den Kies. Die Sonne stand jetzt tief, es wurde Abend. Ein klarer Himmel wölbte sich, die Wolken waren verschwunden.

Einer der Hunde bellte halbherzig, um zu sagen, dass jemand kam, aber es war jemand, den sie kannten. Sie waren nicht gekommen, um sie anzukläffen – sie hatten sich inzwischen an sie gewöhnt. Ohne Lärm zu schlagen oder sich aufzuregen, rannten sie jetzt dem Neuankömmling entgegen.

Es war ein Junge oder junger Mann auf einem Fahrrad. Er kurvte auf den Transporter zu, und Jinny ging ihm am Wagen entlang entgegen, eine Hand auf dem abgekühlten, aber immer noch warmen Metall, um sich abzustützen. Wenn er sie ansprach, dann sollte es nicht über ihre Pfütze hinweg sein. Und vielleicht, damit er gar nicht erst am Boden nach so etwas Ausschau halten konnte, sprach sie als Erste.

Sie sagte: »Hallo – liefern Sie etwas aus?«

Er lachte, sprang vom Rad und ließ es auf den Boden fallen, alles mit einer Bewegung.

»Ich wohne hier«, sagte er. »Ich komm grade von der Arbeit nach Hause.«

Ihr ging durch den Kopf, dass sie ihm erklären musste, wer sie war, weshalb sie hier war und für wie lange. Aber das war viel zu schwierig. So, wie sie sich am Transporter festhielt, musste sie aussehen wie jemand, der eben aus einem Unfallwagen geklettert war.

»Ja, hier wohn ich«, sagte er. »Aber ich arbeite in einem Restaurant in der Stadt. Im Sammy's.«

Ein Kellner. Das strahlend weiße Hemd und die schwarze Hose waren seine Kellnerkleidung. Und in seinem Verhalten lag etwas von der Geduld und Achtsamkeit eines Kellners.

»Ich bin Jinny Lockyer«, sagte sie. »Helen. Helen ist ...«

»Ach, ich weiß«, sagte er. »Sie sind die, für die Helen arbeiten soll. Wo ist Helen?«

»Im Haus.«

»Hat man Sie denn nicht reingebeten?«

Er war ungefähr so alt wie Helen, dachte sie. Siebzehn oder achtzehn. Schlank und wendig und übermütig, mit einer naiven Zuversicht, die ihn wahrscheinlich nicht so weit bringen würde, wie er hoffte. Sie hatte einige wie ihn gesehen, die zu jugendlichen Straftätern geworden waren.

Er schien jedoch einiges zu begreifen. Er schien zu begreifen. dass sie erschöpft war und irgendwelchen Kummer hatte.

»Ist June auch drin?«, fragte er. »June ist meine Mutter.«

Seine Haare hatten dieselbe Farbe wie die von June, goldene Strähnen über dunklem Haar. Er trug sie ziemlich lang, mit einem Mittelscheitel, so dass sie auf beiden Seiten herunterhingen.

»Matt auch?«, fragte er.

»Ja. Und mein Mann.«

»Eine Schande.«

»Nein, nein«, sagte sie. »Sie haben mich eingeladen. Aber ich habe gesagt, ich warte lieber hier draußen.«

Neal hatte manchmal welche von seinen Jujus nach Hause mitgebracht, damit sie unter seiner Aufsicht leichte Arbeiten im Garten oder im Haus verrichteten. Er fand, es sei gut für sie, zu jemandem nach Hause zu dürfen. Jinny hatte gelegentlich mit ihnen geflirtet, aber nie so, dass man es ihr zum Vorwurf machen konnte. Nur ein sanfter Tonfall, eine Art, ihnen ihre weichen Röcke und ihren Duft nach Apfelseife bewusst zu machen. Das war nicht der Grund, warum Neal sie nicht mehr mitbrachte. Man hatte ihm gesagt, das sei gegen die Vorschrift.

»Wie lange warten Sie denn schon?«

»Ich weiß nicht«, sagte Jinny. »Ich trage keine Uhr.«

»Ist wahr?«, sagte er. »Ich auch nicht. Ich begegne fast nie jemand, der keine Uhr trägt. Haben Sie nie eine getragen?«

Sie sagte: »Nein. Nie.«

»Ich auch nicht. Nie. Wollte einfach nie. Weiß auch nicht, warum. Ich wollte eben nie. Ich wusste sowieso immer, wie spät es ist. Plus oder minus 'n paar Minuten. Fünf Minuten höchstens. Und ich weiß auch, wo alle Uhren sind. Ich fahr zur Arbeit und denke, mal nachsehen, wissen Sie, um sicherzugehen, wie spät es wirklich ist. Und ich kenn die erste Stelle, von wo ich die Rathausuhr zwischen den Häusern sehen kann. Nie mehr als drei, vier Minuten daneben. Manchmal fragen mich die Gäste, wie spät es ist, und ich sag's ihnen einfach. Sie merken gar nicht, dass ich keine Uhr trage. Sobald ich kann, geh ich nachschauen, auf der Uhr in der Küche. Aber ich musste kein einziges Mal hingehen und ihnen was andres sagen.«

»Hin und wieder habe ich das auch geschafft«, sagte Jinny. »Ich nehme an, man entwickelt einen Zeitsinn, wenn man nie eine Uhr trägt.«

»Ja, das stimmt.«

»Also was meinst du, wie spät ist es jetzt?«

Er lachte. Er sah zum Himmel hoch.

»Kurz vor acht. Sechs, sieben Minuten vor acht? Ich bin aber im Vorteil. Ich weiß, wann ich Arbeitsschluss hatte, und dann hab ich mir im 7-Eleven Zigaretten geholt, und dann hab ich ein paar Minuten mit ein paar Jungs geredet, und dann bin ich nach Hause geradelt. Sie wohnen nicht in der Stadt?«

Jinny antwortete mit nein.

»Wo wohnen Sie denn?«

Sie sagte es ihm.

»Sind Sie müde? Wollen Sie nach Hause? Soll ich reingehen und Ihrem Mann sagen, dass Sie nach Hause wollen?«

»Nein. Tu das nicht«, sagte sie.

»Schon gut, ich mach's ja nicht. June ist wahrscheinlich dabei, ihm aus der Hand zu lesen. Sie kann so was.«

»Wirklich?«

»Klar. Sie kommt ein paar Mal die Woche ins Restaurant. Sie kann auch aus Tee wahrsagen. Aus Teeblättern.«

Er hob sein Fahrrad auf und schob es aus dem Weg, damit

der Transporter freie Bahn hatte. Er sah zum Fahrerfenster hinein.

»Hat die Schlüssel stecken lassen«, sagte er. »Wollen Sie, dass ich Sie nach Hause fahre oder so? Ich kann mein Fahrrad hinten reinpacken. Ihr Mann kann Matt fragen, ob er ihn und Helen fährt, wenn sie so weit sind. Oder wenn Matt nicht mehr fahren kann, dann kann's June machen. June ist meine Mutter, aber Matt ist nicht mein Vater. Sie können nicht Auto fahren?«

»Nein«, sagte Jinny. Sie hatte seit Monaten nicht mehr am Steuer gesessen.

»Nein. Hab ich mir gedacht. Also? Soll ich fahren? Ja?«

»Eine Straße, die ich kenne. Die bringt Sie genauso schnell hin wie die Fernstraße.«

Sie waren nicht an den Parzellen vorbeigekommen. Sie hatten sogar die andere Richtung eingeschlagen und eine Straße genommen, die im Kreis um die Kiesgrube zu führen schien. Zumindest fuhren sie jetzt nach Westen, auf den hellsten Teil des Himmels zu. Ricky – so hieß er, hatte er ihr gesagt – hatte die Scheinwerfer noch nicht eingeschaltet.

»Keine Gefahr, jemandem zu begegnen«, sagte er. »Ich glaube, auf dieser Straße bin ich noch nie einem Auto begegnet. Das kommt, weil nur wenige wissen, dass es die Straße überhaupt gibt.«

»Und wenn ich das Licht anmachen würde«, sagte er, »dann wär es gleich dunkel, der Himmel und alles, und Sie könnten nicht mehr sehen, wo Sie sind. Wir lassen uns noch ein bisschen Zeit, und wenn wir irgendwann die Sterne sehen können, dann stellen wir das Licht an.«

Der Himmel war wie eine ganz schwach getönte rote oder gelbe oder grüne oder blaue Glaskuppel, je nachdem, wohin man sah.

»Einverstanden?«

»Ja«, sagte Jinny.

Die Büsche und Bäume würden schwarz werden, sobald die Scheinwerfer an waren. Entlang der Straße stünden nur schwarze Klumpen, dahinter würde die schwarze Wand der Bäume aufragen, und nicht, wie jetzt, die einzelne, immer noch erkennbare Fichte und Zeder und gefiederte Lärche und das Springkraut mit seinen Blüten wie kleine flackernde Flammen. Es schien zum Greifen nahe, und sie fuhren langsam. Jinny streckte die Hand hinaus.

Nicht ganz. Aber fast. Die Straße kam ihr kaum breiter vor als der Wagen.

Sie meinte, das Glitzern eines vollen Straßengrabens zu sehen.

»Ist da unten Wasser?«, fragte sie.

»Da unten?«, sagte Ricky. »Da unten und überall. Zu beiden Seiten ist Wasser und an vielen Stellen auch unter uns. Wollen Sie's mal sehen?«

Er bremste, hielt an. »Schauen Sie auf Ihrer Seite runter«, sagte er. »Machen Sie die Tür auf und schauen Sie runter.«

Als sie es tat, sah sie, dass sie auf einer Brücke waren. Eine kleine Brücke, nicht länger als drei Meter, aus kreuzweise verlegten Bohlen. Kein Geländer. Und darunter regloses Wasser.

»Brücken die ganze Strecke«, sagte er. »Und wo keine Brücken sind, da sind überwölbte Kanäle. Denn es fließt unter der Straße immer hin und her. Oder liegt einfach da und fließt nirgendwohin.«

»Wie tief?«, fragte sie.

»Nicht tief. Nicht um diese Jahreszeit. Nicht, bis wir zum Großen Teich kommen – der ist tiefer. Aber im Frühjahr überflutet es die Straße, dann kann man hier nicht fahren, dann ist es tief. Diese Straße verläuft viele Meilen lang völlig eben und reicht schnurgrade vom einen Ende bis zum andern. Sie wird nicht mal von einer andren Straße gekreuzt. Soweit ich weiß, ist das die einzige Straße durch den Borneosumpf.«

»Den Borneosumpf?«, wiederholte Jinny.

»So heißt der angeblich.«

»Es gibt eine Insel namens Borneo«, sagte sie. »Die ist auf der anderen Seite der Welt.«

»Davon weiß ich nichts. Ich hab immer nur vom Borneosumpf gehört.«

In der Mitte der Straße wuchs jetzt ein Streifen dunkles Gras.

»Zeit fürs Licht«, sagte er. Er stellte es an, und sie befanden sich plötzlich in einem von Nacht umgebenen Tunnel.

»Ich hab das mal gemacht«, sagte er. »Ich hab das Licht angestellt wie jetzt, und da war ein Stachelschwein. Es saß einfach da, mitten auf der Straße. Es saß aufrecht auf den Hinterbeinen und sah mich an. Wie ein kleiner alter Mann. Es hatte panische Angst und konnte sich nicht rühren. Ich hab richtig gesehen, wie seine Beißerchen klapperten.«

Sie dachte: Hier fährt er mit seinen Mädchen hin.

»Was hab ich also gemacht? Ich hab gehupt, aber es hat sich immer noch nicht gerührt. Ich hatte keine Lust, auszusteigen und es zu verjagen. Es hatte Angst, aber es war immerhin ein Stachelschwein und konnte mir ganz schön wehtun. Also bin ich einfach stehen geblieben. Ich hatte Zeit. Als ich das Licht wieder angemacht hab, war's verschwunden.«

Jetzt reichten die Pflanzen wirklich dicht heran und streiften die Tür, aber sie konnte nicht mehr sehen, ob es Blumen waren.

»Ich werd Ihnen was zeigen«, sagte er. »Ich werd Ihnen was zeigen, was Sie bestimmt noch nie gesehen haben.«

Hätte dies in ihrem alten, normalen Leben stattgefunden, vielleicht hätte sie es dann jetzt langsam mit der Angst bekommen. Allerdings wäre sie in ihrem alten, normalen Leben gar nicht erst hierher geraten.

»Du wirst mir ein Stachelschwein zeigen«, sagte sie.

»Nein. Das nicht. Sondern was, das noch seltener ist als Stachelschweine. Jedenfalls soweit ich weiß.«

Ungefähr eine halbe Meile weiter machte er die Scheinwerfer aus.

»Sehen Sie die Sterne?«, fragte er. »Hab Ihnen ja gesagt. Sterne.«

Er hielt. Überall herrschte anfangs tiefe Stille. Dann wurde die Stille an den Rändern angenagt, von einer Art Summen, das von fernem Verkehr herrühren konnte, außerdem von leisen Geräuschen, die vorbei waren, bevor man sie richtig gehört hatte, vielleicht von nachtaktiven Nagetieren oder Vögeln oder Fledermäusen.

»Kommen Sie mal im Frühling her«, sagte er. »Sie würden nur lauter Frösche hören. Sie würden denken, Sie werden gleich taub von den Fröschen.«

Er öffnete die Tür auf seiner Seite.

»Los. Steigen Sie aus und kommen Sie ein Stück mit.«

Sie tat wie geheißen. Sie ging in einer der Reifenspuren, er in der anderen. Der Himmel vor ihr sah heller aus, und sie hörte ein neues Geräusch – es ähnelte einem sanften und rhythmischen Gespräch.

Holz, plötzlich trat sie auf Holz, und die Bäume auf beiden Seiten waren verschwunden.

»Gehn Sie ruhig rauf«, sagte er. »Los.«

Er kam zu ihr und fasste sie um die Taille, als führte er sie. Dann zog er die Hand fort, ließ sie allein auf den Bohlen gehen, die wie ein Schiffsdeck waren. Wie ein Schiffsdeck hoben und senkten sie sich. Aber die Bewegung rührte nicht von Wellen her, es waren ihre Schritte, seine und ihre, die dieses sachte Heben und Senken der Planken unter ihnen hervorriefen.

»Wissen Sie jetzt, wo Sie sind?«, fragte er.

»Auf einem Pier?«, sagte sie.

»Auf einer Brücke. Das ist eine schwimmende Brücke.«

Jetzt konnte sie ihn erkennen – den Bohlendamm nur ein paar Zentimeter über dem unbewegten Wasser. Er zog sie an den Rand, und sie schauten hinunter. Sterne schwammen auf dem Wasser.

»Das Wasser ist sehr dunkel«, sagte sie. »Ich meine – so dunkel ist es nicht nur, weil Nacht ist?«

»Es ist immer dunkel«, sagte er stolz. »Weil's nämlich ein Sumpf ist. Da ist dasselbe Zeug drin wie in Tee, und es sieht aus wie schwarzer Tee.«

Sie konnte das Ufer und den Schilfgürtel ausmachen. Das Wasser im Schilf war es, vom leise plätschernden Wasser kam das Geräusch.

»Tannin«, sagte er und sprach das Wort so stolz aus, als habe er es aus dem Dunkeln heraufgeholt.

Die sanfte Bewegung der Brücke erweckte in ihr die Vorstellung, die Bäume und das Schilf stünden auf Untersetzern aus Erde und die Straße sei ein schwimmendes Band aus Erde und unter allem sei nichts als Wasser. Und das Wasser schien vollkommen unbewegt zu sein, aber das konnte nicht stimmen, denn wenn man versuchte, einen gespiegelten Stern im Auge zu behalten, sah man, wie er zwinkerte und die Gestalt veränderte und außer Sicht glitt. Dann war er wieder da – aber vielleicht war es nicht derselbe.

Erst in diesem Augenblick merkte sie, dass ihr Hut weg war. Sie trug ihn nicht auf dem Kopf, und sie wusste, er lag auch nicht im Auto. Sie hatte ihn nicht aufgehabt, als sie aus dem Auto stieg, um auszutreten, und als sie sich mit Ricky unterhielt. Sie hatte ihn nicht getragen, als sie im Wagen saß und sich mit geschlossenen Augen zurücklehnte, während Matt den Witz erzählte. Sie musste ihn im Maisfeld verloren und in ihrer Panik dort gelassen haben.

Sie hatte sich davor gefürchtet, den Buckel von Matts Bauchnabel unter dem schweißnassen violetten T-Shirt zu sehen, wohingegen es ihm nichts ausgemacht hatte, ihren Kahlkopf anzuschauen.

»Schade, dass der Mond noch nicht aufgegangen ist«, sagte Ricky. »Es ist wirklich schön hier, wenn der Mond scheint.«

»Es ist auch so schön hier.«

Er legte die Arme um sie, als gäbe es überhaupt nichts dagegen einzuwenden und als hätte er dafür alle Zeit der Welt. Er küsste sie auf den Mund. Es kam ihr vor, als sei sie zum ersten Mal in ihrem Leben an einem Kuss beteiligt, der ein Ereignis für sich war. Eine Geschichte, mit Anfang, Mitte und Ende. Ein zartes Vorspiel, ein wirksamer Druck, ein beherztes Erkunden und Entgegennehmen, ein ausgedehntes Dankeschön und ein befriedigter Rückzug.

»Oh«, sagte er. »Oh.«

Er drehte sie um, und sie gingen denselben Weg zurück, den sie gekommen waren.

»Sie waren also zum ersten Mal auf einer schwimmenden Brücke?«

Sie sagte ja.

»Und über die werden Sie jetzt fahren müssen.«

Er nahm ihre Hand und schwang sie, als wollte er sie in die Luft werfen.

»Und ich habe zum ersten Mal eine verheiratete Frau geküsst.«

»Und du wirst wahrscheinlich noch etliche von ihnen küssen«, sagte sie. »Ehe du fertig bist.«

Er seufzte. »Ja«, sagte er. Verwundert und ernüchtert von dem Gedanken an das, was vor ihm lag. »Ja, wahrscheinlich.«

Jinny musste plötzlich an Neal denken, dort drüben auf festem Boden, Neal, schwankend und verunsichert, der die Hand dem Blick der Frau mit dem hell gesträhnten Haar, der Wahrsagerin, öffnete. Der am Rande seiner Zukunft taumelte.

Nebensache.

Sie dagegen verspürte eine Art heiteres Mitleid, fast wie Gelächter. Einen Anflug von zärtlicher Fröhlichkeit, die gegen all ihre Wunden und Narben das Feld behauptete, einstweilen.

Erbstücke

Alfrida. Mein Vater nannte sie Freddie. Die beiden waren Vetter und Kusine, sie waren als Kinder auf benachbarten Farmen zu Hause gewesen und hatten dann eine Weile im selben Haus gewohnt. Eines Tages waren sie draußen auf den Stoppelfeldern und spielten mit dem Hund meines Vaters, der Mack hieß. Die Sonne schien zwar an dem Tag, aber das Eis in den Furchen brachte sie nicht zum Schmelzen. Die beiden stampften darauf herum und hatten Spaß daran, wie es knackte und splitterte.

Wie kann sie sich an so was erinnern?, fragte mein Vater. Sie hat sich's ausgedacht, sagte er.

»Hab ich nicht«, sagte sie.

»Doch.«

»Nein.«

Ganz plötzlich hörten sie Glockengeläut und Sirengeheul. Die Rathausglocke und die Kirchenglocken läuteten. Die Fabriksirenen heulten in der drei Meilen entfernten Stadt. Die Welt war vor Freude aus den Fugen, und Mack rannte zur Straße, überzeugt, dass eine Parade stattfand. Es war das Ende des Ersten Weltkriegs.

Dreimal die Woche konnten wir Alfridas Namen in der Zeitung lesen. Nur ihren Vornamen – Alfrida. Er war abgedruckt, als wäre er mit der Hand geschrieben worden, eine fließende Unterschrift wie mit dem Füllfederhalter. »Stadtbummel mit Alfrida«. Wobei mit der Stadt nicht das nahe gelegene Städtchen gemeint war, sondern die Großstadt weiter südlich, in der Alfrida lebte und die meine Familie vielleicht alle zwei oder drei Jahre aufsuchte.

Höchste Eisenbahn für Sie, liebe Bräute, die im Juni ihr Jawort geben wollen, sich im Porzellanparadies *nach Ihren Vorlieben umzutun, und ich muss Ihnen gestehen, wäre ich eine Braut – was ich leider nicht bin –, ich würde wohl allen gemusterten Servicen widerstehen, so geschmackvoll sie sein mögen, und mich für das schneeweiße, ultramoderne* Rosenthal *entscheiden ...*

Schönheitskuren mögen kommen, und Schönheitskuren mögen gehen, aber die Gesichtsmasken, die man Ihnen in Fantine's Salon *aufträgt, bringen garantiert – da wir von Bräuten sprechen – Ihre Haut zum Blühen wie Orangenblüten. Und die Mutter der Braut – sowie die Tanten der Braut und nach allem, was ich höre, auch die Omas – werden sich danach fühlen, als hätten sie im Jungbrunnen gebadet ...*

Wenn man Alfrida reden hörte, wäre man nie auf die Idee gekommen, dass sie in diesem Stil schrieb.

Sie war auch eine von denen, die unter dem Namen Flora Simpson schrieben, auf der Flora-Simpson-Hausfrauenseite. Frauen aus den ländlichen Gegenden ringsum glaubten, sie richteten ihre Briefe an die mollige Frau mit dem von der Brennschere gewellten grauen Haar und dem verzeihenden Lächeln, die oben auf der Seite abgebildet war. Aber die Wahrheit – die ich nicht ausplaudern durfte – war, dass die Kommentare unter jedem ihrer Briefe von Alfrida produziert wurden sowie von einem Mann, den sie Pferd Henry nannte und der sonst die Nachrufe verfasste. Die Briefschreiberinnen gaben sich Namen wie Morgenrot und Feuerlilie und Grünes Händchen und Unschuld vom Lande und Küchenfee. Manche Namen waren so beliebt, dass sie nummeriert werden mussten – Schneewittchen 1, Schneewittchen 2, Schneewittchen 3.

Liebe Morgenrot, schrieben dann Alfrida oder Pferd Henry,
Hautausschlag ist eine schreckliche Plage, besonders, wenn es so heiß
ist wie jetzt, und ich hoffe, das Backpulver nutzt ein wenig. Haus-
mittel verdienen gewiss Respekt, aber es kann nie schaden, den Rat
eines Arztes einzuholen. Ich höre mit Freude, dass Ihr Männe wie-
der auf den Beinen ist. Sie alle beide nicht auf dem Damm, das war
bestimmt nicht lustig ...

In allen Kleinstädten dieses Teils von Ontario veranstalteten die Hausfrauen, die dem Flora-Simpson-Club angehörten, in jedem Sommer ein Picknick. Flora Simpson schickte immer ein Grußwort, erklärte aber, es gebe zu viele Veranstaltungen, als dass sie zu allen erscheinen könne, und sie mochte niemanden bevorzugen. Alfrida erzählte, sie hatten darüber gesprochen, Pferd Henry mit Perücke und Kissenbusen hinzuschicken oder auch sie selbst, aufgedonnert wie die Hexe von Babylon (nicht einmal sie wagte es am Tisch meiner Eltern, die Bibel korrekt zu zitieren und »Hure« zu sagen) mit einem Glimmstängel im knallroten Mund. Aber die Zeitung würde uns umbringen, sagte sie. Und außerdem wäre es zu gemein.

Sie nannte ihre Zigaretten immer Glimmstängel. Als ich fünfzehn oder sechzehn war, beugte sie sich über den Tisch und fragte mich: »Möchtest du auch mal einen Glimmstängel?« Wir waren mit dem Essen fertig, und meine beiden jüngeren Geschwister saßen nicht mehr am Tisch. Mein Vater schüttelte den Kopf. Er hatte angefangen, Selbstgedrehte zu rauchen.

Ich sagte, gern, und ließ mir von Alfrida Feuer geben und rauchte zum ersten Mal vor meinen Eltern.

Sie taten so, als sei es ein Riesenwitz.

»Nun sieh dir bloß deine Tochter an«, sagte meine Mutter zu meinem Vater. Sie verdrehte die Augen und schlug die Hände vor die Brust und sprach in gekünsteltem, leidenden Tonfall. »Ich werde gleich ohnmächtig.«

»Muss die Pferdepeitsche holen«, sagte mein Vater und stand halb von seinem Stuhl auf.

Dieser Augenblick war verblüffend, so, als hätte Alfrida uns in neue Menschen verwandelt. Normalerweise sagte meine Mutter, dass es ihr nicht gefiel, eine Frau rauchen zu sehen. Sie sagte nicht, es sei unanständig oder undamenhaft – nur, dass es ihr nicht gefiel. Und wenn sie in einem bestimmten Tonfall sagte, dass ihr etwas nicht gefiel, dann war das kein Eingeständnis irrationaler Abneigung, sondern es schien einer eigenen Quelle der Weisheit zu entspringen, die unangreifbar und nahezu heilig war. Immer wenn sie diesen Ton anschlug, mit seinem begleitenden Ausdruck, inneren Stimmen zu lauschen, hasste ich sie besonders.

Mein Vater seinerseits hatte mich in ebendiesem Zimmer zwar nicht mit der Pferdepeitsche, aber mit seinem Gürtel verprügelt, weil ich die Regeln meiner Mutter gebrochen und ihre Gefühle verletzt und freche Antworten gegeben hatte. Jetzt schien es, als könnten solche Prügel nur in einem anderen Universum verabreicht werden.

Meine Eltern waren von Alfrida – und auch von mir – in die Enge getrieben worden, aber sie hatten so locker und spielerisch reagiert, dass es mir vorkam, als seien wir drei – meine Mutter und mein Vater und ich – auf eine neue Ebene von Entspanntheit und Gelassenheit gehoben worden. In diesem Augenblick konnte ich bei ihnen – besonders bei meiner Mutter – die Fähigkeit zu einer gewissen Heiterkeit erkennen, die sonst kaum je zu sehen war.

Alles dank Alfrida.

Alfrida wurde immer als Karrierefrau bezeichnet. Das erweckte den Eindruck, sie sei jünger als meine Eltern, obwohl sie bekanntermaßen etwa im selben Alter war. Es hieß auch, sie sei ein Stadtmensch. Und mit der Stadt war dann die Stadt gemeint, in der Alfrida lebte und arbeitete. Aber es war auch noch etwas anderes gemeint – nicht nur eine bestimmte Anordnung von Häusern und Bürgersteigen und Straßenbahnlinien oder auch eine Ansammlung einzelner Menschen. Etwas Abstrakteres, was endlos wiederholbar war, etwas wie ein Bienenstock, hektisch, aber organisiert, nicht direkt nutzlos oder unsinnig, aber beunruhigend und manchmal gefährlich. Die Menschen begaben sich an einen solchen Ort nur, wenn sie unbedingt mussten, und waren froh, wenn sie ihn wieder hinter sich lassen konnten. Manche jedoch wurden davon angezogen – wie Alfrida offenbar vor langer Zeit und wie ich jetzt, die ich an meiner Zigarette zog und mich bemühte, sie lässig zu halten, obwohl sie in meinen Fingern inzwischen die Größe eines Baseballschlägers angenommen hatte.

Meine Familie führte kein geselliges Leben – niemand wurde zum Essen eingeladen, geschweige denn zu einem Fest. Vielleicht war es eine Frage der Klassenzugehörigkeit. Die Eltern des Jungen, den ich ungefähr fünf Jahre nach dieser Szene am Abendbrottisch heiratete, luden sich Leute zum Essen ein, die nicht mit ihnen verwandt waren, und gingen nachmittags auf Feste, die sie uneingebildet Cocktailpartys nannten. Es war ein Leben, wie ich es nur aus Illustrierten kannte, und für mich versetzte es meine Schwiegereltern in eine privilegierte Märchenwelt.

Meine Familie dagegen setzte Bretter in den Esszimmertisch ein, um zwei- oder dreimal im Jahr meine Großmutter und meine Tanten – die älteren Schwestern meines Vaters – und deren Ehemänner zu bewirten. Wir taten das zu Weihnachten oder Thanksgiving, wenn wir damit an der Reihe waren, und vielleicht auch noch, wenn ein Verwandter aus einem anderen Teil der Provinz zu Besuch vorbeikam. Diese Besucher waren immer Personen ganz ähnlich wie die Tanten und ihre Ehemänner und nie im mindesten wie Alfrida.

Meine Mutter und ich begannen mit den Vorbereitungen für solch ein Essen mehrere Tage vorher. Wir bügelten die gute Tischdecke, die so schwer wie eine Bettdecke war, und wuschen das gute Geschirr ab, das in der Vitrine Staub angesetzt hatte, und wischten die Beine der Esszimmerstühle ab, dazu machten wir die Sülzen, die Pasteten und Aufläufe, die den Puten- oder Schweinebraten und die Gemüseschüsseln begleiteten. Es musste immer viel zu viel geben, und die meisten Tischgespräche hatten mit dem Essen zu tun, die Gäste sagten, wie gut es war, und wurden gedrängt, sich noch etwas zu nehmen, und sagten, sie könnten nicht mehr, sie seien pappsatt, und dann gaben die Ehemänner der Tanten nach und nahmen sich noch etwas, und die Tanten taten sich auch noch ein ganz klein wenig auf und sagten, das dürften sie gar nicht, sie seien am Platzen.

Und dabei gab es noch Nachtisch.

An eine allgemeine Unterhaltung war kaum je zu denken. Tatsächlich herrschte das Empfinden, dass eine Unterhaltung, die bestimmte stillschweigende Grenzen überschritt, den Rahmen zu sprengen drohte, reine Angeberei. Meine Mutter war im Hinblick auf diese Grenzen nicht zuverlässig, und manchmal konnte sie nicht die Pausen abwarten oder die Abneigung gegen eine Vertiefung des Themas respektieren. Wenn jemand sagte: »Hab gestern Harley auf der Straße gesehen«, dann konnte es sein, dass sie fragte: »Meinst du, ein Mann wie Harley ist ein eingefleischter Junggeselle? Oder ist ihm bloß noch nicht die richtige Frau begegnet?«

Als hätte man, wenn man erwähnte, jemanden gesehen zu haben, gewiss noch mehr dazu zu sagen, etwas *Interessantes*.

Dann konnte ein Schweigen entstehen, nicht, weil die Leute am Tisch unhöflich sein wollten, sondern weil sie perplex waren. Bis mein Vater dann in seiner Verlegenheit mit verstecktem Vorwurf sagte: »Er scheint mit sich alleine ja ganz zurechtzukommen.«

Wären seine Verwandten nicht da gewesen, hätte er das »mit sich« wahrscheinlich weggelassen.

Und alle fuhren fort, zu schneiden, zu löffeln und zu schlucken, in dem Gleißen der frischen Tischdecke und dem hellen Licht, das durch die frisch geputzten Fenster hereinströmte. Diese Mahlzeiten fanden immer mitten am Tage statt.

Die Leute an jenem Tisch waren durchaus fähig, sich zu unterhalten. Beim Abwaschen und Abtrocknen in der Küche unterhielten sich die Tanten darüber, wer einen Tumor hatte, einen vereiterten Hals oder schlimme Furunkel. Sie berichteten, wie ihre Verdauung, ihre Nieren oder ihre Nerven funktionierten. Die Erwähnung intimer körperlicher Dinge schien nie so unziemlich oder anrüchig zu sein wie die Erwähnung von etwas, das man in einer Zeitschrift gelesen oder in den Nachrichten gehört hatte – es war irgendwie ungehörig, sich mit etwas zu beschäftigen, das nicht nahe lag. Währenddessen, beim Ausruhen auf der Veranda oder bei einem kurzen Spaziergang, um die Saaten zu begutachten, gaben die Ehemänner der Tanten die Information weiter, dass jemand bei der Bank in Schwulitäten war oder immer noch Geld für ein teures Gerät schuldete oder in einen Bullen investiert hatte, der sich als Versager herausstellte.

Vielleicht waren sie auch nur eingeschüchtert von der Förmlichkeit des Esszimmers, den zusätzlichen Tellerchen und den Kuchengabeln, wo es doch sonst ihre Gewohnheit war, sich ein Stück Kuchen auf den Essteller zu laden, den sie eben mit einer Brotkruste sauber gewischt hatten. (Es wäre jedoch ein Vergehen gewesen, den Tisch nicht so korrekt zu decken. In ihren eigenen Häusern muteten sie bei solchen Gelegenheiten ihren Gästen die nämliche Tortur zu.) Vielleicht lag es auch nur daran, dass für sie essen und reden zweierlei waren, entweder man aß oder man redete.

Wenn Alfrida kam, war das ganz etwas anderes. Zwar schmückten wie sonst die gute Decke und das gute Geschirr den Tisch. Auch gab meine Mutter sich große Mühe mit dem Essen und war ängstlich, ob es ihr gelingen würde – wahrscheinlich war sie vom üblichen Pute-mit-Füllung-mit-Kartof-felbrei-Menü abgegangen und hatte so etwas wie Hühnersalat zubereitet, umgeben von Hügeln aus geformtem Reis mit klein geschnittenen Paprikaschoten, und dem folgte dann eine Nachspeise, an die Gelatine und Eischnee und Schlagsahne ge-hörten und die nervenzermürbend lange brauchte, bis sie steif wurde, weil wir keinen Kühlschrank hatten und sie zum Ab-kühlen auf den Kellerfußboden stellen mussten. Aber die Be-fangenheit, das Leichentuch über dem Tisch, war völlig ver-schwunden. Alfrida willigte nicht nur in einen Nachschlag ein, sie bat sogar darum. Und sie tat das nahezu geistesabwesend, so, wie sie auch ihre Komplimente hinwarf, als sei das Essen, das Verzehren der Speisen, etwas Angenehmes, aber Zweitrangiges, und als sei sie eigentlich da, um zu reden und andere zum Re-den zu bringen, als könne man über alles – fast alles – reden.

Sie kam immer im Sommer zu Besuch, und meistens trug sie eine Art gestreiftes, seidiges Sonnenkleid mit einem Oberteil, das den Rücken frei ließ. Ihr Rücken war nicht hübsch, da mit kleinen Leberflecken übersät, ihre Schultern waren knochig, und ihre Brust war nahezu flach. Mein Vater machte immer Bemerkungen darüber, wie viel sie essen und dabei dünn blei-ben konnte. Oder er verkehrte es ins Gegenteil und flachste, sie sei so mäkelig wie eh und je, habe aber trotzdem ordentlich Speck angesetzt. (Es galt in unserer Familie nicht als unziem-lich, sich über Beleibtheit oder Magerkeit oder Blässe oder Röte oder Kahlköpfigkeit auszulassen.)

Ihr dunkles Haar war zu Rollen über ihrem Gesicht und an den Seiten frisiert, im Stil der Zeit. Sie hatte einen bräunlichen Teint, durchzogen von feinen Fältchen, ihr Mund war breit, mit ziemlich dicker, fast herabhängender Unterlippe, und mit einem kräftigen Lippenstift angemalt, der Schmierflecke auf der Teetasse und dem Wasserglas hinterließ. Wenn ihr Mund weit geöffnet war – wie nahezu immer, wenn sie redete oder lachte –, sah man, dass ihr einige Backenzähne fehlten. Niemand konnte behaupten, dass sie eine Schönheit war – jede Frau über fünfundzwanzig war in meinen Augen sowieso jenseits der Möglichkeit, eine Schönheit zu sein, hatte das Anrecht darauf verloren und vielleicht sogar das Verlangen danach –, aber sie war temperamentvoll und fesch. Mein Vater sagte nachdenklich, sie habe Schmiss.

Alfrida redete mit meinem Vater über Dinge, die in der Welt passierten, über Politik. Mein Vater las die Zeitung, hörte Radio und hatte eigene Meinungen zu diesen Dingen, fand aber selten Gelegenheit, darüber zu reden. Die Ehemänner der Tanten hatten auch eigene Meinungen, doch die waren kurz und gleich bleibend und beinhalteten ein immer währendes Misstrauen gegen alle Personen des öffentlichen Lebens und besonders gegen alle Ausländer, so dass ihnen meistens nichts weiter zu entlocken war als ein abfälliger Kehllaut. Meine Großmutter war schwerhörig – niemand vermochte zu sagen, wie viel sie über irgendetwas wusste oder gar, was sie darüber dachte, und die Tanten selbst machten auf mich den Eindruck, recht stolz darauf zu sein, was sie alles nicht zu wissen oder zu beachten brauchten. Meine Mutter war Lehrerin gewesen, und sie hätte auf einer Landkarte ohne weiteres alle Länder Europas aufzeigen können, aber sie sah alles durch ihren eigenen Nebelschleier, groß im Vordergrund das Britische Empire und die königliche Familie, alles andere stark verkleinert, zusammengeworfen zu einem Trödelhaufen, den sie leicht außer Acht lassen konnte.

Alfridas Ansichten waren eigentlich gar nicht so weit von denen der Onkels entfernt. Oder so schien es wenigstens. Aber statt aufzustöhnen und das Thema fallen zu lassen, ließ sie ihr dröhnendes Gelächter erschallen und erzählte Geschichten über den Premierminister und den amerikanischen Präsidenten und John L. Lewis und den Bürgermeister von Montreal – Geschichten, in denen alle schlecht wegkamen. Sie erzählte auch Geschichten über die königliche Familie, aber da unterschied sie zwischen den Guten wie dem König und der Königin und der schönen Herzogin von Kent, und den Abscheulichen wie den Windsors und dem alten König Eddy, der – behauptete sie – an einer gewissen Krankheit litt und am Hals seiner Frau bei dem Versuch, sie zu erwürgen, Male hinterlassen hatte, weshalb sie immer eine Perlenkette tragen musste. Diese Unterscheidung traf sich recht gut mit der, die meine Mutter vornahm, auch wenn sie nur selten darüber redete, also hatte sie nichts einzuwenden – obwohl sie bei der Anspielung auf Syphilis zusammenzuckte.

Ich lächelte wissend dazu, mit verwegener Gelassenheit.

Alfrida gab den Russen komische Namen. Mikojanski. Stalinski. Sie glaubte, dass sie allen anderen Sand in die Augen streuten und dass die Vereinten Nationen ein Witz waren und nie funktionieren würden und dass Japan wieder erstarken würde und dass Amerika den Japanern den Rest hätte geben sollen, solange dazu Gelegenheit gewesen war. Sie traute auch Quebec nicht. Oder dem Papst. Mit Senator McCarthy hatte sie ein Problem – sie wäre gerne auf seiner Seite gewesen, aber sein katholischer Glaube war für sie ein Hemmklotz. Den Papst nannte sie den Oberapostel. Sie genoss den Gedanken an all die Gauner und Schurken auf dieser Welt.

Manchmal schien es, als spiele sie Theater, ziehe eine Schau ab, vielleicht um meinen Vater zu necken. Um ihn zu piesacken, wie er selbst gesagt hätte, ihn auf die Palme zu bringen. Aber nicht, weil sie ihn nicht mochte oder auch nur in Verlegenheit bringen wollte. Ganz im Gegenteil. Vielleicht triezte sie ihn, wie Mädchen Jungen in der Schule triezen, wenn ein Streit für beide Seiten ein besonderes Vergnügen ist und Beleidigungen als Schmeicheleien aufgefasst werden. Mein Vater stritt sich mit ihr immer in sanftem, gleichmäßigem Ton, und doch war klar, dass er die Absicht hatte, sie aufzustacheln. Manchmal machte er eine Kehrtwende und gab ihr Recht – durch ihre Arbeit bei der Zeitung hatte sie eben Informationsquellen, die ihm nicht zugänglich waren. Du hast mir den Kopf zurechtgerückt, sagte er dann, und eigentlich müsste ich dir dankbar sein. Und sie antwortete: Komm mir nicht mit solchem Quatsch.

»Ihr seid mir zwei«, sagte meine Mutter mit gespielter Verzweiflung und vielleicht aus echter Erschöpfung, und Alfrida befahl ihr, sich aufs Ohr zu legen, sie verdiene es nach diesem bonfortionösen Essen, sie selber und ich würden den Abwasch übernehmen. Meine Mutter litt manchmal an einem Zittern im rechten Arm, von dem ihr die Finger steif wurden und das sie auf Übermüdung zurückführte.

Bei unserer Arbeit in der Küche erzählte Alfrida mir von Prominenten – von Schauspielern oder sogar Filmsternchen, die in der Stadt, in der sie lebte, auf der Bühne gastiert hatten. Mit leiser Stimme, doch immer wieder unterbrochen von respektlosem Gelächter, berichtete sie von deren Eskapaden und kolportierte Gerüchte über private Skandale, die nie in die Illustrierten gelangt waren. Sie erwähnte Männer, die andersrum waren, künstliche Busen und Dreiecksverhältnisse – alles Dinge, von denen ich andeutungsweise schon gelesen hatte, aber es machte mich schwindlig, jetzt im wirklichen Leben davon zu hören, und sei es nur aus dritter oder vierter Hand.

Alfridas Zähne erregten immer meine Aufmerksamkeit, so dass ich sogar bei diesen vertraulichen Schilderungen manchmal gar nicht mitbekam, was gesagt wurde. Die Zähne, die ihr verblieben waren, vorn im Mund, hatten jeder eine etwas andere Farbe, keine zwei glichen sich. Manche mit relativ intaktem Zahnschmelz tendierten zu dunklen Elfenbeintönen, andere waren opalisierend, mit fliederfarbenen Schattierungen, und blitzten mit silbernen Rändern auf wie Fische, da und dort glänzte auch Gold. Die Zähne der meisten Leute boten zu jener Zeit selten einen so gesunden, schönen Anblick wie heute, es sei denn, sie waren falsch. Aber Alfridas Zähne waren erstaunlich durch ihre Verschiedenheit, jeder deutlich vom anderen getrennt und ungewöhnlich groß. Wenn Alfrida eine höh-

nische Bemerkung austeilte, die besonders, bewusst haarsträu-
bend war, dann schienen sie hervorzuspringen wie Palast-
wachen, wie fröhliche Speerkämpfer.

»Sie hatte ja schon immer Schwierigkeiten mit den Zähnen«,
sagten die Tanten. »Dann der Abszess, wisst ihr noch, das Gift
hatte sich in ihrem ganzen Körper ausgebreitet.«

Wie sah ihnen das ähnlich, dachte ich, Alfridas Witz und Stil
beiseite zu tun und ihre Zähne zu einem traurigen Problem zu
machen.

»Warum lässt sie sich nicht alle ziehen und fertig?«, sagten sie.

»Wahrscheinlich kann sie sich's nicht leisten«, sagte meine
Großmutter und überraschte damit alle, wie sie es manchmal
tat, indem sie zeigte, dass sie der Unterhaltung die ganze Zeit
gefolgt war.

Und überraschte mich mit dem neuen, gleichsam alltägli-
chen Licht, das dadurch auf Alfridas Leben fiel. Ich hatte geglaubt, Alfrida sei reich – zumindest im Vergleich zur übrigen
Familie. Sie lebte in einer Wohnung – die ich nie gesehen hatte,
aber dieser Umstand vermittelte mir die Vorstellung von einem
sehr kultivierten Leben –, und sie trug Kleider, die nicht selbst
geschneidert waren, und ihre Schuhe waren nicht die Schnür-
halbschuhe, wie alle anderen erwachsenen Frauen, die ich
kannte, sie trugen, sondern Sandaletten mit knallbunten Riem-
chen aus dem neuen Kunststoff. Es ließ sich schwer sagen, ob
meine Großmutter einfach in der Vergangenheit lebte, in der
ein Gebiss die krönende, die letzte große Anschaffung war,
oder ob sie wirklich Dinge über Alfridas Leben wusste, auf die
ich nie gekommen wäre.

Die übrige Familie war nie anwesend, wenn Alfrida zu uns
zum Essen kam. Sie besuchte allerdings auch meine Großmutter, die ihre Tante war, die Schwester ihrer Mutter. Meine
Großmutter lebte nicht mehr in ihrem eigenen Haus, sondern
wohnte abwechselnd bei der einen oder der anderen der Tanten, und Alfrida suchte jeweils das Haus auf, in dem sie gerade

wohnte, jedoch nicht das andere Haus, um bei der anderen Tante vorbeizuschauen, die im selben Verwandtschaftsverhältnis zu ihr stand wie mein Vater. Und zum Essen ging sie zu keiner von beiden. Meistens kam sie zuerst zu uns zu Besuch und blieb ein Weilchen, dann raffte sie sich nahezu widerwillig auf, um den anderen Besuch abzustatten. Wenn sie später zurückkam und wir uns zu Tisch setzten, sagte niemand offen etwas Abfälliges über die Tanten und ihre Ehemänner und schon gar nichts Respektloses über meine Großmutter. Eigentlich war es die Art und Weise, in der Alfrida von meiner Großmutter sprach – die plötzliche Nüchternheit und Anteilnahme in ihrer Stimme, sogar eine Spur von Besorgnis (was war mit ihrem Blutdruck, war sie in letzter Zeit mal beim Arzt, was hatte der gesagt?) –, die mich auf den Unterschied aufmerksam machte, auf die kühle oder vielleicht unfreundliche Zurückhaltung, mit der sie sich nach den anderen erkundigte. Dann war in der Antwort meiner Mutter eine ähnliche Zurückhaltung zu spüren und in der meines Vaters ein besonderer Ernst – gewissermaßen eine Karikatur von Ernst –, die zeigten, dass sich alle über etwas einig waren, was sie nicht aussprechen konnten.

An dem Tag, an dem ich die Zigarette rauchte, beschloss Alfrida, es noch ein wenig weiter zu treiben, und sie sagte todernst: »Was macht denn Asa? Ist er immer noch ein so unterhaltsamer Plauderer?«

Mein Vater schüttelte traurig den Kopf, als müsse der Gedanke an die Beredsamkeit dieses Onkels uns alle bedrücken.

»Doch«, sagte er. »Das ist er.«

Dann ergriff ich die Gelegenheit beim Schopf.

»Wie's aussieht, ham die Schweine wieder Spulwürmer«, sagte ich. »Mist.«

Bis auf »Mist« war das genau das, was mein Onkel gesagt hatte, und zwar an ebendiesem Tisch, überwältigt von einem für ihn untypischen Bedürfnis, das Schweigen zu brechen oder etwas Wichtiges weiterzugeben, das ihm gerade in den Sinn gekommen war. Und ich sagte es mit genau seinen bedächtigen Ächzern, seiner unschuldigen Ernsthaftigkeit.

Alfrida stieß ein lautes, beifälliges Lachen aus und zeigte ihre fröhlichen Zähne. »Ja, stimmt, sie hat ihn genau drauf.«

Mein Vater beugte sich über seinen Teller, als wollte er verbergen, wie sehr auch er lachen musste, aber er konnte es natürlich nicht ganz verbergen, und meine Mutter schüttelte den Kopf und biss sich lächelnd auf die Lippen. Für mich war es ein überwältigender Triumph. Nichts wurde gesagt, um mich in die Schranken zu weisen, kein Tadel für das, was manchmal mein Sarkasmus genannt wurde, wenn ich wieder einmal »schlau« war. Das Wort »schlau« konnte, wenn es auf mich angewandt wurde, intelligent bedeuten, und dann wurde es ziemlich widerwillig benutzt – »ach, in mancher Hinsicht ist sie recht schlau« –, es konnte aber auch aufdringlich, geltungssüchtig, unausstehlich bedeuten. *Sei nicht so schlau.*

Manchmal sagte meine Mutter traurig: »Du hast eine grausame Zunge.«

Manchmal – und das war wesentlich schlimmer – hatte ich es mir gründlich mit meinem Vater verdorben.

»Wie kommst du darauf, du hättest das Recht, anständige Leute schlecht zu machen?«

An diesem Tag geschah nichts Derartiges – ich schien so frei wie ein Tischgast zu sein, fast so frei wie Alfrida, siegrich unter dem Banner meiner eigenen Persönlichkeit.

Aber es sollte sich bald eine Kluft auftun, und vielleicht saß Alfrida an jenem Tag zum letzten Mal, zum allerletzten Mal an unserem Tisch. Weihnachtskarten wurden weiterhin ausgetauscht, vielleicht sogar Briefe – solange meine Mutter mit einem Stift umgehen konnte –, und wir lasen immer noch Alfridas Namen in der Zeitung, aber an Besuche in den letzten beiden Jahren, die ich zu Hause verbrachte, kann ich mich nicht erinnern.

Vielleicht lag es daran, dass Alfrida angefragt hatte, ob sie ihren Freund mitbringen könne, und nein zur Antwort erhalten hatte. Falls sie damals schon mit ihm zusammenlebte, wäre das ein möglicher Grund für das Nein gewesen, und falls es derselbe Freund war wie später, hätte die Tatsache, dass er verheiratet war, einen weiteren Grund geliefert. Meine Eltern wären sich darin einig gewesen. Meine Mutter hatte einen Abscheu vor regelwidrigem oder demonstrativem Geschlechtsleben – also eigentlich vor jeglichem Geschlechtsleben, denn die zulässige, verheiratete Variante wurde überhaupt nicht eingestanden –, und auch mein Vater urteilte zu jener Zeit in seinem Leben über solche Dinge sehr streng. Vielleicht hatte er auch ganz eigene Einwände gegen einen Mann, dem es gelungen war, Alfrida an sich zu binden.

Sie hätte sich in ihren Augen weggeworfen. Ich kann es beide sagen hören. *Sie brauchte sich doch nicht gleich wegzuwerfen.*

Aber vielleicht hatte sie auch gar nicht gefragt, vielleicht kannte sie die beiden gut genug, um sich zu hüten. Es ist auch möglich, dass es in der Zeit dieser früheren, lebhaften Besuche keinen Mann in ihrem Leben gab, und als es dann einen gab, mag sich ihr Interessenfeld verlagert haben. Möglich, dass sie ein anderer Mensch wurde, wie sie es jedenfalls später war.

Oder vielleicht wollte sie die besondere Atmosphäre eines Haushalts meiden, in dem ein kranker Mensch ist, dessen Krankheit nur immer schlimmer wird und niemals besser. Was bei meiner Mutter der Fall war, deren Symptome sich vereinigten und eine Schwelle überschritten und statt einer Sorge und Beschwerlichkeit ihr ganzes Schicksal wurden.

»Die Ärmste«, sagten die Tanten.

Und während meine Mutter sich von einer Mutter in ein schwer krankes Wesen im Haus verwandelte, schienen diese anderen, früher so beschränkten Frauen in der Familie an Lebendigkeit und Lebenstüchtigkeit zu gewinnen. Meine Großmutter besorgte sich ein Hörgerät – etwas, das ihr niemand zugemutet hätte. Einer der Ehemänner der Tanten – nicht Asa, sondern der namens Irvine – starb, und die Tante, die mit ihm verheiratet gewesen war, lernte Autofahren und besorgte sich Arbeit in einem Bekleidungsgeschäft, wo sie die Änderungen vornahm, und trug kein Haarnetz mehr.

Sie kamen vorbei, um nach meiner Mutter zu sehen, und sahen immer dasselbe – dass diejenige, die hübscher als sie gewesen war, die sie nie ganz ihren Lehrerinnenstatus hatte vergessen lassen, von Monat zu Monat in ihren Bewegungen immer langsamer und steifer und in ihrer Sprache immer unverständlicher und flehentlicher wurde und dass nichts ihr helfen konnte.

Sie hielten mich dazu an, gut auf sie Acht zu geben.

»Sie ist schließlich deine Mutter«, ermahnten sie mich.

»Die Ärmste.«

Alfrida wäre unfähig gewesen, derlei zu sagen, und vielleicht wäre sie auch unfähig gewesen, sich etwas anderes einfallen zu lassen.

Mir war es recht, dass sie uns nicht mehr besuchte. Ich wollte keinen Besuch haben. Ich hatte keine Zeit dafür, ich war zu einer rasenden Haushälterin geworden – ich bohnerte die Fußböden und bügelte sogar die Geschirrtücher, und ich tat das alles, um gegen so etwas wie Schande anzukämpfen (der Verfall meiner Mutter kam uns vor wie eine außerordentliche Schande, die uns alle betraf). Ich tat das, damit es den Anschein hatte, als lebte ich mit meinen Eltern und meinem Bruder und meiner Schwester in einer ganz normalen Familie in einem ordentlichen Haushalt, aber sobald andere unser Haus betraten und meine Mutter sahen, war ihnen klar, dass dem nicht so war, und sie bemitleideten uns. Etwas, das ich nicht ertragen konnte.

Ich erhielt ein Stipendium. Ich blieb nicht zu Hause, um mich um meine Mutter zu kümmern oder irgend sonst etwas. Ich ging fort aufs College. Das College befand sich in der Stadt, in der Alfrida wohnte. Nach ein paar Monaten lud sie mich zum Abendessen ein, aber ich konnte nicht hin, denn ich arbeitete außer sonntags jeden Abend. Und zwar in der Stadtbibliothek in der Innenstadt und in der College-Bibliothek, die beide bis neun Uhr geöffnet waren. Einige Zeit später, im Laufe des Winters, lud Alfrida mich wieder ein, und diesmal war die Einladung für einen Sonntag. Ich sagte ihr, dass ich nicht kommen könne, weil ich in ein Konzert ginge.

»Ach – du hast einen Freund?«, fragte sie, und ich sagte ja, aber zu der Zeit stimmte das gar nicht. Ich ging immer mit anderen Mädchen, einem oder mehreren, in die kostenlosen Sonntagskonzerte in der College-Aula, zum Zeitvertreib und in der leisen Hoffnung, dort Jungen zu begegnen.

»Du musst ihn mal mitbringen«, sagte Alfrida. »Ich brenne darauf, ihn kennen zu lernen.«

Gegen Ende des Jahres hatte ich jemanden zum Mitbringen, und ich war ihm tatsächlich bei einem Konzert begegnet. Zumindest hatte er mich bei einem Konzert gesehen, dann hatte er mich angerufen und gefragt, ob ich mit ihm ausgehen wolle. Aber ich hätte ihn nie zu Alfrida mitgenommen. Ich hätte keinen meiner neuen Freunde zu Alfrida mitgenommen. Meine neuen Freunde waren Leute, die sagten: »Hast du *Schau heimwärts, Engel* gelesen? Also das musst du lesen. Hast du die *Buddenbrooks* gelesen?« Es waren Leute, mit denen ich mir *Jeux interdits* und *Les enfants du paradis* ansah, wenn die Film Society sie zeigte. Der Junge, mit dem ich ausging und mich später verlobte, hatte mich in die Musikschule mitgenommen, wo man sich in der Mittagspause Schallplatten anhören konnte. Durch ihn lernte ich Gounod kennen, und Gounod weckte meine Liebe zur Oper, und die Oper weckte meine Liebe zu Mozart.

Als Alfrida in meinem Studentenheim eine Nachricht hinterließ und mich um Rückruf bat, reagierte ich nicht. Danach rief sie nicht mehr an.

Sie schrieb immer noch für die Zeitung – gelegentlich warf ich einen Blick auf einen ihrer Lobgesänge für Royal-Doulton-Figürchen oder importiertes Ingwergebäck oder Flitterwochen-Negligees. Höchstwahrscheinlich beantwortete sie immer noch die Briefe der Flora-Simpson-Hausfrauen und lachte immer noch darüber. Seit ich in dieser Stadt lebte, schaute ich nur noch selten in die Zeitung, die für mich einmal der Mittelpunkt großstädtischen Lebens gewesen war – und in gewisser Weise sogar der Mittelpunkt unseres häuslichen Lebens, sechzig Meilen weit entfernt. Die Witze, die zwangsläufige Unaufrichtigkeit von Leuten wie Alfrida und Pferd Henry fand ich inzwischen fade und abgeschmackt.

Ich machte mir keine Sorgen, ihr unversehens zu begegnen, nicht einmal in dieser Stadt, die letztlich gar nicht so groß war. Ich betrat nie die Geschäfte, die sie in ihrer Kolumne erwähnte. Ich hatte keinen Grund, je am Redaktionsgebäude vorbeizugehen, und sie wohnte weit weg von meinem Studentenheim, irgendwo im Süden der Stadt.

Auch hielt ich Alfrida nicht für jemanden, der die Bibliothek benutzte. Schon allein das Wort »Bibliothek« würde sie wahrscheinlich veranlassen, ihren großen Mund zu einer Parodie der Bestürzung zu verziehen, wie sie es angesichts der Bücher in unserem Haus getan hatte – jener Bücher, die nicht zu meiner Zeit gekauft worden waren, einige davon Schulpreise, die meine jugendlichen Eltern gewonnen hatten (mit dem Mädchennamen meiner Mutter darin, in ihrer schönen verlorenen Handschrift), Bücher, die mir überhaupt nicht wie Dinge vorkamen, die man im Laden kaufen konnte, sondern wie Wesen im Haus, ebenso wie die Bäume vor dem Fenster keine Pflanzen waren, sondern im Boden verwurzelte Wesen. *Die Mühle am Fluss, Der Ruf der Wildnis, Das Herz von Midlothian.* »Eine Menge erstklassiger Lesestoff«, hatte Alfrida gesagt. »Ich wette, du machst dich nicht sehr oft darüber her.« Und mein Vater hatte nein gesagt, wobei er ihren kameradschaftlichen Ton der Geringschätzung oder sogar Verachtung aufgriff und bis zu einem gewissen Grade log, denn er schaute durchaus in diese Bücher, hin und wieder einmal, wenn er Zeit hatte.

Es war meine Hoffnung, solch eine Lüge nie wieder ausspre-chen zu müssen, solche Verachtung der Dinge, die mir wahr-haft wichtig waren, nicht mehr vortäuschen zu müssen. Und um das zu erreichen, musste ich mich von den Leuten, die ich von früher kannte, wohl oder übel fern halten.

Am Ende des zweiten Jahres verließ ich das College – mein Stipendium hatte nur eine Laufzeit von zwei Jahren. Aber das machte nichts – ich hatte ohnehin vor, Schriftstellerin zu wer-den. Und ich wollte heiraten.

Alfrida hatte davon gehört und setzte sich wieder mit mir in Verbindung.

»Ich nehme an, du hattest zu viel zu tun, um mich zurück-zurufen, oder vielleicht sind dir meine Anrufe nie ausgerichtet worden.«

Ich erklärte beides für möglich.

Diesmal willigte ich ein, sie zu besuchen. Ein Besuch würde mich zu nichts verpflichten, da ich plante, die Stadt zu verlassen. Ich wählte einen Sonntag gleich nach meinen Abschlussprü-fungen, an dem mein Verlobter zu Bewerbungsgesprächen in Ottawa weilte. Der Tag war hell und sonnig – es war Anfang Mai. Ich beschloss, zu Fuß zu gehen. Ich war kaum je südlich der Dundas Street oder östlich der Adelaide gewesen, es gab also Stadtviertel, die mir völlig fremd waren. Die Bäume ent-lang der nördlichen Straßen schlugen gerade aus, der Flieder, die Zierapfelbäume und die Tulpenbeete standen alle in Blüte, die Rasenflächen bildeten frische Teppiche. Aber nach einer Weile ging ich durch Straßen, in denen keine Bäume standen, Straßen, in denen die Häuser auf den schmalen Bürgersteig drängten und der kümmerliche Flieder – Flieder wächst eben überall – blass war, wie von der Sonne ausgebleicht, und kaum duftete. In diesen Straßen standen nicht nur Ein- oder Mehrfamilienhäuser, sondern auch schmale Mietshäuser, nur zwei oder drei Stockwerke hoch, manche mit dem bescheidenen Schmuck einer Backsteineinfassung um die Haustür und mit hochgeschobenen Fenstern, aus denen schlaffe Gardinen über die Fensterbretter hingen.

Alfrida lebte in einem Mehrfamilienhaus, nicht in einem Mietshaus. Sie bewohnte das gesamte Obergeschoss. Im Erdgeschoss, zumindest im vorderen Teil, war ein Laden eingerichtet worden, der zuhatte, denn es war Sonntag. Ein Laden für Trödel – durch die schmutzigen Schaufenster erspähte ich viele unscheinbare Möbel, beladen mit Stapeln von altem Geschirr und Küchenutensilien. Der einzige Gegenstand, der mir ins Auge fiel, war ein Honigeimer, genau wie der Honigeimer mit blauem Himmel und goldenem Bienenkorb, in dem ich meine Pausenbrote in die Schule mitgenommen hatte, als ich sechs oder sieben Jahre alt war. Ich erinnerte mich noch genau daran, was auf der einen Seite geschrieben stand.

Jeder reine Honig wird mit der Zeit granulieren.

Ich hatte keine Ahnung, was »granulieren« bedeutete, aber ich mochte den Klang des Wortes. Es klang für mich blumig und köstlich.

Ich hatte für den Weg mehr Zeit gebraucht als geplant, und mir war sehr heiß. Ich hatte nicht erwartet, dass Alfrida, als sie mich zum Lunch einlud, vorhatte, mir eine Mahlzeit wie die Sonntagsfestessen zu Hause vorzusetzen, aber es roch nach Braten und Gemüse, als ich die Außentreppe emporstieg.

»Ich dachte schon, du hast dich verirrt«, rief Alfrida von oben. »Ich wollte gerade einen Suchtrupp losschicken.«

Statt eines Sonnenkleides trug sie eine rosa Bluse mit einer lappigen Schleife am Hals und einen braunen Faltenrock. Ihr Haar war nicht mehr zu glatten Rollen frisiert, sondern kurz geschnitten und um ihr Gesicht gekräuselt, sein Dunkelbraun war mit grellem Rot getönt. Und ihr Gesicht, in meiner Erinnerung mager und sonnengebräunt, war voller geworden und ein wenig schlaff. Ihr Make-up hob sich von ihrer Haut ab wie orangerosa Wandfarbe im Mittagslicht.

Aber der größte Unterschied war, dass sie inzwischen ein Gebiss trug, mit Zähnen von einheitlicher Farbe, die ihren Mund nahezu überfüllten und ihrer alten Miene rescher Unbekümmertheit etwas Ängstliches verliehen.

»Na, du bist aber pummelig geworden«, sagte sie. »Dabei warst du früher klapperdürr.«

Das stimmte, aber ich hörte es nicht gern. Wie alle anderen Mädchen im Wohnheim aß ich billiges Zeug – kalorienreiche *Kraft*-Fertiggerichte und ganze Rollen marmeladegefüllte Kekse. Mein Verlobter, der so standhaft und besitzergreifend alles an mir verteidigte, sagte, dass er üppige Formen möge und dass ich ihn an Jane Russell erinnere. Es störte mich nicht, wenn er das sagte, aber meistens war es mir unangenehm, wenn andere etwas über mein Äußeres sagten. Besonders, wenn es jemand wie Alfrida sagte – jemand, der alle Bedeutung in meinem Leben verloren hatte. Ich war der Überzeugung, dass solche Menschen kein Recht hatten, mich zu betrachten oder sich Meinungen über mich zu bilden, geschweige denn, sie auszusprechen.

Das Haus war zur Straße hin schmal, aber nach hinten hin lang gezogen. Es gab ein Wohnzimmer, dessen Decke an den Seiten schräg abfiel und dessen Fenster auf die Straße blickten, ein flurartiges Esszimmer ganz ohne Fenster, weil an den Seiten Schlafzimmer mit Mansardenfenstern abgingen, eine Küche, ein Badezimmer auch ohne Fenster, das Tageslicht nur durch eine Tür mit einer Ornamentglasscheibe erhielt, und auf der Rückseite eine verglaste Veranda.

Die schrägen Decken gaben den Zimmern etwas Behelfs-mäßiges, als täuschten sie nur vor, Wohnräume und keine Schlafräume zu sein. Aber sie waren mit schweren Möbeln voll gestellt – Esstisch und Stühle, Küchentisch und Stühle, Wohn-zimmersofa und Ruhesessel –, alle für größere richtige Zimmer bestimmt. Zierdeckchen auf den Tischen, bestickte weiße Schondeckchen auf den Rücken- und Armlehnen von Sofa und Sesseln, Tüllgardinen vor den Fenstern und schwere ge-blümte Vorhänge an den Seiten – alles glich den Häusern der Tanten viel mehr, als ich für möglich gehalten hätte. Und an der Esszimmerwand – nicht im Badezimmer oder im Schlaf-zimmer, sondern im Esszimmer – hing ein Bild, die Silhouette eines Mädchens im Reifrock, gefertigt aus rosa Satinband.

Ein Streifen robustes Linoleum war auf dem Esszimmerbo-den ausgelegt, für den Weg von der Küche ins Wohnzimmer.

Alfrida schien einiges von dem, was ich dachte, zu erraten.

»Ich weiß, ich hab viel zu viele Möbel hier drin«, sagte sie. »Aber es sind die Möbel meiner Eltern. Alles Erbstücke, und ich konnte mich nicht davon trennen.«

In meiner Vorstellung hatte ich sie nie mit Eltern gesehen. Ihre Mutter war schon vor langer Zeit gestorben, und sie war von meiner Großmutter aufgezogen worden, die ihre Tante war.

»Die von Paps und Mutter«, sagte Alfrida. »Als Paps wegging, hat deine Großmutter sie behalten, denn sie sagte, sie sollten einmal mir gehören, wenn ich groß bin, und da sind sie nun. Ich konnte nicht nein sagen, nachdem sie sich so angestrengt hatte.«

Jetzt fiel er mir wieder ein – der Teil von Alfridas Leben, den ich vergessen hatte. Ihr Vater hatte wieder geheiratet. Er hatte die Farm verlassen und sich Arbeit bei der Eisenbahn besorgt. Er zeugte noch weitere Kinder, und die Familie zog von einer Stadt in die andere, und manchmal erwähnte Alfrida sie, in scherzhafter Weise, die damit zu tun hatte, wie zahlreich die

Kinder waren und wie dicht nacheinander sie gekommen waren und wie oft die Familie umziehen musste.

»Komm, ich will dir Bill vorstellen«, sagte Alfrida.

Bill war draußen auf der Veranda. Er saß, als wartete er darauf, gerufen zu werden, auf einer niedrigen Couch oder Bettcouch, auf der eine braune karierte Decke lag. Die Decke war verkrumpelt – er musste bis vor kurzem darauf gelegen haben, und die Rollos vor den Fenstern waren alle vollständig heruntergezogen. Das Licht im Zimmer – das heiße Sonnenlicht, das durch die regenfleckigen gelben Rollos fiel – und die verkrumpelte, raue Decke und das ausgeblichene, eingedrückte Kissen, sogar der Geruch der Decke und der männlichen Pantoffeln, alte, ausgetretene Pantoffeln, die ihre Form und ihr Muster eingebüßt hatten, erinnerten mich – ebenso wie die Schondeckchen und die schweren Möbelstücke und das Satinband-Mädchen an der Wand – an die Häuser meiner Tanten. Auch da konnte man auf eine verwohnte männliche Höhle stoßen mit ihren verstohlenen, aber hartnäckigen Gerüchen, ihrem verschämten, aber störrischen Widerstand gegen das weibliche Regiment.

Bill jedoch stand auf und schüttelte mir die Hand, wie die Onkels es nie bei einem fremden Mädchen getan hätten. Oder bei irgendeinem Mädchen. Keine besondere Unhöflichkeit hatte sie zurückgehalten, sondern nur die Furcht, förmlich zu wirken.

Er war ein großer Mann mit welligen, glänzenden grauen Haaren und einem glatten, aber nicht mehr jungen Gesicht. Ein gut aussehender Mann, dem die Kraft seines guten Aussehens irgendwie abhanden gekommen war – durch schlechte Gesundheit oder Pech im Leben oder mangelndes Rückgrat. Aber er besaß immer noch eine abgenutzte Höflichkeit, eine Art, sich Frauen zuzuwenden, die andeutete, die Begegnung werde ein Vergnügen sein, für sie und auch für ihn.

Alfrida wies uns ins Esszimmer, wo mitten an diesem sonnigen Tag das Licht brannte. Ich gewann den Eindruck, dass das

Essen schon seit einiger Zeit fertig war und dass meine verspätete Ankunft ihren üblichen Tagesablauf verzögert hatte. Bill servierte das gebratene Huhn und die Füllung, Alfrida das Gemüse. Alfrida sagte zu Bill: »Schatz, was meinst du wohl, was das neben deinem Teller ist?«, worauf er sich besann und zu seiner Serviette griff.

Er hatte nicht viel zu sagen. Er bot mir die Soße an, er erkundigte sich, ob ich die Senfgürkchen oder Salz und Pfeffer wollte, er folgte der Unterhaltung, indem er abwechselnd Alfrida und mich ansah. Hin und wieder stieß er zwischen den Zähnen einen leisen Pfeifton aus, ein zittriges Geräusch, das offenbar freundlich und anerkennend gemeint war und das ich anfangs als Auftakt für eine Bemerkung verstand. Es kam aber nie eine, und Alfrida wartete auch nie darauf. Ich habe seitdem trockene Alkoholiker gesehen, die sich ähnlich benahmen wie er – verbindlich allem beipflichtend, aber unfähig, das Gespräch voranzubringen, rettungslos geistesabwesend. Ich habe bis heute keine Ahnung, ob das auf Bill zutraf, aber er machte den Eindruck, eine Geschichte von Niederlagen, von erduldeten Leiden und gelernten Lektionen mit sich herumzutragen. Auch wirkte er, als hätte er sich ritterlich mit dem abgefunden, was ihm fehlgeschlagen oder nicht in Erfüllung gegangen war.

Das seien tiefgefrorene Erbsen und Möhren, sagte Alfrida. Tiefkühlgemüse war zu der Zeit relativ neu.

»Sie lassen die aus der Dose weit hinter sich«, sagte sie. »Sie sind genauso gut wie frische.«

Darauf gab Bill eine ganze Erklärung ab. Er sagte, sie seien besser als frische. Die Farbe, der Geschmack, alles sei besser als bei frischen. Er sagte, es sei erstaunlich, was man inzwischen alles tun könne und was in Zukunft alles durch Tiefkühlen möglich sein werde.

Alfrida beugte sich lächelnd vor. Sie schien fast den Atem anzuhalten, als wäre er ihr Kind, das die ersten Schritte oder die ersten wackligen Fahrradmeter ohne Hilfe zurücklegte.

Es gebe eine Methode, Hühnern etwas zu spritzen, erzählte er, es gebe ein neues Verfahren, da werde ein Huhn wie das andere, fleischig und schmackhaft. Das Risiko, ein minderwertiges Huhn zu erwischen, das sei vom Tisch.

»Bills Gebiet ist die Chemie«, sagte Alfrida.

Als ich darauf nichts zu sagen wusste, fügte sie hinzu: »Er hat für Gooderhams gearbeitet.«

Immer noch nichts.

»Die Brennerei«, sagte sie. »Gooderhams Whisky.«

Auch darauf wusste ich nichts zu sagen, und zwar nicht, weil ich unhöflich sein wollte oder mich langweilte (jedenfalls nicht unhöflicher, als ich zu der Zeit ohnehin war, oder gelangweilter, als ich erwartet hatte), sondern weil ich nicht begriff, dass ich Fragen stellen sollte – Fragen nahezu jeder Art, um einen schüchternen Mann ins Gespräch zu ziehen, um ihn aus seiner Geistesabwesenheit herauszuholen, ihn als Mann von gewisser Autorität hinzustellen und von da her als den Herrn des Hauses. Ich begriff nicht, warum Alfrida ihn mit einem so stramm ermutigenden Lächeln ansah. Meine sämtlichen Erfahrungen einer Frau mit einem Mann, einer Frau, die ihrem Mann zuhört, in der großen Hoffnung, dass er sich als jemand durchsetzen wird, auf den sie einigermaßen stolz sein kann, lagen in der Zukunft. Meine Beobachtungen von Ehepaaren beschränkten sich auf meine Tanten und Onkel und auf meine Mutter und meinen Vater, und nach meinem Eindruck hatten diese Ehemänner und -frauen ferne, fest geformte Verbindungen und kein erkennbares Vertrauensverhältnis zueinander.

Bill aß weiter, als habe er die Erwähnung seines Berufs und seines Arbeitgebers nicht gehört, und Alfrida begann, mich nach meinen Kursen zu fragen. Sie lächelte immer noch, aber ihr Lächeln hatte sich verändert. Es bekam einen Stich ins Ungeduldige und Unwirsche, als wartete sie nur darauf, dass ich ans Ende meiner Ausführungen gelangte, damit sie sagen konnte, wie sie es dann auch tat: »Nicht für eine Million Dollar würdest du mich dazu kriegen, dieses Zeug zu lesen.«

»Das Leben ist zu kurz«, sagte sie. »Weißt du, drüben bei der Zeitung kriegen wir manchmal welche, die haben sich das draufgeschafft. Anglistik, Philosophie. Wir wissen nicht, was wir mit denen anfangen sollen. Die können einfach nicht schreiben. Das hab ich dir doch erzählt?«, sagte sie zu Bill, und Bill sah auf und schenkte ihr sein pflichtschuldiges Lächeln.

Sie ließ das eine Weile wirken.

»Was machst du, wenn du dich amüsieren willst?«, fragte sie.

Zu der Zeit wurde in einem Theater in Toronto *Endstation Sehnsucht* gespielt, und ich erzählte ihr, dass ich mit Freunden per Bahn hingefahren war, um es zu sehen.

Alfrida ließ Messer und Gabel klappernd auf den Teller fallen.

»Diesen Dreck«, schrie sie. Sie reckte mir ihr Gesicht entgegen, das vor Abscheu verzerrt war. Dann sprach sie ruhiger, aber immer noch mit giftigem Widerwillen.

»Du bist *das ganze Ende bis nach Toronto* gefahren, um diesen Dreck zu sehen!«

Wir waren mit dem Nachtisch fertig, und Bill suchte sich diesen Moment aus, um zu fragen, ob wir ihn entschuldigen würden. Er fragte erst Alfrida und dann mit einer angedeuteten Verbeugung mich. Er ging wieder auf die Veranda, und nach kurzer Zeit rochen wir seine Pfeife. Alfrida sah ihm nach und schien mich und das Stück zu vergessen. Ihr Gesicht trug einen Ausdruck so verzweifelter Zärtlichkeit, dass ich, als sie aufstand, dachte, sie wollte ihm nachgehen. Aber sie ging nur ihre Zigaretten holen.

Sie hielt sie mir hin, und als ich eine nahm, sagte sie mit angestrengter Lustigkeit: »Wie ich sehe, hast du immer noch die schlechte Angewohnheit, die ich dir beigebracht habe.« Vielleicht hatte sie sich daran erinnert, dass ich kein Kind mehr war und niemand mich zwingen konnte, sie zu besuchen, und dass es sinnlos war, sich mit mir zu überwerfen. Und ich wollte mich nicht streiten – es war mir gleichgültig, was Alfrida über Tennessee Williams dachte. Oder was sie über irgend sonst etwas dachte.

»Na ja, ist wohl deine Angelegenheit«, sagte Alfrida. »Du kannst hinfahren, wo du willst.« Und sie fügte hinzu: »Schließlich – bald bist du eine verheiratete Frau.«

Bei ihrem Tonfall konnte das entweder bedeuten: »Ich muss zugeben, dass du jetzt erwachsen bist«, oder: »Bald wirst du kuschen müssen.«

Wir standen auf und räumten den Tisch ab. Bei der Arbeit dicht beieinander in dem engen Raum zwischen dem Küchentisch und der Anrichte und dem Kühlschrank entwickelten wir bald, ohne darüber zu reden, eine bestimmte Ordnung und Harmonie, abzukratzen und zu stapeln und Übriggebliebenes in kleinere Vorratsbehälter zu tun und heißes Seifenwasser in die Spüle einzulassen und sich auf jedes unbenutzte Besteckteil zu stürzen und es in die mit grünem Flanell ausgeschlagene Schublade im Esszimmerbuffet zu legen. Wir holten den Aschbecher in die Küche und pausierten immer wieder kurz, um ganz routiniert zur Stärkung an unseren Zigaretten zu ziehen. Es gibt Dinge, über die Frauen sich einigen oder nicht einigen, wenn sie so zusammenarbeiten – ob sie zum Beispiel rauchen können oder lieber doch nicht, weil Ascheflöckchen sich auf einen sauberen Teller verirren könnten, oder ob jedes einzelne Stück, das auf dem Tisch gestanden hat, abgewaschen werden muss, egal, ob es benutzt worden ist oder nicht –, und es stellte sich heraus, dass Alfrida und ich uns einig waren. Außerdem machte mich der Gedanke wegzukönnen, sobald der Abwasch fertig war, entspannter und großzügiger. Ich hatte ihr schon gesagt, dass ich am Nachmittag zu einer Freundin müsse.

»Das Geschirr ist hübsch«, sagte ich. Es war cremefarben, leicht gelblich, mit einem Rand blauer Blümchen.

»Ja – das war das Hochzeitsgeschirr meiner Mutter«, sagte Alfrida. »Das war eine weitere gute Tat deiner Großmutter für mich. Sie hat das ganze Geschirr meiner Mutter eingepackt und aufbewahrt, bis ich es benutzen konnte. Jeanie wusste gar nicht, dass es das gab. Es hätte auch nicht lange gehalten, bei der Meute.«

Jeanie. Die Meute. Ihre Stiefmutter und die Halbbrüder und -schwestern.

»Du weißt doch davon?«, fragte Alfrida. »Du weißt, was meiner Mutter passiert ist?«

Natürlich wusste ich es. Alfridas Mutter war gestorben, als eine Lampe in ihren Händen explodierte – das heißt, sie starb an Verbrennungen, die sie sich holte, als eine Petroleumlampe in ihren Händen explodiert war –, und meine Tanten und meine Mutter hatten regelmäßig darüber geredet. Nichts konnte über Alfridas Mutter oder Alfridas Vater gesagt werden und sehr wenig über Alfrida selbst, ohne dass dieser Tod zur Sprache kam und hinzugefügt wurde. Er war der Grund, warum Alfridas Vater die Farm verlassen hatte (was stets ein wenig als Abstieg galt, wenn nicht finanziell, so doch moralisch). Er war ein Grund, äußerst vorsichtig mit Petroleum umzugehen, und ein Grund, für elektrischen Strom dankbar zu sein, trotz der höheren Kosten. Und er war etwas Schreckliches für ein Kind in Alfridas Alter, was auch immer. (Das hieß: Was auch immer sie seitdem getrieben hatte.)

Wenn nicht das Gewitter gekommen wäre, hätte sie nie mitten am Nachmittag die Lampe angezündet.

Sie hat noch die ganze Nacht und den nächsten Tag und die nächste Nacht gelebt, und am besten wäre ihr das erspart geblieben.

Und gleich im Jahr danach ist in ihrer Straße der Strom verlegt worden, und sie brauchten die Lampen nicht mehr.

Die Tanten und meine Mutter hatten selten dieselben Einstellungen zu etwas, aber in dieser Geschichte empfanden sie ähnlich. Es schwang in ihren Stimmen mit, wenn sie den Namen von Alfridas Mutter aussprachen. Die Geschichte schien für sie ein grauenvoller Schatz zu sein, etwas, das ihre Familie vor allen anderen beanspruchen konnte, eine Auszeichnung, von der sie nie lassen würden. Ihnen zuzuhören hatte mir immer ein Gefühl gegeben, als gingen obszöne Machenschaften vor sich, ein gieriges Befingern von Schauerlichem oder Verhängnisvollem. Ihre Stimmen waren wie Würmer, die in meinen Eingeweiden herumglitschten.

Männer waren da nach meiner Erfahrung ganz anders. Männer sahen bei schrecklichen Ereignissen weg, sobald sie konnten, und benahmen sich, als hätte es, war das Ganze erst einmal vorbei, keinen Sinn, je wieder davon zu reden oder daran zu denken. Sie wollten weder sich selbst noch andere aufwühlen.

Wenn also Alfrida jetzt davon anfangen wollte, dachte ich, dann war es bloß gut, dass mein Verlobter nicht mitgekommen war. Bloß gut, dass er sich nichts über Alfridas Mutter anhören musste oder gar herausfand, was mit meiner Mutter los war und mit meinen Verwandten und welche Armut in unserer Familie geherrscht hatte. Er schwärmte für die Oper und für Laurence Oliviers *Hamlet*, aber für Tragik – das Elend der Tragik – im normalen Leben hatte er nichts übrig. Seine Eltern waren gesund und ansehnlich und wohlhabend (obwohl er natürlich behauptete, sie seien Langweiler), und er schien von Leuten, die sich nicht auf der Sonnenseite des Lebens befanden, wenig zu halten. Rückschläge im Leben – Pech, Krankheit, Ruin – waren für ihn alles Fehltritte, und sein festes Bekenntnis zu mir erstreckte sich nicht auf meinen ärmlichen Hintergrund.

»Sie haben mich nicht zu ihr gelassen, im Krankenhaus«, sagte Alfrida, und wenigstens sagte sie das mit ihrer normalen Stimme, ohne seelische Vorbereitung durch besondere Pietät oder ölige Erregung. »Ich hätte mich wahrscheinlich auch nicht reingelassen, wenn ich in ihrer Haut gesteckt hätte. Ich habe keine Ahnung, wie sie aussah. Wahrscheinlich in dicke Verbände eingewickelt wie eine Mumie. Oder wenn sie's nicht war, hätte sie's sein müssen. Ich war nicht da, als es passiert ist, ich war in der Schule. Es wurde sehr dunkel, und der Lehrer knipste das Licht an – in der Schule hatten wir schon Strom –, und wir mussten alle dableiben, bis das Gewitter vorbei war. Dann ist meine Tante Lily – deine Großmutter – gekommen und hat mich abgeholt und zu sich mitgenommen. Und ich habe meine Mutter nie wiedergesehen.«

Ich dachte, das sei alles, was sie sagen wollte, aber nach kurzer Pause fuhr sie fort, mit einer Stimme, die sich ein wenig aufgehellt hatte, als bereite sie eine Pointe vor.

»Ich hab mir die Lunge aus dem Leib geschrien, dass ich sie sehen wollte. Ich hab ein Riesentheater gemacht, und als sie mir überhaupt nicht den Mund stopfen konnten, hat deine Großmutter schließlich zu mir gesagt: ›Es ist besser für dich, wenn du sie nicht siehst. Du würdest sie nicht sehen wollen, wenn du wüsstest, wie sie jetzt aussieht. Du würdest sie nicht so in Erinnerung behalten wollen.‹

Aber weißt du, was ich gesagt habe? Ich erinnere mich noch genau. Ich habe gesagt: ›Aber sie würde mich sehen wollen.‹ *Aber sie würde mich sehen wollen.*«

Dann lachte sie wirklich oder gab ein schnaufendes Geräusch von sich, das ausweichend und verächtlich war.

»Ich muss mich für verdammt wichtig gehalten haben, was? *Sie würde mich sehen wollen.*«

Diesen Teil der Geschichte hatte ich noch nie gehört.

Und sowie ich ihn hörte, geschah etwas. Es war, als wäre eine Falle zugeschnappt, um diese Worte in meinem Kopf festzuhalten. Ich verstand nicht genau, welche Verwendung ich dafür haben würde. Ich merkte nur, wie sie mich durchrüttelten und gleich wieder losließen, so dass ich danach eine andere Luft atmete, die nur mir zugänglich war.

Sie würde mich sehen wollen.

Meine Erzählung mit diesem Satz darin sollte erst Jahre später geschrieben werden, als es ganz unwichtig geworden war, daran zu denken, wer mir ursprünglich diese Idee in den Kopf gesetzt hatte.

Ich bedankte mich bei Alfrida und sagte, dass ich aufbrechen müsse. Alfrida ging Bill holen, damit er sich von mir verabschiedete, kam aber zurück, um zu berichten, dass er eingeschlafen war.

»Er wird sich in den Hintern beißen, wenn er aufwacht«, sagte sie. »Er hat sich gefreut, dich kennen zu lernen.«

Sie nahm die Schürze ab und begleitete mich bis vor die Haustür, auch die Stufen vor dem Haus hinunter. Von den Stufen führte ein Kiesweg zum Bürgersteig. Der Kies knirschte unter unseren Füßen, und sie stolperte in ihren dünnsohligen Hausschuhen.

Sie sagte: »Autsch! Verflixt«, und hielt sich an meiner Schulter fest.

»Wie geht's deinem Vater?«, fragte sie.

»Geht so.«

»Er arbeitet zu viel.«

Ich sagte: »Er muss ja.«

»Ja, ich weiß. Und wie geht's deiner Mutter?«

»Ziemlich unverändert.«

Sie drehte sich zu dem Schaufenster um.

»Was meinen die wohl, wer dieses Gerümpel kaufen soll? Schau dir den Honigeimer da an. Dein Vater und ich, wir haben unser Mittagbrot immer in genau solchen Eimern zur Schule mitgenommen.«

»Ich auch«, sagte ich.

»Ja, hast du?« Sie drückte mich. »Sag den beiden, dass ich an sie denke, machst du das?«

Alfrida kam nicht zur Beerdigung meines Vaters. Ich überlegte, ob es daran lag, dass sie mir nicht begegnen wollte. Soweit ich wusste, hatte sie sich nie darüber geäußert, was sie mir übel nahm; es war also niemandem sonst bekannt. Aber mein Vater hatte es gewusst. Als ich ihn einmal zu Hause besuchte und erfuhr, dass Alfrida gar nicht weit weg wohnte – nämlich im Haus meiner Großmutter, das sie schließlich geerbt hatte –, schlug ich vor, sie zu besuchen. Das geschah in dem Wirbel zwischen meinen beiden Ehen, als ich sehr aufgeschlossen war, die neue Freiheit genoss und mich in der Lage fühlte, mit jedem Kontakt aufzunehmen.

Mein Vater sagte: »Du weißt ja, Alfrida war ein bisschen verärgert.«

Er nannte sie jetzt Alfrida. Wann hatte das angefangen?

Mir fiel anfangs gar nicht ein, worüber Alfrida sich geärgert haben könnte. Mein Vater musste mich an die Erzählung erinnern, die vor mehreren Jahren veröffentlicht worden war, und ich war erstaunt, ja sogar ungehalten, dass Alfrida etwas ablehnte, das für meine Begriffe kaum noch etwas mit ihr zu tun hatte.

»Das war überhaupt nicht Alfrida«, sagte ich zu meinem Vater. »Ich habe alles verändert, ich habe dabei nicht mal an sie gedacht. Das war eine erfundene Figur. Wie jeder sehen konnte.«

Aber tatsächlich gab es in der Erzählung immer noch die explodierende Lampe, die Mutter in ihren Leichentüchern, das anhängliche, verwaiste Kind.

»So, so«, sagte mein Vater. Er war im Allgemeinen recht angetan davon, dass ich Schriftstellerin geworden war, obwohl er Vorbehalte gegen das hatte, was man meinen Charakter nennen könnte. Gegen die Tatsache, dass ich meine Ehe aus persönlichen – also leichtfertigen – Gründen beendet hatte, und dagegen, wie ich mich vor allen rechtfertigte – oder vielleicht, wie er gesagt hätte, wie ich mich durchschlängelte. Er sprach das nicht aus – es war nicht mehr seine Aufgabe.

Ich fragte ihn, woher er wusste, dass Alfrida es krumm nahm.

Er sagte: »Ein Brief.«

Ein Brief, obwohl sie nicht weit voneinander entfernt lebten. Es tat mir leid, dass er offenbar ausbaden musste, was man für meine Gedankenlosigkeit oder sogar mein Vergehen halten konnte. Auch, dass er und Alfrida jetzt auf so förmlichem Fuß standen. Ich fragte mich, was er auslieẞ. Hatte er sich genötigt gefühlt, mich gegenüber Alfrida zu verteidigen, wie er meine Schriftstellerei gegenüber anderen verteidigte? Er tat das inzwischen, obwohl es ihm nie leicht fiel. Bei der widerwilligen Verteidigung mochte er etwas Grobes gesagt haben.

Durch mich hatten sich für ihn besondere Schwierigkeiten ergeben.

Immer wenn ich nach Hause fuhr, geriet ich in Gefahr. Nämlich in die Gefahr, mein Leben mit anderen Augen als den eigenen zu sehen. Es als eine immer größer werdende Stacheldrahtrolle aus Wörtern zu sehen, verschlungen, verwirrend, unbehaglich – ganz im Gegensatz zu den reichen Hervorbringungen, den Mahlzeiten, den Blumen und den Stricksachen aus dem häuslichen Wirken anderer Frauen. Es fiel mir dann schwerer, zu sagen, dass es die Mühe wert war.

Für mich ja, vielleicht, aber was war mit anderen?

Mein Vater hatte gesagt, dass Alfrida jetzt allein lebte. Ich fragte ihn, was aus Bill geworden war. Er sagte, all das sei außerhalb seiner Zuständigkeit. Aber es habe wohl so etwas wie eine Rückholaktion gegeben.

»Von Bill? Wie das? Durch wen?«

»Ich glaube, es gab da eine Ehefrau.«

»Ich habe ihn mal bei Alfrida kennen gelernt. Ich mochte ihn.«

»Das ging wohl vielen so. Besonders Frauen.«

Ich musste in Betracht ziehen, dass der Bruch vielleicht gar nichts mit mir zu tun hatte. Meine Stiefmutter hatte meinen Vater in ein neues Leben gedrängt. Sie gingen zum Kegeln und zum Eisschießen und trafen sich regelmäßig mit anderen Ehepaaren zu Kaffee und Doughnuts im Tim Horton's. Sie war schon lange verwitwet, als sie ihn heiratete, und hatte aus dieser

Zeit viele Freunde, die für ihn neue Freunde wurden. Was mit ihm und Alfrida geschehen war, konnte auch ganz einfach eine der Veränderungen, der Abnutzung von alten Bindungen sein, die ich in meinem eigenen Leben nur zu gut verstand, aber im Leben älterer Menschen nicht erwartete – besonders nicht, wie ich gesagt hätte, im Leben der Menschen daheim.

Meine Stiefmutter starb nur wenige Zeit vor meinem Vater. Nach ihrer kurzen glücklichen Ehe wurden sie auf getrennte Friedhöfe verfrachtet, um neben ihren ersten, schwierigeren Partnern zu liegen. Vor dem Tod beider zog Alfrida wieder in die Stadt. Sie verkaufte das Haus nicht, sie verließ es einfach und ging weg. Mein Vater schrieb mir: »Eine reichlich komische Art, es anzugehen.«

Zur Beerdigung meines Vaters erschienen viele Menschen, darunter etliche, die ich nicht kannte. Eine Frau kam auf dem Friedhof über den Rasen, um mich anzusprechen – ich hielt sie anfangs für eine Freundin meiner Stiefmutter. Dann sah ich, dass die Frau mir nur wenige Jahre voraushatte. Durch ihre untersetzte Figur und die aufgetürmten graublonden Löckchen und die geblümte Jacke sah sie älter aus.

»Ich habe Sie von dem Foto her erkannt«, sagte sie. »Alfrida hat immer mit Ihnen angegeben.«

Ich fragte: »Alfrida ist tot?«

»Aber nein«, sagte die Frau und erzählte mir, dass Alfrida in einem Pflegeheim in einer Stadt gleich nördlich von Toronto lebte.

»Ich habe sie dahin gebracht, damit ich ein Auge auf sie haben kann.«

Jetzt war leicht zu erkennen – sogar an ihrer Stimme –, dass sie meiner eigenen Generation angehörte, und mir fiel ein, dass sie eine aus der anderen Familie sein musste, eine Halbschwester von Alfrida, geboren, als Alfrida schon fast erwachsen war.

Sie nannte ihren Namen, und es war natürlich nicht Alfridas Familienname – sie musste geheiratet haben. Und ich konnte mich nicht entsinnen, dass Alfrida je eines ihrer Halbgeschwister mit Vornamen erwähnt hatte.

Ich erkundigte mich nach Alfridas Befinden, und die Frau sagte, ihre Augen seien so schlecht, dass sie praktisch blind sei. Und sie sei schwer nierenkrank, was bedeute, dass sie zweimal wöchentlich zur Dialyse müsse.

»Aber ansonsten …?«, sagte sie und lachte. Ich dachte, ja, eine Schwester, denn ich hörte etwas von Alfrida in diesem unbekümmerten, herausgeschleuderten Lachen.

»Also kann sie schlecht reisen«, sagte sie. »Sonst hätte ich sie mitgebracht. Sie kriegt immer noch die Zeitung von hier, und ich lese ihr manchmal daraus vor. Dadurch hab ich das mit Ihrem Vater gesehen.«

Impulsiv fragte ich mich laut, ob ich sie im Pflegeheim besuchen sollte. Die Gemütsregungen der Beerdigung – all die warmen und erleichterten und versöhnlichen Gefühle, die der Tod meines Vaters in angemessenem Alter in mir geweckt hatte – gaben mir diesen Vorschlag ein. Er wäre schwer durchzuführen gewesen. Meinem Mann – meinem zweiten Mann – und mir blieben nur zwei Tage, bevor wir zu einem bereits verschobenen Urlaub nach Europa flogen.

»Ich weiß nicht, ob Sie viel davon haben würden«, sagte die Frau. »Sie hat ihre guten Tage. Dann wieder hat sie ihre schlechten Tage. Man weiß nie. Manchmal denke ich, sie macht einem was vor. Dann sitzt sie den ganzen Tag da, und egal, was man zu ihr sagt, sie antwortet immer dasselbe. *Mopsfidel und reif für die Liebe.* Das sagt sie den ganzen Tag lang. *Mopsfidel und reif für die Liebe.* Sie kann einen verrückt machen. An anderen Tagen wieder gibt sie einem richtig Antwort.«

Wieder erinnerten mich ihre Stimme und ihr Lachen – diesmal halb unterdrückt – an Alfrida, und ich sagte: »Ich glaube, wir sind uns schon mal begegnet. Ich erinnere mich, dass Alfridas Stiefmutter und ihr Vater mal bei uns vorbeikamen, oder vielleicht war es auch nur ihr Vater mit einigen der Kinder …«

»Ach, aber das bin ich nicht«, sagte die Frau. »Sie dachten, ich wäre Alfridas Schwester? Du liebe Zeit. Man sieht mir wohl mein Alter an.«

Ich wollte ihr sagen, dass ich sie nicht gut sehen konnte, was auch stimmte. Es war Oktober, die Nachmittagssonne stand tief am Himmel und schien mir direkt in die Augen. Die Frau stand gegen das Licht, so dass ihre Gesichtszüge oder ihr Gesichtsausdruck schwer zu erkennen waren.

Sie zuckte nervös und bedeutsam die Achseln. Sie sagte: »Alfrida ist meine leibliche Mutter.«

Ihre Mutter.

Dann erzählte sie mir, nicht allzu ausführlich, die Geschichte, die sie schon oft erzählt haben musste, denn sie handelte von einem tief greifenden Ereignis in ihrem Leben und von einem Abenteuer, das sie allein unternommen hatte. Sie war von einer Familie im Osten Ontarios adoptiert worden; das war alles an Familie, was sie je gekannt hatte (»und ich habe sie sehr lieb«), und sie hatte geheiratet und Kinder bekommen, die schon erwachsen waren, als sie schließlich der Drang überkam, herauszufinden, wer ihre leibliche Mutter war. Keine einfache Prozedur, aufgrund der Diskretion, der früher solche Akten unterlagen (»es wurde hundertprozentig geheim gehalten, dass sie mich bekommen hatte«), aber vor ein paar Jahren hatte sie Alfrida aufgespürt.

»Wurde auch höchste Zeit«, sagte sie. »Ich meine, es wurde Zeit, dass jemand kam und sich um sie kümmerte. So viel ich kann.«

Ich sagte: »Davon hatte ich keine Ahnung.«

»Nein. Damals haben's wahrscheinlich nicht allzu viele gemacht. Man wurde gewarnt, wenn man sich auf die Suche machen wollte, es könnte ein Schock sein, wenn man dann plötzlich auftaucht. Bei älteren Leuten, für die das immer noch starker Tobak ist. Na jedenfalls. Ich glaube nicht, dass sie was dagegen hatte. Früher vielleicht schon.«

Sie strahlte ein gewisses Triumphgefühl aus, was nicht schwer zu verstehen war. Wenn man etwas zu erzählen hat, das jemanden frappieren wird, und man hat es erzählt und es hat frappiert, dann muss ein wohltuender Augenblick der Macht entstehen. In diesem Falle war er so stark, dass sie sich zu einer Entschuldigung genötigt fühlte.

»Verzeihen Sie, dass ich nur von mir rede und nicht sage, wie leid mir das mit Ihrem Vater tut.«

Ich dankte ihr.

»Wissen Sie, Alfrida hat mir erzählt, dass sie mit Ihrem Vater eines Tages von der Schule nach Hause gelaufen ist, das war in der High School. Sie konnten nicht den ganzen Weg gemeinsam gehen, denn, Sie wissen ja, in der damaligen Zeit, ein Junge und ein Mädchen, sie wären fürchterlich gehänselt worden. Wenn er also früher Schluss hatte, wartete er einfach da, wo ihr Weg von der Hauptstraße abging, draußen vor der Stadt, und wenn sie früher Schluss hatte, machte sie es genauso und wartete auf ihn. Und eines Tages gingen sie zusammen, und da hörten sie plötzlich alle Glocken läuten, und wissen Sie, was das war? Das war das Ende vom Ersten Weltkrieg.«

Ich sagte, dass ich die Geschichte auch gehört hatte.

»Allerdings dachte ich immer, sie waren noch Kinder.«

»Wie konnten sie aus der High School nach Hause kommen, wenn sie noch Kinder waren?«

Ich sagte, dass ich gedacht hatte, sie hätten draußen auf den Feldern gespielt. »Sie hatten den Hund meines Vaters dabei. Er hieß Mack.«

»Vielleicht hatten sie ja den Hund dabei. Vielleicht ist er ihnen entgegengelaufen. Ich kann mir nicht vorstellen, dass sie da was durcheinander gebracht hat. Sie konnte sich noch sehr gut an alles erinnern, was mit Ihrem Vater zu tun hatte.«

Daraufhin wurden mir zwei Dinge bewusst. Zum einen,

dass mein Vater 1902 geboren worden war und dass Alfrida ungefähr in seinem Alter war. Deshalb war es wesentlich wahrscheinlicher, dass sie von der High School nach Hause gelaufen waren, statt auf den Feldern zu spielen, und es war seltsam, dass ich das nie zuvor bedacht hatte. Vielleicht hatten sie gesagt, sie wären auf den Feldern gewesen, das heißt über die Felder nach Hause gelaufen. Vielleicht hatten sie nie gesagt, sie hätten »gespielt«.

Zum anderen war das Gefühl von scheuer Annäherung oder von Freundlichkeit, war die Harmlosigkeit, die ich noch vor kurzem in dieser Frau gespürt hatte, nicht mehr da.

Ich sagte: »Wie sich doch manches anders darstellt.«

»Ja«, sagte die Frau. »Für andere stellt es sich anders dar. Wollen Sie wissen, was Alfrida über Sie gesagt hat?«

So. Ich wusste, jetzt kam es.

»Was denn?«

»Sie hat gesagt, Sie wären schlau, aber längst nicht so schlau, wie Sie sich eingebildet haben.«

Ich zwang mich, weiter das dunkle Gesicht im Gegenlicht anzuschauen.

Schlau, zu schlau, nicht schlau genug.

Ich sagte: »Ist das alles?«

»Sie hat gesagt, Sie seien ein kalter Fisch. Das sind ihre Worte, nicht meine. Ich habe nichts gegen Sie.«

An jenem Sonntag, nach dem Mittagessen bei Alfrida, machte ich mich auf den Weg, um das ganze Stück bis zu meinem Studentenheim zu laufen. Wenn ich hin und zurück zu Fuß ging, hatte ich mir ausgerechnet, waren das ungefähr zehn Meilen, was die Wirkung der Mahlzeit, die ich gegessen hatte, wettmachen müsste. Ich fühlte mich übervoll, nicht nur von dem Essen, sondern von all dem, was ich in der Wohnung gesehen und gespürt hatte. Die beengende altmodische Einrichtung.

Bills Schweigen. Alfridas Liebe, hartnäckig und unpassend und – soweit ich sehen konnte – schon allein aus Altersgründen hoffnungslos.

Nachdem ich eine Weile gelaufen war, kam mir mein Magen nicht mehr ganz so schwer vor. Ich schwor, während der nächsten vierundzwanzig Stunden nichts zu essen. Ich ging nach Norden und Westen, Norden und Westen, durch die Straßen dieser säuberlich rechtwinkligen kleinen Stadt. An einem Sonntagnachmittag herrschte mit Ausnahme der Durchgangsstraßen kaum Verkehr. Manchmal überschnitt sich mein Weg ein Stück weit mit dem einer Buslinie. Dann konnte es sein, dass ein Bus vorbeifuhr, in dem nur zwei oder drei Leute saßen. Leute, die ich nicht kannte und die mich nicht kannten. Welch ein Segen.

Ich hatte gelogen, ich war nicht mit einer Freundin verabredet. Die meisten meiner Freundinnen waren nach Hause gefahren. Mein Verlobter kam erst am nächsten Tag zurück – er besuchte auf dem Rückweg von Ottawa seine Eltern in Cobourg. Im Studentenheim würde niemand sein – niemand, mit dem ich reden musste oder dem ich zuhören musste.

Als ich über eine Stunde gelaufen war, sah ich einen Drugstore, der aufhatte. Ich ging hinein und trank eine Tasse Kaffee. Der Kaffee war aufgewärmt, schwarz und bitter – er schmeckte nach Medizin, genau, was ich brauchte. Ich fühlte mich bereits erleichtert, und jetzt begann ich mich glücklich zu fühlen. Welch ein Glück, allein zu sein. Das heiße Licht des Spätnachmittags draußen auf dem Bürgersteig zu sehen, die Zweige eines Baums, der gerade Blüten trieb und knauserige Schatten warf. Die Geräusche eines Baseballspiels zu hören, das der Mann, der mich bedient hatte, im Radio verfolgte. Ich dachte nicht an die Erzählung, die ich über Alfrida schreiben würde, jedenfalls nicht direkt, sondern an die Arbeit, die ich tun wollte und die eher daraus zu bestehen schien, etwas aus der Luft zu greifen, als Erzählungen zu konstruieren. Die Schreie der

Menge drangen wie mächtige leidvolle Herzschläge an mein Ohr. Schöne, feierlich klingende Wellen, mit ihrer fernen, fast unmenschlichen Zustimmung und Wehklage.

Das war es, was ich wollte, das war es, worauf ich meinte, achten zu müssen, so wünschte ich mir mein Leben.

Trost

Nina hatte am späten Nachmittag Tennis gespielt, auf den Plätzen der High School. Nachdem Lewis seine Stellung an der Schule losgeworden war, hatte sie die Plätze eine Weile boykottiert, aber das lag fast ein Jahr zurück, und ihre Freundin Margaret – auch eine pensionierte Lehrerin, deren Verabschiedung, anders als die von Lewis, normal und feierlich gewesen war – hatte sie dazu überredet, wieder dort zu spielen.

»Gut, wenn du ein bisschen rauskommst, solange du's noch kannst.«

Margaret war schon im Ruhestand, als sich Lewis' Debakel ereignete. Sie hatte aus Schottland einen Brief zu seiner Unterstützung geschrieben. Aber sie war eine Person von so vielseitiger Zuneigung, so weltoffenem Verständnis und so weit verzweigten Freundschaften, dass der Brief wohl nicht sonderlich ins Gewicht gefallen war. Nur ein weiteres Beispiel von Margarets Gutherzigkeit.

»Was macht Lewis?«, fragte sie, als Nina sie an jenem Nachmittag nach Hause fuhr.

Nina sagte: »Geht so.«

Die Sonne stand schon tief, senkte sich zum Seeufer. Manche Bäume, die noch ihr Laub hatten, waren goldene Fackeln, aber die Sommerwärme des Nachmittags hatte sich schlagartig verzogen. Die Sträucher vor Margarets Haus waren alle in wärmendes Sackleinen gehüllt wie Mumien.

Dieser Augenblick des Tages erinnerte Nina an die Spaziergänge, die sie mit Lewis immer nach der Schule und vor dem Abendbrot gemacht hatte. Kurze Spaziergänge, da es schon früh dunkelte, auf Feldwegen und alten Bahndämmen. Aber alle angereichert mit dieser besonderen Beobachtung, ob ausgesprochen oder nicht, die sie von Lewis gelernt oder übernommen hatte. Käfer, Raupen, Schnecken, Moose, Röhricht im Graben und Schopftintlinge im Gras, Tierfährten, Schlingenbeeren, Kranbeeren – eine vielfältige Mischung, jeden Tag ein wenig anders zubereitet. Und jeder Tag ein weiterer Schritt zum Winter hin, eine zunehmende Kargheit, ein Welken und Vergehen.

Das Haus, in dem Nina und Lewis wohnten, war in den Jahren um 1840 gebaut worden, nah am Bürgersteig im Stil jener Zeit. Wenn man sich im Wohnzimmer oder im Esszimmer aufhielt, konnte man nicht nur die Schritte, sondern auch die Gespräche der Passanten hören. Nina rechnete damit, dass Lewis das Zuschlagen der Autotür gehört hatte.

Sie ging ins Haus und pfiff Händel, so gut sie konnte. *Sieh, es kommt der siegreiche Held.*

»Ich hab gewonnen. Ich hab gewonnen. Wo bist du?«

Aber während ihrer Abwesenheit war Lewis gestorben. Er hatte sich nämlich umgebracht. Auf dem Nachttisch lagen vier kleine Plastikhülsen mit Folie auf der Unterseite. Jede hatte zwei Kapseln eines starken Schmerzmittels enthalten. Zwei weitere lagen unversehrt daneben, die weißen Kapseln füllten noch immer die Plastikblasen. Als Nina sie später in die Hand nahm, sah sie, dass die Folie der einen eingekerbt war, als hätte er versucht, sie mit dem Fingernagel zu öffnen, und es dann aufgegeben, sei es, weil er entschieden hatte, es reichte, sei es, weil er in dem Augenblick das Bewusstsein verloren hatte.

Sein Wasserglas war fast leer. Kein Tropfen verschüttet.

Sie hatten darüber geredet, sich auf diesen Plan geeinigt, aber immer als etwas, das erst in Zukunft auf sie zukommen konnte oder zukommen würde. Nina hatte angenommen, sie würde dabei sein und es würde gewisse feierliche Attribute geben. Musik. Die Kissen aufgeschüttelt und ein Stuhl herangerückt, damit sie seine Hand halten konnte. Zwei Dinge hatte sie nicht bedacht – seine extreme Abneigung gegen Feierlichkeit in jeglicher Form und die Last, die eine solche Teilnahme ihr aufgebürdet hätte. Die Fragen an sie, die Gerüchte über sie, die Strafverfolgung wegen Beihilfe.

Auf diese Weise hatte er ihr so wenig wie möglich überlassen, das es wert war, vertuscht zu werden.

Sie sah sich nach einem Abschiedsbrief um. Was, dachte sie, würde darin stehen? Sie brauchte keine Anweisungen. Sie brauchte auch keine Erklärung, geschweige denn eine Entschuldigung. Ein Abschiedsbrief konnte ihr nichts sagen, was sie nicht schon wusste. Sogar die Frage Warum so früh? war eine, die sie sich selbst beantworten konnte. Sie hatten – oder er hatte – über die Schwelle geredet, ab der die Hilflosigkeit oder die Schmerzen oder der Ekel vor sich selbst unerträglich wurden, und wie wichtig es war, diese Schwelle zu erkennen und nicht darüber hinwegzugleiten. Eher früher als später.

Trotzdem hielt sie es für unmöglich, dass er ihr nicht noch etwas zu sagen gehabt hatte. Sie suchte zuerst auf dem Fußboden, da sie dachte, er konnte das Blatt Papier mit dem Schlafanzugärmel vom Nachttisch gewischt haben, als er das Wasserglas zum letzten Mal abstellte. Oder er konnte besonders darauf geachtet haben, das nicht zu tun – sie sah unter dem Fuß der Nachttischlampe nach. Dann in der Nachttischschublade. Dann unter und in seinen Pantoffeln. Sie schüttelte das Buch aus, das er als Letztes gelesen hatte, ein paläontologisches Fachbuch über das, was – soweit sie wusste – die kambrische Explosion vielzelliger Lebensformen genannt wurde.

Nichts.

Sie durchsuchte das Bettzeug. Sie deckte die Steppdecke auf, dann das Betttuch. Da lag er, in dem dunkelblauen seidenen Schlafanzug, den sie ihm vor ein paar Wochen gekauft hatte. Er hatte darüber geklagt, zu frieren – er, der nie zuvor im Bett gefroren hatte, also war sie losgegangen und hatte den teuersten Schlafanzug im ganzen Geschäft gekauft. Den teuersten, weil Seide leicht war und gleichzeitig wärmte und weil sie bei allen anderen Schlafanzügen, die sie sah – mit ihren Streifen und ihren drolligen oder unanständigen Botschaften –, an alte Männer denken musste oder an Ehemänner aus Comics, gescheiterte Pantoffelhelden. Da die Bettwäsche fast dieselbe Farbe hatte, sah sie nur wenig von ihm. Füße, Fußknöchel, Schienbeine, Hände, Handgelenke, Hals, Kopf. Er lag auf der Seite, das Gesicht von ihr abgewandt. In Gedanken ganz auf den Brief aus, griff sie nach dem Kissen, zog es ihm grob unter dem Kopf weg.

Nein. Nein.

Bei der Verlagerung vom Kissen auf die Matratze gab der Kopf ein Geräusch von sich, schwerer, als sie erwartet hatte. Und dieses Geräusch schien ihr, ebenso wie die leere Fläche des Lakens, sagen zu wollen, dass die Suche vergeblich war.

Die Tabletten mussten ihn in Schlaf versetzt und ihm seine Funktionen heimlich genommen haben, so dass kein toter Blick, keine Verzerrung da war. Sein Mund stand ein wenig offen, war aber trocken. Die letzten beiden Monate hatten ihn stark verändert – wie stark, das sah sie erst jetzt. Wenn seine Augen offen gewesen waren und sogar, wenn er schlief, hatte irgendeine Anstrengung von ihm die Illusion aufrechterhalten, dass der Schaden nur vorübergehend war – dass das Gesicht eines vitalen, immer latent aggressiven, zweiundsechzig Jahre alten Mannes immer noch da war, unter den Falten der bläulichen Haut, der steinernen Schlaflosigkeit der Krankheit. Es war nicht der Knochenbau, der seinem Gesicht den grimmigen und lebhaften Charakter gegeben hatte – alles kam von den tief liegenden, strahlenden Augen und dem beweglichen Mund und dem wandlungsfähigen Mienenspiel, den rasch wechselnden Konstellationen der Falten, sie alle trugen bei zu seinem Repertoire von Spott, Skepsis, ironischer Geduld und gequältem Abscheu. Ein Klassenzimmer-Repertoire – und nicht immer darauf beschränkt.

Vorbei. Vorbei. Jetzt, ein oder zwei Stunden nach Eintritt des Todes (denn er musste sich gleich nach ihrem Aufbruch darangemacht haben, um nicht zu riskieren, dass er bei ihrer Rückkehr noch nicht damit fertig war), jetzt war deutlich, dass die Auszehrung und der Verfall obsiegt hatten. Sein Gesicht war tief eingesunken, verschlossen, fern, gealtert und kindlich – vielleicht wie das Gesicht eines tot geborenen Säuglings.

Die Krankheit kannte drei Arten des Ausbruchs. Eine betraf die Hände und Arme. Die Finger wurden taub und fühllos, ihr Griff ungeschickt und dann unmöglich. Oder es konnten die Beine sein, die als erste schwach wurden, und die Füße, die anfingen zu stolpern und sich bald nicht mehr auf Stufen oder sogar über Teppichkanten heben ließen. Der dritte und wohl schlimmste Angriff erfolgte auf den Kehlkopf und die Zunge. Das Schlucken wurde unzuverlässig, angstbesetzt, ein Erstickungsdrama, und die Sprache verwandelte sich in einen verstopften Fluss drängender Silben. Befallen waren immer nur die willkürlichen Muskeln, und anfangs hatte sich das nach dem geringeren Übel angehört. Keine Fehlzündungen im Herzen oder im Gehirn, keine fehlgeleiteten Signale, keine bösartigen Veränderungen der Persönlichkeit. Sehen und Hören und Riechen und Fühlen und vor allem der Verstand so lebendig und kräftig wie eh und je. Das Gehirn überwachte permanent alle Stilllegungen der Randbezirke, addierte geschäftig die Schäden und Ausfälle. War das nicht weitaus vorzuziehen?

Natürlich, hatte Lewis gesagt. Aber nur, weil es einem die Möglichkeit gab, selbst einzugreifen.

Seine eigenen Schwierigkeiten hatten bei den Muskeln seiner Beine begonnen. Er hatte an einem Fitnesskurs für Senioren teilgenommen (obwohl ihm so etwas eigentlich verhasst war), mit dem Vorsatz, die Kraft wieder hineinzuzwingen. Ein oder zwei Wochen lang, so meinte er, wirkte es auch. Aber dann kamen die bleiernen Füße, das Schlurfen und Stolpern, und bald danach die Diagnose. Sobald die feststand, hatten sie darüber geredet, was zu tun war, wenn die Zeit kam. Im Frühsommer lief er noch an zwei Krücken. Im Spätsommer lief er überhaupt nicht mehr. Aber seine Hände konnten immer noch die Seiten eines Buches umwenden oder mit Mühe eine Gabel oder einen Löffel oder einen Stift regieren. Seine Sprache kam Nina fast unbeeinträchtigt vor, obwohl Besucher damit Probleme hatten. Er hatte dann ohnehin entschieden, keinen Besuch mehr zuzulassen. Seine Ernährung war umgestellt worden, um ihm das Schlucken zu erleichtern, und manchmal vergingen Tage ohne Schwierigkeiten dieser Art.

Nina hatte sich nach einem Rollstuhl umgetan. Er hatte sich nicht dagegen gewehrt. Sie redeten nicht mehr über das, was sie die Große Stilllegung nannten. Nina hatte sich sogar gefragt, ob sie beide – oder er – vielleicht in eine Phase eintraten, von der sie gelesen hatte, eine Veränderung, die Menschen manchmal in der Mitte einer tödlichen Krankheit überkam. Ein gewisses Maß an Optimismus, der sich vorkämpfte, nicht, weil er gerechtfertigt war, sondern weil das ganze Erlebnis zu Wirklichkeit geworden und keine abstrakte Vorstellung mehr war, weil die Maßnahmen, um damit zurande zu kommen, kein lästiges Ärgernis mehr waren, sondern Gewohnheit.

Das Ende ist noch nicht da. Lebe für die Gegenwart. Pflücke den Tag.

Solch eine Entwicklung passte eigentlich nicht zu Lewis. Nina hatte ihn immer für unfähig gehalten, sich selbst etwas vorzumachen, und sei der Selbstbetrug noch so nützlich. Aber sie hatte sich bei ihm auch nie einen derartigen körperlichen Verfall vorstellen können. Und da jetzt eines der unwahrscheinlichen Dinge eingetreten war, warum dann nicht auch andere? War es nicht möglich, dass die Veränderungen, die anderen Menschen widerfuhren, auch ihn ergriffen? Die heimlichen Hoffnungen, das Nichtwahrhabenwollen, die listigen Tauschgeschäfte?

Nein.

Sie holte das Telefonbuch aus dem Nachttisch und sah unter »Leichenbestatter« nach, ein Wort, das es natürlich nicht gab. »Bestattungsberater«. Ihr Ärger darüber fiel in eine Kategorie, die sie für gewöhnlich mit ihm teilte. Leichenbestatter, was zum Donnerwetter war nicht in Ordnung mit Leichenbestatter? Sie drehte sich zu ihm um und sah, wie sie ihn liegen gelassen hatte, hilflos entblößt. Bevor sie die Nummer wählte, deckte sie ihn wieder zu.

Die Stimme eines jungen Mannes fragte sie, ob der Arzt da sei, ist der Arzt schon da gewesen?

»Er hat keinen Arzt gebraucht. Als ich nach Hause kam, habe ich ihn tot vorgefunden.«

»Wann war denn das?«

»Ich weiß nicht – vor zwanzig Minuten.«

»Als sie ihn vorfanden, war er also schon entschlafen? Wer ist denn Ihr Arzt? Ich rufe ihn an und schicke ihn vorbei.«

In ihren sachlichen Gesprächen über den Selbstmord hatten sie, soweit Nina sich daran erinnerte, nie darüber geredet, ob die Tatsache verheimlicht oder bekannt gegeben werden sollte. Einerseits, da war sie sicher, hätte Lewis gewollt, dass es bekannt wurde. Alle sollten wissen, dass das seine Vorstellung von einer ehrenhaften und vernünftigen Art war, mit der Lage, in der er sich befunden hatte, umzugehen. Aber andererseits hätte er vielleicht Verschwiegenheit vorgezogen. Niemand sollte denken, das sei nun die Folge vom Verlust seiner Stellung, von seinem verlorenen Streit mit der Schule. Irgendein Gerede, er habe vor dem Hintergrund dieser Niederlage die Waffen gestreckt, hätte ihn rasend gemacht.

Sie sammelte die Tablettenhülsen auf dem Nachttisch ein, volle wie leere, und spülte sie in der Toilette weg.

Die Leute des Leichenbestatters waren kräftige Burschen aus der Gegend, ehemalige Schüler, ein bisschen verlegener, als sie zeigen mochten. Der Arzt war auch jung und ihr fremd – der Hausarzt von Lewis machte gerade Urlaub in Griechenland.

»Also ein Segen«, sagte der Arzt, nachdem er die Krankengeschichte erfahren hatte. Sie war ein wenig überrascht, ihn das so offen aussprechen zu hören, und dachte, dass Lewis, hätte er es hören können, vielleicht einen unwillkommenen Hauch von Frömmigkeit gewittert hätte. Was der Arzt gleich danach sagte, war weniger überraschend.

»Möchten Sie mit jemandem reden? Wir haben Betreuer, die Ihnen bei so etwas, ich meine, die Ihnen helfen können, mit Ihren Gefühlen umzugehen.«

»Nein, nein. Vielen Dank, ich komme schon klar.«

»Wohnen Sie hier schon lange? Haben Sie Freunde, die für Sie da sind?«

»O ja. Sicher.«

»Werden Sie gleich jemanden anrufen?«

»Ja«, sagte Nina. Sie log. Sobald der Arzt und die jungen Leichenträger und Lewis das Haus verlassen hatten – Lewis getragen wie ein Möbelstück, eingewickelt, damit es nicht beschädigt wurde –, musste sie sich wieder auf die Suche machen. Es war dumm von ihr gewesen, nur im Bett und darum herum zu suchen. Sie ging die Taschen ihres Morgenmantels durch, der an der Schlafzimmertür hing. Eine ausgezeichnete Stelle, denn das war ein Kleidungsstück, das sie jeden Morgen anlegte, bevor sie sich beeilte, Kaffee zu kochen, und sie fahndete in den Taschen immer nach einem Kleenex, einem Lippenstift. Abgesehen davon, dass Lewis dafür hätte aus dem Bett aufstehen und das Zimmer durchqueren müssen – er, der schon seit einigen

Wochen nicht mehr fähig gewesen war, auch nur einen Schritt ohne ihre Hilfe zu tun.

Aber warum musste der Brief gestern geschrieben und hingelegt worden sein? Wäre es nicht sinnvoller gewesen, ihn schon vor Wochen zu verfassen und zu verstecken, zumal er nicht wusste, in welchem Tempo sich seine Handschrift verschlechtern würde? Und wenn das zutraf, konnte der Brief überall sein. In den Schubladen ihres Schreibtischs – in denen sie jetzt stöberte. Oder unter der Flasche Champagner, die sie gekauft hatte, um sie an seinem Geburtstag zu trinken, und auf die Kommode gestellt hatte, um ihn an dieses Datum in zwei Wochen zu erinnern – oder zwischen den Seiten jedes der Bücher, die sie zurzeit las. Er hatte sie sogar erst vor kurzem gefragt: »Was liest du jetzt für dich?« Er meinte, abgesehen von dem Buch, das sie ihm vorlas – *Friedrich der Große* von Nancy Mitford. Sie zog es vor, ihm unterhaltsame historische Werke vorzulesen – zu Romanen konnte er sich nicht verstehen –, und überließ ihm die naturwissenschaftlichen Bücher zur eigenen Lektüre. Sie hatte geantwortet: »Ach, nur japanische Erzählungen«, und das Buch hochgehalten. Jetzt warf sie etliche Bücher beiseite, um dieses eine zu finden, es verkehrt herum hochzuhalten und die Seiten auszuschütteln. Jedes beiseite getane Buch erhielt dann dieselbe Behandlung. Kissen auf dem Sessel, in dem sie meistens saß, flogen auf den Boden, weil sie nachsehen wollte, was dahinter war. Schließlich wurden alle Kissen auf dem Sofa ebenso verstreut. Die Kaffeebohnen wurden aus ihrer Dose geschüttet, falls er dort (aus einer Laune heraus?) einen Abschiedsgruß versteckt hatte.

Sie wollte niemanden bei sich haben, keinen Beobachter dieser Suche – die sie jedoch bei offenen Vorhängen und hell brennendem Licht durchführte. Keinen, sie daran zu erinnern, dass sie sich zusammenreißen musste. Es war schon seit einiger Zeit dunkel, und sie merkte, dass sie etwas essen müsste. Sie hätte Margaret anrufen können. Aber sie tat nichts. Sie stand auf, um die Vorhänge zuzuziehen, doch stattdessen knipste sie überall das Licht aus.

Nina war etwas über eins achtzig groß. Sie ging schon auf die zwanzig zu, als Sportlehrer, Studienberater und besorgte Freundinnen ihrer Mutter sie drängten, etwas gegen ihren krummen Rücken zu tun. Sie gab sich große Mühe, aber noch heute, wenn sie alte Fotos von sich betrachtete, sah sie mit Verärgerung, wie klein sie sich gemacht hatte – die Schultern zusammengezogen, der Kopf zur Seite geneigt, ihre ganze Haltung die einer lächelnden Dienerin. Als sie jung war, hatte sie sich daran gewöhnt, von Freundinnen zu Verabredungen mitgenommen und mit hoch gewachsenen Männern zusammengebracht zu werden. Wie es schien, war alles andere an dem Mann ziemlich egal – wenn er nur weit über eins achtzig groß war, musste er mit Nina verkuppelt werden. Sehr oft war der Betreffende deswegen muffig – schließlich hatte er als hoch gewachsener Mann die freie Wahl –, und Nina, immer noch krumm und lächelnd, versank vor Verlegenheit.

Ihre Eltern wenigstens verhielten sich, als sei ihr Leben ihre eigene Angelegenheit. Beide waren Ärzte und lebten in einer Kleinstadt in Michigan. Nina zog wieder zu ihnen, nachdem sie mit dem College fertig war. Sie unterrichtete an der örtlichen High School Latein. In den Ferien fuhr sie nach Europa, mit den College-Freundinnen, die noch nicht abgesahnt worden waren, um zu heiraten, und wahrscheinlich auch nicht dafür in Frage kamen. Beim Wandern in den Cairngorms stießen sie auf eine Gruppe von Australiern und Neuseeländern, temporären Hippies mit Lewis als Bergführer. Er war ein paar Jahre älter als die anderen, weniger ein Hippie als ein erfahrener Wanderer und sicherlich derjenige, an den man sich bei Streitereien und Schwierigkeiten wenden konnte. Er war nicht besonders groß – acht oder zehn Zentimeter kleiner als Nina. Trotzdem fühlte er sich zu ihr hingezogen und überredete sie, ihre Reiseroute zu ändern und mit ihm fortzugehen – er seinerseits überließ seine Gruppe fröhlich sich selbst.

Wie sich herausstellte, hatte er vom Wandern die Nase voll und außerdem einen Hochschulabschluss in Biologie und ein neuseeländisches Lehrerexamen. Nina erzählte ihm von der Stadt am Ostufer des Lake Huron in Kanada, wo sie als Kind Verwandte besucht hatte. Sie beschrieb die hohen Bäume entlang der Straßen, die schlichten alten Häuser, die Sonnenuntergänge am See – ein ausgezeichneter Ort für ihr gemeinsames Leben und ein Ort, in dem es wegen der Verbindungen zum Commonwealth für Lewis leichter war, eine Stellung zu finden. Sie fanden alle beide Stellungen an der High School – auch wenn Nina den Beruf ein paar Jahre später aufgab, als Latein abgeschafft wurde. Sie hätte an Weiterbildungskursen teilnehmen können, um andere Fächer zu unterrichten, aber sie war insgeheim ganz froh, nicht mehr im selben Haus und im selben Beruf wie Lewis zu arbeiten. Mit der Kraft seiner Persönlichkeit, seinen unkonventionellen Unterrichtsmethoden schuf er sich Freunde ebenso wie Feinde, und für sie war es erholsam, nicht mehr mitten im Kampfgetümmel zu stecken.

Sie schoben es immer wieder hinaus, ein Kind zu haben. Und sie vermutete, dass sie beide dafür ein wenig zu eitel waren – ihnen gefiel die Vorstellung nicht, in den etwas komischen und reduzierten Identitäten von Mama und Papa aufzugehen. Alle beide – aber besonders Lewis – wurden von den Schülern dafür bewundert, anders zu sein als die Erwachsenen zu Hause. Geistig und körperlich energischer, vielschichtiger und lebhafter, fähig, dem Leben Gutes abzugewinnen.

Sie trat einem Chor bei. Viele Auftritte fanden in Kirchen statt, und erst dann erfuhr sie, welch tiefe Abneigung Lewis gegen diese Orte hatte. Sie argumentierte, dass oft kein anderer geeigneter Raum zur Verfügung stand und die Musik deswegen keineswegs geistlich war (obwohl sich das schwerlich behaupten ließ, wenn es sich bei der Musik um den *Messias* handelte). Sie sagte, es sei altmodisch, und keine Religion könne heutzutage viel Schaden anrichten. Daraufhin begann ein fürchterlicher Streit. Sie mussten durchs Haus rennen und rasch die Fenster schließen, damit ihre lauten Stimmen an dem warmen Sommerabend nicht draußen auf dem Bürgersteig zu hören waren.

Ein derartiger Streit war aufreibend und legte nicht nur bloß, wie sehr Lewis nach Feinden Ausschau hielt, sondern, dass auch Nina unfähig war, von einer Auseinandersetzung abzulassen, selbst wenn sie heftig eskalierte. Keiner wollte nachgeben, beide hielten erbittert an ihren Prinzipien fest.

Kannst du nicht dulden, dass die Menschen verschieden sind, warum ist das so wichtig?

Wenn das nicht wichtig ist, dann ist nichts wichtig.

Die Luft schien sich mit Hass aufzuladen. Alles in allem ein unauflöslicher Gegensatz. Sie gingen wortlos zu Bett und am nächsten Morgen wortlos auseinander, und im Laufe des Tages überkam beide die Angst – sie fürchtete, er werde nie mehr nach Hause kommen, er fürchtete, sie werde nicht da sein, wenn er nach Hause kam. Das Glück blieb ihnen jedoch hold. Sie trafen am Spätnachmittag aufeinander, beide bleich vor Zerknirschung, zitternd vor Liebe, wie Menschen, die mit knapper Not einem Erdbeben entronnen und in nackter Verzweiflung umhergeirrt waren.

Das war nicht das letzte Mal. Nina, in so friedfertiger Atmosphäre aufgewachsen, fragte sich, ob das noch ein normales Leben war. Sie konnte mit ihm nicht darüber reden – ihre Wiedervereinigungen waren zu wohltuend, zu zärtlich und albern. Er nannte sie Nina-Messalina, und sie nannte ihn Schönwetter-Lewis.

* * *

Vor einigen Jahren waren Plakate eines neuen Typs am Straßenrand aufgetaucht. Lange Zeit hatten da Schilder mit Plakaten gestanden, die zur Bekehrung drängten, und dann solche mit großen rosa Herzen und einer immer flacher werdenden Kurve der Herzschläge, die von Abtreibungen abschrecken sollten. Jetzt dagegen erschienen Texte aus der Genesis.

Am Anfang schuf Gott Himmel und Erde.
Gott sprach: Es werde Licht, und es ward Licht.
Gott schuf den Menschen ihm zum Bilde. Und schuf sie einen
Mann und ein Weib.

Meistens war neben die Worte ein Regenbogen oder eine Rose oder irgendein Symbol paradiesischer Schönheit gemalt.

»Was hat das alles zu bedeuten?«, fragte Nina. »Wenigstens ist es mal was anderes als ›Also hat Gott die Welt geliebt‹.«

»Das ist dieser Kreationismus«, sagte Lewis.

»Darauf bin ich auch schon gekommen. Ich meine, warum steht das überall auf Plakaten?«

Lewis sagte, es gebe jetzt eine regelrechte Bewegung, den Glauben an die wörtliche Auslegung der Schöpfungsgeschichte hochzuhalten.

»Adam und Eva. Der alte Quatsch.«

Er schien deswegen nicht sonderlich beunruhigt zu sein – oder stärker provoziert als beispielsweise von der Krippe, die zu Weihnachten nicht vor der Kirche, sondern immer auf dem Rasen vorm Rathaus aufgebaut wurde. Auf Kirchengrund ging das an, sagte er, aber auf städtischem Grund war das ganz etwas anderes. Ninas Quäker-Religionsunterricht hatte Adam und Eva nicht besonders hervorgehoben, und als sie nach Hause gekommen war, nahm sie sich die King-James-Bibel vor und las sich die ganze Geschichte durch. Sie fand großen Gefallen am majestätischen Fortschritt dieser ersten sechs Tage – die Teilung der Wasser und die Einrichtung von Sonne und

Mond und die Erscheinung von allerlei Gewürm auf der Erde und von gefiedertem Gevögel in der Luft und so weiter.

»Das ist schön«, sagte sie. »Sehr poetisch. Man sollte das lesen.«

Er sagte, das sei nicht besser oder schlechter als irgendeiner der zahlreichen Schöpfungsmythen, die in allen Ecken der Welt entstanden seien, und er habe es gründlich satt, zu hören, wie schön das sei und wie poetisch.

»Das ist ein Rauchschleier«, sagte er. »Die scheißen was aufs Poetische.«

Nina lachte. »Die Ecken der Welt«, sagte sie. »Wie kann ein Naturwissenschaftler so reden? Ich wette, das ist aus der Bibel.«

Manchmal riskierte sie es, ihn auf diesem Gebiet zu necken. Aber sie musste aufpassen, nicht zu weit zu gehen. Sie musste vor dem Punkt auf der Hut sein, an dem sein Gespür für die tödliche Bedrohung, die entehrende Beleidigung einsetzen konnte.

Hin und wieder fand sie Traktate in ihrer Post. Sie las sie nicht, und eine Weile lang dachte sie, dass alle so etwas bekamen, zusammen mit der ganzen Reklame, die einen Traumurlaub in der Südsee und andere prächtige Gewinne versprach. Dann stellte sie fest, dass Lewis in der Schule dieselben Schriften bekam – »kreationistische Propaganda«, wie er sie nannte, auf seinem Schreibtisch oder in seinem Fach im Lehrerzimmer.

»Die Schüler haben Zugang zu meinem Schreibtisch, aber wer zum Teufel stopft mir das in mein Postfach?«, hatte er den Rektor gefragt.

Der Rektor hatte gesagt, dass er nicht dahintersteige, er bekomme das auch. Lewis erwähnte die Namen von zwei Lehrern im Kollegium, zwei Krypto-Christen, wie er sie nannte, und der Rektor sagte, es sei nicht wert, sich deswegen auf die

Hinterbeine zu stellen, man könne ja das Zeug einfach weg-schmeißen.

In der Klasse wurden Fragen gestellt. Das war natürlich schon immer so gewesen. Darauf war Verlass, sagte Lewis. Ir-gend so eine kleine krankhafte Heilige oder Klugscheißer bei-derlei Geschlechts mit dem Versuch, die Evolution zu torpedie-ren. Lewis hatte seine Hauruckmethoden, damit umzugehen. Er sagte den Störern, wenn sie eine fromme Version der Erd-geschichte wollten, gäbe es in der nächsten Stadt die Christli-che Sonderschule, die sie sicher gern aufnähme. Als die Fragen häufiger wurden, fügte er hinzu, dass es Busse gab, um sie hin-zubringen, und dass sie noch heute, auf der Stelle, ihre Bücher einsammeln und aufbrechen konnten, falls ihnen danach der Sinn stand.

»Und günstige Winde für Ihren ...«, sagte er. Später gab es einen Streit – darüber, ob er tatsächlich das Wort »Arsch« gesagt oder es unausgesprochen in der Luft hatte hängen lassen. Aber selbst wenn er es nicht benutzt hatte, war das eine Beleidigung, denn jeder wusste, wie der Satz ergänzt werden konnte.

Die Schüler verfolgten inzwischen einen neuen Kurs.

»Nicht, dass wir unbedingt die religiöse Sichtweise haben wollen, Sir. Nur wir fragen uns, warum Sie ihr nicht ebenso viel Zeit widmen.«

Lewis ging darauf ein.

»Weil ich hier bin, um euch Naturwissenschaft beizubringen, nicht Religion.«

Das, behauptete er, habe er gesagt. Einige berichteten aber, er habe gesagt: »Weil ich nicht hier bin, um euch Blödsinn bei-zubringen.« Und es war gut möglich, sagte Lewis, dass ihm nach der vierten oder fünften Unterbrechung, nach immer der-selben Frage in leicht abgewandelter Form (»Meinen Sie, es schadet uns, auch die andere Seite des Ganzen zu hören? Wenn uns Atheismus beigebracht wird, ist das dann nicht auch eine Form von Religionsunterricht?«) das Wort über die Lippen gekommen sein könnte, und nachdem er so provoziert worden war, hielt er es nicht für notwendig, sich dafür zu entschuldigen.

»Zufällig bin ich der Chef in diesem Klassenzimmer, und ich entscheide, was unterrichtet wird.«

»Ich dachte, Gott ist der Chef, Sir.«

Schüler wurden aufgefordert, das Klassenzimmer zu verlassen. Eltern trafen ein, um mit dem Rektor zu sprechen. Oder vielleicht hatten sie die Absicht gehabt, mit Lewis zu sprechen, aber der Rektor sorgte dafür, dass das nicht geschah. Lewis erfuhr erst später von diesen Gesprächen, als im Lehrerzimmer darüber mehr oder weniger scherzhafte Bemerkungen fielen.

»Sie brauchen sich deswegen keine Sorgen zu machen«, sagte der Rektor – er hieß Paul Gibbings und war ein paar Jahre jünger als Lewis. »Die brauchen nur das Gefühl, dass man Ihnen zuhört. Die brauchen ein bisschen Zuspruch.«

»Den hätten sie von mir bekommen«, sagte Lewis.

»Bestimmt. Allerdings nicht ganz den Zuspruch, den ich im Sinn habe.«

»Wir brauchen ein Schild. Hunde und Eltern haben keinen Zutritt.«

»Da ist was dran«, sagte Paul Gibbings freundlich seufzend. »Aber ich fürchte, sie haben ihre Rechte.«

In der Lokalzeitung begannen Briefe zu erscheinen. Einer alle vierzehn Tage, unterschrieben mit »Besorgte Eltern« oder »Christlicher Steuerzahler« oder »Wohin soll das führen?« Sie waren gut formuliert, ordentlich gegliedert und geschickt begründet, als stammten sie alle von ein und derselben Hand. Sie argumentierten, dass nicht alle Eltern die Gebühren für die private Christliche Schule aufbringen konnten, dass aber alle Eltern Steuern zahlten. Deswegen hatten sie Anspruch auf einen Unterricht in öffentlichen Schulen, der den Glauben ihrer Kinder nicht gefährdete oder gar bewusst erschütterte. In wissenschaftlicher Sprache erklärten manche, wie die vorgeschichtlichen Zeugnisse missverstanden worden waren und wie Entdeckungen, die die Evolutionstheorie zu stützen schienen, in Wahrheit die biblische Schöpfungsgeschichte bestätigten. Dann folgten Bibelzitate, die nicht nur die heutigen falschen Lehren voraussagten, sondern auch, wie sie unvermeidlich dazu führten, dass die Menschen vom rechten Lebensweg gänzlich abkamen.

Im Laufe der Zeit änderte sich der Ton; er wurde ingrimmig. Nun hatten die Handlanger des Antichrist sich der Regierung und der Klassenzimmer bemächtigt. Die Klauen Satans griffen nach den Seelen von Kindern, die in ihren Prüfungen dazu gezwungen wurden, die Irrlehren der Verdammnis wiederzugeben.

»Was ist der Unterschied zwischen Satan und dem Antichrist, falls es überhaupt einen gibt?«, fragte Nina. »Die Quäker waren in der Hinsicht sehr nachlässig.«

Lewis sagte, er könne gerne darauf verzichten, dass sie das Ganze als Witz behandele.

»Tut mir leid«, sagte sie ernüchtert. »Was meinst du, wer sie tatsächlich schreibt? Ein Geistlicher?«

Er sagte nein, dafür war es zu gut organisiert. Wahrscheinlich eine durchgeplante Kampagne, eine Zentrale, die Briefe an örtliche Absender ausgab, die sie dann abschickten. Er bezweifelte, dass es überhaupt hier, in seinem Klassenzimmer, angefangen hatte. Es war alles genau abgestimmt, Schulen wurden herausgegriffen, wahrscheinlich in Gebieten, wo gute Aussicht auf öffentliche Unterstützung bestand.

»Also ist es nicht persönlich?«

»Das ist kein Trost.«

»Nein? Hätte ich aber gedacht.«

Jemand schrieb »Höllenfeuer« auf Lewis' Auto. Es war nicht mit Farbe aufgesprüht, nur mit dem Finger in den Staub gemalt.

Seine Oberstufenklasse wurde von einigen Schülern boykottiert. Sie setzten sich draußen im Flur auf den Fußboden, mit

Briefen von ihren Eltern bewaffnet. Als Lewis mit dem Unterricht begann, fingen sie an zu singen.

Alles Gute, alles Schöne
Alles Leben groß und klein
Alle Farben, alle Töne
Das schuf Gott der Herr allein …

Der Rektor berief sich auf eine Vorschrift, wonach es nicht erlaubt war, im Flur auf dem Fußboden zu sitzen, aber er schickte sie nicht zurück ins Klassenzimmer. Sie mussten in einen Lagerraum neben der Turnhalle gehen, wo sie weitersangen – sie hatten noch weitere Choräle parat. Ihre Stimmen mischten sich unangenehm mit den Anweisungen des Sportlehrers und dem Stampfen der Füße auf dem Boden der Turnhalle.

An einem Montagmorgen lag eine Bittschrift auf dem Schreibtisch des Rektors, und gleichzeitig wurde eine Kopie davon in der Redaktion der Lokalzeitung abgegeben. Die Unterschriften stammten nicht nur von den Eltern der betroffenen Kinder, sondern waren auch bei verschiedenen Kirchengemeinden in der Stadt gesammelt worden. Die meisten kamen aus fundamentalistischen Gemeinden, aber es gab auch einige von Unitariern und Anglikanern und Presbyterianern.

Das Höllenfeuer wurde in der Bittschrift nicht erwähnt. Auch von Satan oder dem Antichrist war mit keinem Wort die Rede. Es wurde lediglich darum gebeten, der biblischen Schöpfungsgeschichte die gleiche Zeit zu widmen und sie respektvoll als eine Alternative zu behandeln.

»Wir, die Unterzeichneten, glauben, dass Gott zu lange außer Betracht geblieben ist.«

»Das ist Unsinn«, sagte Lewis. »Die glauben nicht an gleiche Zeit – die glauben nicht an Alternativen. Das sind nämlich Absolutisten. Faschisten.«

* * *

Paul Gibbings war zu Lewis und Nina ins Haus gekommen. Er
wollte die Angelegenheit nicht an einem Ort besprechen, wo
Spione lauschen konnten. (Eine der Sekretärinnen war Mit-
glied der Bibelkirche.) Er machte sich keine großen Hoffnungen, Lewis zum Einlenken zu bewegen, aber er musste es versuchen.

»Die haben mir die Daumenschrauben angelegt«, sagte er.

»Schmeißen Sie mich raus«, sagte Lewis. »Stellen Sie irgend
so einen stumpfsinnigen Kreationisten ein.«

Dieser Mistkerl genießt das, dachte Paul. Aber er beherrschte sich. Wie es aussah, war er in diesen Tagen hauptsächlich damit beschäftigt, sich zu beherrschen.

»Ich bin nicht vorbeigekommen, um über so was zu reden.
Ich meine, viele Leute werden denken, dass dieses Völkchen
nichts Unvernünftiges verlangt. Darunter die Leute im Schul-
beirat.«

»Machen Sie sie glücklich. Schmeißen Sie mich raus. Lassen
Sie Adam und Eva aufmarschieren.«

Nina brachte ihnen Kaffee. Paul bedankte sich bei ihr und
versuchte, ihren Blick aufzufangen, um zu sehen, welchen
Standpunkt sie einnahm. Nichts da.

»Klar«, sagte er. »Das könnte ich gar nicht, selbst wenn ich
wollte. Und ich will nicht. Die Gewerkschaft macht mir sonst
die Hölle heiß. Es wäre in der ganzen Provinz rum wie ein
Lauffeuer, könnte sogar einen Streikanlass abgeben, und wir
müssen schließlich an die Kinder denken.«

Man sollte meinen, das müsste Lewis beeindrucken – wir
müssen an die Kinder denken. Aber der befand sich wie üblich
auf seinem eigenen Feldzug.

»Lassen Sie Adam und Eva aufmarschieren. Mit oder ohne
Feigenblatt.«

»Alles, worum ich bitte, ist ein kleiner Vortrag, der darauf hinweist, dass es sich um eine andere Auslegung handelt und dass manche Menschen an das eine glauben und manche Menschen an das andere. Fassen Sie die Schöpfungsgeschichte zusammen in fünfzehn oder zwanzig Minuten. Lesen Sie sie vor. Aber bitte mit Respekt. Sie wissen doch, worum es eigentlich geht, oder? Diese Leute fühlen sich einfach nicht genügend beachtet. Die haben was dagegen, nicht genug beachtet zu werden.«

Lewis schwieg lange genug, um Hoffnung aufkeimen zu lassen – bei Paul, und vielleicht auch bei Nina, wer weiß? –, aber wie sich herausstellte, war dieses lange Schweigen nur eine Kunstpause, um deutlich zu machen, dass er die Ungeheuerlichkeit des Vorschlags sehr wohl bemerkt hatte.

»Wie wär's?«, fragte Paul vorsichtig.

»Ich werde das ganze Buch Genesis vorlesen, wenn Sie wollen, und dann werde ich erklären, dass es nichts ist als ein Mischmasch aus Stammesselbstverherrlichung und Anleihen bei den theologischen Vorstellungen anderer, überlegener Kulturen ...«

»Mythen«, sagte Nina. »Ein Mythos ist schließlich keine Unwahrheit, sondern nur ...«

Paul fand es ziemlich zwecklos, ihr Aufmerksamkeit zu schenken. Lewis jedenfalls hörte gar nicht hin.

Lewis schrieb einen Brief an die Zeitung. Der erste Teil war maßvoll und sachkundig, beschrieb die Kontinentalverschiebung und die Öffnung und Abtrennung von Meeren und die wenig verheißungsvollen Anfänge des Lebens. Urmikroben, Ozeane ohne Fische und Himmel ohne Vögel. Werden und Vergehen, die Herrschaft der Amphibien, Reptilien und Dinosaurier; die Klimaschwankungen, die ersten kümmerlichen kleinen Säugetiere. Wege und Irrwege, der späte, kaum Erfolg versprechende Auftritt der Primaten, die Hominiden, die sich auf die Hinterbeine aufrichteten und aus dem Feuer schlau wurden, Steine schärften, ihr Revier markierten und schließlich, in einem Spurt, der noch gar nicht lange zurücklag, Schiffe und Pyramiden und Bomben bauten, sich Sprachen und Götter ausdachten und sich gegenseitig opferten und ermordeten. Sich darüber bekriegten, ob ihr Gott nun Jehova oder Krischna hieß (hier erhitzte sich die Sprache) oder ob es an der Tagesordnung war, Schweinefleisch zu essen, auf die Knie zu fallen und lautstark zu einem alten Zausel im Himmel zu beten, der sich brennend dafür interessierte, wer Kriege und Fußballspiele gewann. Schließlich hatten sie erstaunlicherweise einiges in Erfahrung gebracht und angefangen, Erkenntnisse über sich selbst zu gewinnen sowie über das Universum, in dem sie sich befanden, aber dann beschlossen, sie seien besser dran, wenn sie all das mühsam erworbene Wissen wegwarfen, den alten Zausel zurückholten und alle wieder auf die Knie zwangen, um ihnen den alten Kokolores einzutrichtern, warum nicht gleich auch die flache Erdscheibe zurückholen, wo sie schon mal dabei waren?

Hochachtungsvoll, Lewis Spiers.

Der Chefredakteur der Zeitung war ein Auswärtiger und hatte erst vor kurzem sein Publizistikstudium abgeschlossen. Er freute sich über den Tumult und druckte sämtliche Antworten ab (»Gott verspottet man nicht«, unterschrieben von allen Mitgliedern der Bibelkirche, »Das Schreiben würdigt die Debatte herab«, von dem toleranten, aber betrübten Geistlichen der Unitarier, dem Kokolores und der alte Zausel über die Hutschnur gingen), bis der Verleger der Zeitungskette ihm zu verstehen gab, dass solch ein Krakeel altmodisch und fehl am Platz sei und Inserenten abschrecke. Machen Sie dem ein Ende, sagte er.

Lewis schrieb noch einen Brief, der seine Kündigung enthielt. Sie wurde mit Bedauern angenommen, erklärte Paul Gibbings – ebenfalls in der Zeitung –, und nannte als Grund Lewis' schlechten Gesundheitszustand.

Das stimmte, obwohl Lewis es vorgezogen hätte, diesen Grund nicht publik zu machen. Seit mehreren Wochen hatte er eine Schwäche in den Beinen gespürt. Gerade zu einer Zeit, als es ihm wichtig war, vor seiner Klasse zu stehen und hin- und herzumarschieren, hatte er eine Zittrigkeit verspürt, ein Verlangen, sich hinzusetzen. Er gab dem nie nach, aber manchmal musste er sich an der Lehne seines Stuhls festhalten, dann tat er so, als geschehe es, um einer Sache Nachdruck zu verleihen. Und hin und wieder merkte er, dass er nicht zu sagen vermochte, wo seine Füße waren. Wenn ein Teppich gelegen hätte, wäre er über die kleinste Falte gestolpert, und selbst im Klassenzimmer, wo kein Teppich lag, hätte ein heruntergefallenes Stück Kreide oder ein Bleistift zur Katastrophe geführt.

Er war wütend über seine Beschwerden und hielt sie für psychosomatisch. Er hatte nie vor einer Klasse oder vor irgendeiner Gruppe an Nervosität gelitten. Als er im Sprechzimmer des Neurologen die wahre Diagnose erfuhr, empfand er als Erstes – so erzählte er Nina – eine lächerliche Erleichterung.

»Ich hatte schon Angst, ich wäre neurotisch«, sagte er, und beide fingen an zu lachen.

»Ich hatte schon Angst, ich wäre neurotisch, aber ich habe nur amyotrophische Lateralsklerose.« Sie lachten, stolperten den stillen, mit dickem Teppich ausgelegten Flur entlang und stiegen in den Fahrstuhl, wo sie erstaunt angestarrt wurden – Gelächter war an diesem Ort höchst ungewöhnlich.

Das LakeShore-Bestattungsinstitut war ein weitläufiges neues Gebäude aus goldfarbenen Ziegelsteinen – so neu, dass das umgebende Feld noch nicht in Rasenflächen mit Ziersträuchern verwandelt worden war. Wäre das Schild nicht gewesen, man hätte es für ein Krankenhaus oder ein Regierungsgebäude halten können. Der Name LakeShore bedeutete nicht, dass es am Ufer des Sees lag, sondern war ein versteckter Hinweis auf den

Familiennamen des Bestatters – Bruce Shore. Manche fanden das geschmacklos. Als das Unternehmen noch in einem der großen viktorianischen Häuser in der Stadt geführt worden war und dem Vater von Bruce gehört hatte, hieß es schlicht Shore-Bestattungen, und das Haus hatte nicht nur die Firma beherbergt, sondern im ersten und zweiten Stock auch Ed und Kitty Shore und ihre fünf Kinder.

Niemand wohnte in diesen neuen Räumlichkeiten, aber es gab ein Schlafzimmer mit Kochmöglichkeit und einer Dusche, für den Fall, dass Bruce Shore es bequemer fand, über Nacht dazubleiben, statt die fünfzehn Meilen zu dem Anwesen zu fahren, auf dem er und seine Frau Pferde züchteten.

Die gestrige Nacht war wegen des Unfalls nördlich vor der Stadt eine dieser Nächte gewesen. Ein Auto mit Teenagern war gegen einen Brückenpfeiler gerast. So etwas – ein Fahrer mit nagelneuem Führerschein oder ein Fahrer, der noch gar keinen hatte, und alle sturzbetrunken – passierte meistens im Frühling um die Zeit der Schulabschlussfeier oder in der Erregung der ersten Schulwochen im September. Um diese Zeit jedoch war eher mit tödlichen Unfällen von Neuankömmlingen zu rechnen – im vorigen Jahr Krankenschwestern frisch von den Philippinen –, die vom ersten, gänzlich unvertrauten Schnee überrascht wurden.

Trotzdem hatte es in einer völlig klaren Nacht und auf trockener Straße zwei Siebzehnjährige aus der Stadt erwischt. Und direkt davor war Lewis Spiers eingetroffen. Bruce hatte alle Hände voll zu tun – die Arbeit, die er an den beiden Jungen vornehmen musste, um sie ansehnlich herzurichten, hatte ihn bis weit in die Nacht beansprucht. Er hatte seinen Vater angerufen. Ed und Kitty, die immer noch den Sommer in dem Haus in der Stadt verbrachten, waren noch nicht nach Florida abgereist, und Ed war gekommen, um Lewis zu versorgen.

Bruce war joggen gegangen, um sich zu erfrischen. Er hatte noch nicht einmal gefrühstückt und war immer noch in seinen

Sportsachen, als er Mrs Spiers in ihrem alten Honda Accord vorfahren sah. Er eilte ins Wartezimmer, um ihr zu öffnen.

Sie war eine große, magere Frau, grauhaarig, aber jugendlich rasch in ihren Bewegungen. Sie wirkte an diesem Morgen nicht allzu gramgebeugt, obwohl ihm auffiel, dass sie nicht daran gedacht hatte, einen Mantel anzuziehen.

»Entschuldigen Sie bitte«, sagte er. »Ich bin gerade von ein bisschen Bewegung zurück. Ich fürchte, Shirley ist noch nicht da. Ihr Verlust ist auch uns nahe gegangen.«

»Ja«, sagte sie.

»Ich hatte bei Mr Spiers in der elften und zwölften Klasse Unterricht, und er war ein Lehrer, den ich nie vergessen werde. Wollen Sie nicht Platz nehmen? Ich weiß, Sie müssen irgendwie darauf vorbereitet gewesen sein, aber wenn das Ereignis dann eintritt, ist man nie darauf vorbereitet. Möchten Sie jetzt mit mir den Papierkram durchgehen oder möchten Sie Ihren Mann sehen?«

Sie sagte: »Alles, was wir wollten, war eine Einäscherung.«

Er nickte. »Ja, mit anschließender Einäscherung.«

»Nein. Er sollte sofort eingeäschert werden. Das war sein Wunsch. Ich dachte, ich kann seine Asche abholen.«

»Wir hatten keine dahingehenden Anweisungen«, sagte Bruce fest. »Wir haben den Leichnam zur Besichtigung vorbereitet. Er sieht sehr gut aus. Ich denke, Sie werden zufrieden sein.«

Sie stand da und starrte ihn an.

»Möchten Sie nicht Platz nehmen?«, sagte er. »Sie haben doch bestimmt eine Art Besichtigung geplant? Eine Art Totenfeier? Sehr viele Menschen werden sich von Mr Spiers verabschieden wollen. Sie müssen wissen, wir haben hier auch schon Gedenkfeiern ohne jegliche Glaubensrichtung abgehalten. Nur mit einem Leichenredner statt eines Predigers. Oder wenn Sie es überhaupt nicht förmlich haben wollen, können wir es so einrichten, dass Einzelne aus der Trauergemeinde aufstehen und ihre Gedanken aussprechen. Es liegt ganz bei Ihnen, ob der Sarg offen oder geschlossen sein soll. Allerdings ziehen die meisten in dieser Gegend einen offenen Sarg vor. Bei einer Feuerbestattung steht Ihnen natürlich nicht die ganze Auswahl an Särgen zur Verfügung. Aber wir führen Särge, die sehr hübsch aussehen und dabei ausgesprochen preiswert sind.«

Stand nur da und starrte.

Die Arbeit war ja nun einmal ausgeführt worden, und es hatte keine Anweisungen gegeben, sie nicht auszuführen. Eine Arbeit wie jede andere, die ihren Preis hatte. Ganz zu schweigen von den Materialkosten.

»Ich rede nur von dem, was Sie voraussichtlich wollen, wenn Sie Zeit gehabt haben, sich hinzusetzen und darüber nachzudenken. Wir sind dazu da, um Ihre Wünsche auszuführen ...«

Vielleicht war das ein wenig zu viel behauptet.

»Aber wir sind so vorgegangen, weil es keine gegenteiligen Anweisungen gab.«

Ein Auto hielt draußen, eine Autotür schlug zu, und Ed Shore kam ins Wartezimmer. Bruce war enorm erleichtert. Er hatte in diesem Gewerbe noch viel zu lernen. So zum Beispiel den Umgang mit den Hinterbliebenen.

Ed sagte: »Hallo, Nina. Ich hab Ihr Auto gesehen. Ich dachte, ich komme mal rein und sage Ihnen, wie leid es mir tut.«

Nina hatte die Nacht im Wohnzimmer verbracht. Sie nahm an, dass sie geschlafen hatte, aber ihr Schlaf war so leicht gewesen, dass ihr die ganze Zeit bewusst geblieben war, wo sie sich befand – auf dem Wohnzimmersofa – und wo sich Lewis befand – im Bestattungsinstitut.

Als sie jetzt etwas zu sagen versuchte, klapperten ihr die Zähne. Was für sie völlig überraschend kam.

»Ich wollte, dass er sofort eingeäschert wird«, war, was sie zu sagen versuchte und zu sagen begann, in der Meinung, normal zu sprechen. Dann hörte und spürte sie, wie sie keuchte und unkontrollierbar stotterte.

»Ich will ... ich will ... er wollte ...«

Ed Shore nahm ihren Unterarm und legte den anderen Arm um ihre Schulter. Bruce streckte die Hände aus, fasste sie aber nicht an.

»Ich hätte darauf achten sollen, dass sie sich hinsetzt«, sagte er kleinlaut.

»Schon gut«, sagte Ed. »Ist Ihnen danach, zu meinem Auto rauszugehen, Nina? Wir besorgen Ihnen ein bisschen frische Luft.«

Ed fuhr mit heruntergelassenen Fenstern zum alten Teil der Stadt und weiter zu einer Straße, die an einem Wendeplatz endete, von dem aus man den See überblickte. Tagsüber fuhren die Leute hierher, um die Aussicht zu genießen – und dabei manchmal ihren Mittagsimbiss zu verzehren –, aber nachts war es ein Ort für Liebespärchen. Vielleicht kam Ed dieser Gedanke, wie er ihr kam, als er anhielt.

»Genug frische Luft?«, fragte er. »Sie sollen sich ja nicht erkälten, ohne Mantel an.«

Sie sagte sorgfältig: »Es wird warm. Wie gestern.«

Sie hatten nie so im Auto zusammengesessen, weder nach Einbruch der Dunkelheit noch bei Tageslicht, und auch nie einen solchen Ort aufgesucht, um allein zu sein.

Es schien abgeschmackt, jetzt daran zu denken.

»Tut mir leid«, sagte Nina. »Ich habe die Beherrschung verloren. Ich wollte nur sagen, dass Lewis ... dass wir ... dass er ...«

Und es setzte wieder ein. Mit voller Wucht, das Zähneklappern, das Zittern, das Zersplittern der Wörter. Die grauenhafte Hilflosigkeit. Es war nicht einmal Ausdruck dessen, was sie wirklich empfand. Was sie vorhin empfunden hatte, als sie mit Bruce reden – oder ihm zuhören – musste, war Zorn und bittere Enttäuschung. Jetzt hatte sie eigentlich das Empfinden, völlig ruhig und vernünftig zu sein.

Und jetzt, weil sie allein waren, fasste er sie nicht an. Er fing einfach an zu reden. Machen Sie sich keine Sorgen. Ich kümmere mich um alles. Sofort. Ich sehe zu, dass es in Ordnung kommt. Ich verstehe. Einäscherung.

»Einatmen«, sagte er. »Tief einatmen. Jetzt die Luft anhalten. Jetzt ausatmen.«

»Ich bin nicht krank.«

»Natürlich nicht.«

»Ich weiß nicht, was los ist.«

»Das ist der Schock«, sagte er sachlich.

»Ich bin sonst nicht so.«

»Schauen Sie zum Horizont. Das hilft auch.«

Er holte etwas aus der Tasche. Ein Taschentuch? Aber sie brauchte kein Taschentuch. Sie kämpfte nicht mit den Tränen. Sie kämpfte mit einem Zittern im Körper.

Es war ein klein zusammengefaltetes Blatt Papier.

»Ich habe das für Sie aufgehoben«, sagte er. »Es war in seiner Pyjamatasche.«

Sie steckte den Zettel in ihre Handtasche, sorgfältig und ohne Aufregung, als handelte es sich um ein ärztliches Rezept. Dann wurde ihr klar, was er ihr eben alles mitgeteilt hatte.

»Sie waren da, als er eingeliefert wurde.«

»Ich hab mich um ihn gekümmert. Bruce hat mich angerufen. Es gab den Autounfall, und er hatte mehr zu tun, als er bewältigen konnte.«

Sie fragte nicht einmal: Welcher Unfall? Es war ihr egal. Sie wollte nur noch allein sein, um die für sie bestimmte Nachricht zu lesen.

Die Pyjamatasche. Die einzige Stelle, wo sie nicht nachgesehen hatte. Sie hatte seinen Körper nicht angefasst.

* * *

Sie fuhr mit ihrem eigenen Auto nach Hause, nachdem Ed sie zurückgebracht hatte. Er winkte ihr nach, und sobald er nicht mehr zu sehen war, hielt sie an. Noch im Fahren hatte sie mit einer Hand den Zettel aus der Handtasche gefingert. Bei laufendem Motor las sie, was darauf geschrieben stand, dann fuhr sie weiter.

Auf dem Bürgersteig vor ihrem Haus stand eine neuerliche Botschaft.

Der Wille Gottes.

Hastige, krakelige Schrift mit Kreide. Sie ließ sich bestimmt leicht wegwischen.

Was Lewis geschrieben und ihr hinterlassen hatte, war ein Gedicht. Mehrere Strophen bissiger, holperiger Knüttelverse. Es hatte einen Titel: »Der Kampf der Genesisisten und der Söhne von Darwin um die Seele der Schlaffen Generation«.

Ein Tempel der Gelehrsamkeit
Erhob am Huron sein Gemäuer,
Dort lauschte manche taube Nuss
Manch einschläferndem Wiederkäuer.

Es herrschte da ein feiner Kerl,
Das Maul vom Grienen ganz verquollen,
Im Kopf nur einen Leitsatz drin:
Sag allen, was sie hören wollen!

Vor Jahren hatte Margaret im Winter die Idee gehabt, eine Reihe von Abenden zu organisieren, an denen man einen nicht allzu ausführlichen Vortrag über irgendein Thema halten konnte, das einem am Herzen lag. Sie dachte dabei an Lehrer (»Lehrer sind ständig gezwungen, sich vor ein unfreiwilliges Publikum zu stellen und ihm was vorzuschwatzen«, sagte sie.

»Sie müssen sich zur Abwechslung auch mal hinsetzen und jemand anders zuhören können, der *ihnen* was erzählt«), aber dann wurde beschlossen, dass es interessanter wäre, auch Nichtlehrer dazu einzuladen. Das Ganze sollte in Margarets Haus stattfinden, im Anschluss an ein Abendessen mit Wein, zu dem alle etwas beitrugen.

So kam es, dass Nina an einem kalten, klaren Abend draußen vor Margarets Küche stand, in dem dunklen Vorraum mit den Mänteln und Schultaschen und Hockeyschlägern von Margarets Söhnen – das war, als alle noch zu Hause wohnten. Im Wohnzimmer – von dem kein Geräusch mehr zu ihr drang – redete Kitty Shore über das von ihr gewählte Thema, nämlich Heilige. Kitty und Ed Shore gehörten zu den »einfachen Leuten«, die auch eingeladen waren – außerdem waren sie Margarets Nachbarn. Ed hatte schon an einem anderen Abend einen Vortrag gehalten, über das Bergsteigen. Er war selbst in den Rockies herumgeklettert, aber er hatte hauptsächlich von den waghalsigen und tragischen Expeditionen berichtet, die seine Lieblingslektüre bildeten. (Margaret hatte, als sie an dem Abend den Kaffee holten, zu Nina gesagt: »Ich war schon ein bisschen in Sorge, ob er etwa übers Einbalsamieren redet«, und Nina hatte gekichert und gesagt: »Aber das ist nicht seine Lieblingsbeschäftigung. Das ist kein Hobby. Ich glaube nicht, dass es viele Hobbyeinbalsamierer gibt.«)

Ed und Kitty waren ein gut aussehendes Paar. Margaret und Nina hatten sich im Vertrauen darauf geeinigt, dass viele Frauen für Ed schwärmen würden, wenn nicht sein Beruf wäre. Die sauber gewaschene Blässe seiner langen, kräftigen Hände war außergewöhnlich und brachte einen auf den Gedanken: Wo sind diese Hände gewesen? Die kurvenreiche Kitty wurde oft ein Schatz genannt – sie war eine kleine, vollbusige, warmäugige Brünette mit einer Stimme voll hauchiger Begeisterung. Begeisterung für ihre Ehe, ihre Kinder, die Jahreszeiten, die Stadt und besonders für ihre Religion. In der anglikanischen

Kirche, der sie angehörte, war solche Begeisterung ungewöhnlich, und es gab Gerüchte, dass sie der Gemeinde ziemlich auf die Nerven fiel mit ihrer Strenge und Überspanntheit und ihrem Hang zu obskuren Zeremonien wie Dankgottesdiensten für Wöchnerinnen. Nina und Margaret fanden sie auch schwer zu ertragen, und Lewis hielt sie für eine Pest. Aber die meisten Leute waren von ihr hingerissen.

An jenem Abend trug sie ein dunkelrotes Wollkleid und Ohrringe, die ihr eines ihrer Kinder zu Weihnachten gebastelt hatte. Sie saß mit angezogenen Beinen in einer Sofaecke. Solange sie sich an die historischen und geographischen Gegebenheiten von Heiligen hielt, ging es noch an – das heißt, für Nina, die hoffte, dass Lewis es nicht notwendig fand, zum Angriff überzugehen.

Kitty sagte, sie sei gezwungen, alle Heiligen Osteuropas auszulassen und sich hauptsächlich auf die Heiligen der Britischen Inseln zu konzentrieren, insbesondere auf die von Cornwall und Wales und Irland, die keltischen Heiligen mit den wunderbaren Namen, ihre Lieblinge. Als sie auf die Wunder und die Heilungen zu sprechen kam, und schon gar, als ihre Stimme immer freudiger und zuversichtlicher wurde und ihre Ohrringe klimperten, schwante Nina Böses. Sie wisse, dass man sie für frivol halten könne, sagte Kitty, wenn sie sich an einen Heiligen wende, nur weil ihr beim Kochen ein Malheur passiert sei, aber sie glaube fest, dass Heilige genau dafür da seien. Sie seien nicht zu erhaben, um an all den Sorgen und Kümmernissen Anteil zu nehmen, den Alltäglichkeiten unseres Lebens, mit denen wir den Herrn des Weltalls nicht zu behelligen wagten. Mit Hilfe der Heiligen könne man teilweise in einer Kinderwelt bleiben, mit einer Kinderhoffnung auf Hilfe und Trost. *Ihr müsset werden wie die Kinder.* Und es seien die kleinen Wunder – gerade die kleinen Wunder seien es doch, die uns auf die großen vorbereiteten?

So. Irgendwelche Fragen?

Jemand erkundigte sich nach dem Stellenwert der Heiligen in der anglikanischen Kirche. Einer protestantischen Kirche.

»Also genau genommen halte ich die anglikanische Kirche nicht für eine protestantische Kirche«, sagte Kitty. »Aber ich will nicht weiter darauf eingehen. Wenn wir im Glaubensbekenntnis sagen: ›Ich glaube an die heilige katholische Kirche‹, dann ist damit in meinen Augen die gesamte christliche Kirche gemeint. Und weiter sagen wir: ›Ich glaube an die Gemeinschaft der Heiligen.‹ Natürlich haben wir keine Statuen in der Kirche, obwohl ich persönlich es schön fände, welche zu haben.«

Margaret fragte: »Kaffee?«, und verkündete damit, dass der förmliche Teil des Abends beendet war. Aber Lewis rückte mit seinem Stuhl näher zu Kitty und sagte fast freundlich: »Wie ist das nun? Sollen wir daraus entnehmen, dass Sie an diese Wunder glauben?«

Kitty lachte. »Unbedingt. Ich könnte gar nicht leben, wenn ich nicht an Wunder glauben würde.«

In dem Moment wusste Nina, was unweigerlich bevorstand. Lewis, der leise, aber unerbittlich attackierte, Kitty, die mit fröhlicher Überzeugung und dem, was wohl für sie charmante und weibliche Widersprüchlichkeit war, dagegenhielt. Ihr Glaube daran war unerschütterlich – an ihren eigenen Charme. Aber Lewis wollte von ihrem Charme nichts wissen. Er wollte wissen: Welche Gestalt haben die Heiligen im gegenwärtigen Augenblick angenommen? Bewohnen sie im Himmel dasselbe Revier wie die normalen Toten, die tugendhaften Vorfahren? Und wie werden sie ausgewählt? Geschieht das nicht durch die bezeugten, die bewiesenen Wunder? Und wie soll man die Wunder von jemandem beweisen, der vor fünfzehn Jahrhunderten gelebt hat? Wie soll man Wunder überhaupt beweisen? Im Fall der Brote und Fische durch Abzählen. Aber ist das richtiges Abzählen, oder ist es Wahrnehmung? Ach, Glaube? Ah ja. Also läuft alles auf den Glauben hinaus. In Alltagsdingen, in ihrem ganzen Leben baut Kitty auf den Glauben?

So ist es.

Sie verlässt sich nicht in irgendeiner Weise auf die Wissenschaft? Aber nein. Wenn ihre Kinder krank sind, gibt sie ihnen keine Medikamente. Sie kümmert sich nicht um Benzin für ihr Auto, sie hat ihren Glauben …

Etliche Gespräche sind inzwischen um sie herum entstanden, und trotzdem wird ihr Gespräch, wegen seiner Intensität und seiner Bedrohlichkeit – Kittys Stimme flattert schon wie ein aufgescheuchtes Vögelchen. Seien Sie nicht albern, sagt sie, und: Meinen Sie etwa, ich bin reif für die Klapsmühle?, und Lewis' Hänseleien werden immer verächtlicher, immer tödlicher – über alle anderen hinweg überall im Zimmer jederzeit zu hören sein.

Nina hat einen bitteren Geschmack im Mund. Sie geht in die Küche hinaus, um Margaret zu helfen. Sie kommen aneinander vorbei, denn Margaret trägt den Kaffee hinein. Nina geht durch die Küche hindurch und hinaus in den Gang. Durch die kleine Glasscheibe in der Hintertür schaut sie zu der mondlosen Nacht hinaus, zu den Schneehaufen entlang der Straße, zu den Sternen. Sie legt ihre heiße Wange an das Glas.

Sie richtet sich sofort auf, als die Tür zur Küche aufgeht, sie dreht sich um und lächelt und will sagen: »Ich bin nur rausgegangen, um nach dem Wetter zu sehen.« Aber als sie in dem kurzen Augenblick, bevor Ed Shore die Tür schließt, sein Gesicht gegen das Licht sieht, denkt sie, dass sie das nicht zu sagen braucht. Sie begrüßen sich mit einem kurzen, höflichen, leicht entschuldigenden und achselzuckenden Lachen, durch das offenbar viele Dinge mitgeteilt und verstanden werden.

Sie lassen Kitty und Lewis im Stich. Nur für kurze Zeit – Kitty und Lewis werden es gar nicht merken. Lewis wird nicht die Munition ausgehen, und Kitty wird einen Weg finden – Mitleid für Lewis könnte einer sein –, sich nicht auffressen zu lassen. Kitty und Lewis werden voneinander nicht genug bekommen.

Ist es das, was Ed und Nina empfinden? Dass sie genug haben von den anderen beiden oder zumindest genug von Streitlust und Überzeugung. Genug von dem Nie-locker-Lassen dieser kämpferischen Naturen.

Sie würden es nicht so ausdrücken. Sie würden nur sagen, dass sie es müde sind.

Ed Shore legt den Arm um Nina. Er küsst sie – nicht auf den Mund, nicht aufs Gesicht, sondern auf den Hals. Auf die Stelle, wo in ihrem Hals ein aufgeregter Puls schlagen könnte.

Er ist ein Mann, der sich herunterbeugen muss, um das zu tun. Für viele Männer wäre es die natürliche Stelle, Nina zu küssen, wenn sie aufrecht steht. Aber er ist groß genug, um sich herunterbeugen zu müssen und sie ganz bewusst auf diese empfindliche Stelle zu küssen.

»Sie werden sich hier draußen erkälten«, sagte er.

»Ich weiß. Ich geh wieder rein.«

Nina hat bis zum heutigen Tag mit keinem anderen Mann als mit Lewis Geschlechtsverkehr gehabt. Ist nie auch nur in die Nähe gekommen.

Geschlechtsverkehr. Lange Zeit konnte sie das nicht sagen. Sie sagte dazu: sich lieben. Lewis sagte gar nichts dazu. Er war ein athletischer und erfindungsreicher Partner und in einem körperlichen Sinn ihr gegenüber nicht unachtsam, nicht rücksichtslos. Aber er war auf der Hut vor allem, was ans Sentimentale grenzte, und in seinen Augen galt das für vieles. Sie bekam mit der Zeit ein feines Gespür für seinen Abscheu und teilte ihn fast.

Ihre Erinnerung an Ed Shores Kuss draußen vor der Küchentür wurde jedoch zu etwas Kostbarem. Wenn Ed vor Weihnachten die Tenorsoli in der *Messias*-Aufführung des Gesangvereins sang, kehrte dieser Augenblick zu ihr zurück. »Tröste mich, mein Volk« bohrte sich ihr mit strahlenden Nadeln in den Hals. Als werde dann ihr ganzes Wesen anerkannt und ge-ehrt und zum Leuchten gebracht.

Paul Gibbings hatte von Nina keinen Ärger erwartet. Er hatte sie immer für einen warmen Menschen gehalten, auf ihre zu-rückhaltende Art. Nicht so bissig wie Lewis. Sondern klug.

»Nein«, sagte Nina. »Er hätte das nicht gewollt.«

»Nina. Er war mit Leib und Seele Lehrer. Er hat eine Menge gegeben. Es gibt so viele Menschen, ich weiß nicht, ob Ihnen klar ist, wie viele Menschen, die sich daran erinnern, einfach fasziniert in seinem Klassenzimmer gesessen zu haben. Wenn sie an ihre Schulzeit denken, können sie sich wahrscheinlich nur noch an Lewis erinnern. Er hatte eine ungeheure Präsenz. Entweder man hat sie, oder man hat sie nicht. Lewis hatte sie haufenweise.«

»Das bestreite ich nicht.«

»Da sind also diese vielen Menschen, die irgendwie Ab-schied nehmen wollen. Wir alle wollen Abschied nehmen. Und ihm auch die letzte Ehre erweisen. Sie wissen, wovon ich rede? Nach all dem. Ein Abschluss.«

»Ja. Ich hab's gehört. *Ein Abschluss.*«

Ein gehässiger Unterton, dachte er. Aber er ging darüber hinweg. »Das braucht keine Spur von Frömmigkeit zu haben. Keine Gebete. Keine Predigt. Ich weiß ebenso gut wie Sie, wie sehr ihm das verhasst gewesen wäre.«

»Allerdings.«

»Ich weiß. Ich kann ja für das Ganze den Showmaster abge-ben, falls das nicht das falsche Wort ist. Ich habe schon eine ziemlich genaue Vorstellung davon, wen ich um eine kleine Würdigung bitten werde. Vielleicht ein halbes Dutzend, am Schluss noch eine von mir. ›Leichenrede‹ ist, glaube ich, das Wort dafür, aber ich ziehe ›Würdigung‹ vor ...«

»Lewis hätte gar nichts vorgezogen.«

»Und Sie können natürlich daran mitwirken, ganz in der Form, die Ihnen vorschwebt …«

»Paul. Hören Sie. Hören Sie mir zu.«

»Selbstverständlich. Ich höre zu.«

»Wenn Sie das veranstalten, werde ich daran mitwirken.«

»Sehr schön.«

»Als Lewis gestorben ist, hat er etwas hinterlassen – es ist ein Gedicht. Wenn Sie das veranstalten, werde ich es vorlesen.«

»Ja?«

»Ich meine, ich werde es auf dieser Feier vortragen. Ich lese Ihnen gleich mal was davon vor.«

»Gut. Ich höre.«

»Ein Tempel der Gelehrsamkeit
Erhob am Huron sein Gemäuer,
Dort lauschte manche taube Nuss
Manch einschläferndem Wiederkäuer.«

»Hört sich ganz nach Lewis an.«

»Es herrschte da ein feiner Kerl,
Das Maul vom Grienen ganz verquollen …«

»Nina. Ist klar. Ist klar. Schon verstanden. Das wollen Sie also? Eine Abrechnung?«

»Es geht noch weiter.«

»Bestimmt. Nina, ich glaube, Sie sind sehr durcheinander. Sie würden sich bestimmt nicht so verhalten, wenn Sie nicht durcheinander wären. Und wenn es Ihnen besser geht, werden Sie es bedauern.«

»Nein.«

»Ich glaube, Sie werden es bedauern. Ich lege jetzt auf. Ich muss Abschied nehmen.«

»Stark«, sagte Margaret. »Wie hat er das aufgenommen?«

»Er hat gesagt, er muss Abschied nehmen.«

»Soll ich vorbeikommen? Dir einfach Gesellschaft leisten.«

»Nein, danke.«

»Du möchtest niemanden um dich haben?«

»Ich glaube nicht. Jedenfalls nicht jetzt.«

»Bist du sicher? Geht's dir gut?«

»Ja, mir geht's gut.«

Eigentlich war sie nicht sonderlich zufrieden mit sich, mit ihrem Auftritt am Telefon. Lewis hatte zu ihr gesagt: »Du musst auf jeden Fall einen Riegel vorschieben, wenn die irgendein Gedenkdings aufziehen wollen. Dieser Süßholzraspler kriegt das fertig.« Also hatte sie Paul irgendwie daran hindern müssen, aber ihr Vorgehen kam ihr arg theatralisch vor. Andere vor den Kopf zu stoßen, das war Lewis' Sache gewesen, insbesondere Vergeltungsschläge – sie hatte nichts weiter zuwege gebracht, als ihn zu zitieren.

Sie war nicht in der Lage, daran zu denken, wie sie weiterleben sollte, nur mit ihren alten friedfertigen Gewohnheiten. Kalt und sprachlos, seiner beraubt.

Irgendwann nach Einbruch der Dunkelheit klopfte Ed Shore an ihre Hintertür. In den Händen hielt er eine Schachtel mit Asche und einen Strauß weißer Rosen.

Als Erstes gab er ihr die Asche.

»Ach«, sagte sie. »Schon fertig.«

Sie spürte eine Wärme durch den dicken Karton. Sie war nicht sofort zu spüren, sondern erst allmählich, wie die Wärme des Blutes unter der Haut.

Wo sollte sie damit hin? Nicht auf den Küchentisch, neben ihr spätes, kaum angerührtes Abendbrot. Rühreier und Salsa, eine Zusammenstellung, auf die sie sich immer gefreut hatte, wenn Lewis aus irgendeinem Grund länger bleiben musste und mit den anderen Lehrern im Tim Horton's oder im Wirtshaus zu Abend aß. Heute Abend hatte sich das als schlechte Wahl erwiesen.

Auch nicht auf die Anrichte. Der Karton würde aussehen wie etwas Sperriges vom Lebensmitteleinkauf. Und nicht auf den Fußboden, wo er leichter zu ignorieren war, aber den Eindruck machen konnte, er sei auf einen niederen Platz abgeschoben – enthielte etwas wie Katzenstreu oder Gartendünger, etwas, das nicht zu dicht beim Geschirr und den Nahrungsmitteln stehen sollte.

Eigentlich wollte sie ihn in ein anderes Zimmer bringen, ihn irgendwo in den dunklen Vorderzimmern des Hauses abstellen. Besser noch in einem Fach im Schrank. Aber es war irgendwie zu früh für diese Verbannung. Außerdem wurde sie von Ed Shore beobachtet, und es könnte aussehen wie ein rascher und brutaler Schlussstrich, eine geschmacklose Einladung.

Schließlich stellte sie die Schachtel auf das niedrige Telefontischchen.

»Aber Sie stehen ja immer noch«, sagte sie. »Bitte nehmen Sie doch Platz.«

»Ich habe Sie beim Essen gestört.«

»Ich mochte sowieso nicht mehr.«

Er hielt immer noch die Blumen in der Hand. Sie fragte: »Sind die für mich?« Das Bild: Er mit dem Blumenstrauß, das Bild: Er mit der Asche in der Schachtel und dem Blumenstrauß, als sie die Tür aufmachte – es kam ihr grotesk vor, als sie es jetzt bedachte, und entsetzlich komisch. Es war etwas, worüber sie hysterisch werden konnte, wenn sie es jemandem erzählte. Wenn sie es Margaret erzählte. Sie hoffte, sie werde es nie tun.

Sind die für mich?

Sie konnten ebenso gut für die Toten sein. Blumen für das Totenhaus. Sie sah sich nach einer Vase um, ließ dann Wasser in den Kessel laufen und sagte: »Ich wollte mir gerade einen Tee machen«, begab sich wieder auf die Suche nach der Vase und fand sie, füllte sie mit Wasser, fand die Schere, die sie brauchte, um die Stiele anzuschneiden, und nahm ihm schließlich die Blumen ab. Dann merkte sie, dass sie das Gas unter dem Kessel gar nicht angestellt hatte. Sie konnte sich kaum beherrschen. Ihr war zumute, als könnte sie ohne weiteres die Rosen auf den Boden werfen, die Vase zertrümmern, das erstarrte Zeug auf ihrem Teller zwischen den Fingern zerdrücken. Aber warum? Sie war nicht wütend. Es war nur so irrsinnig anstrengend, eins nach dem anderen zu tun. Jetzt musste sie die Kanne vorwärmen, überlegen, wie viel Tee sie nehmen sollte.

Sie sagte: »Haben Sie gelesen, was Sie aus Lewis' Tasche geholt haben?«

Er schüttelte den Kopf, ohne sie anzusehen. Sie wusste, dass er log. Er log, er war erschüttert, wie weit wollte er in ihr Leben eindringen? Was, wenn sie zusammenbrach und ihm von der Überraschung erzählte, die sie empfunden hatte – warum es nicht zugeben, von der Kälte um ihr Herz –, als sie sah, was Lewis geschrieben hatte? Als sie sah, dass das alles war, was er geschrieben hatte.

»Egal«, sagte sie. »Es waren nur ein paar Verse.«

Sie waren zwei Menschen ohne mittleres Terrain, nichts zwischen höflichen Förmlichkeiten und einer verschlingenden Intensität. Was zwischen ihnen gewesen war, all die Jahre, war durch ihre beiden Ehen im Gleichgewicht gehalten worden. Ihre Ehen waren der wahre Inhalt ihres Lebens – Ninas Ehe mit Lewis, der manchmal raue und schwierige, unentbehrliche Inhalt ihres Lebens. Dieses andere war in seiner Süße, seinem Trostversprechen nur wegen ihrer Ehen möglich. Es war wohl kaum etwas, das aus eigener Kraft bestehen konnte, selbst wenn beide frei gewesen wären. Dennoch war es nicht nichts. Die Gefahr bestand darin, es auszuprobieren und es zerfallen zu sehen und dann zu glauben, dass es nichts gewesen war.

Sie hatte das Gas angestellt, die Teekanne vorgewärmt. Sie sagte: »Das war sehr lieb von Ihnen, und ich habe mich noch nicht mal bei Ihnen bedankt. Sie müssen eine Tasse Tee trinken.«

»Das wäre schön«, sagte er.

Und dann, als sie sich an den Tisch gesetzt hatten, als die Tassen gefüllt und Milch und Zucker angeboten worden waren – in dem Augenblick, in dem Panik ausbrechen konnte –, hatte sie eine sehr seltsame Eingebung.

Sie fragte: »Was machen Sie eigentlich genau?«

»Was ich mache?«

»Ich meine – was haben Sie gestern Abend mit ihm gemacht? Oder werden Sie das sonst nicht gefragt?«

»Nicht so direkt.«

»Macht es Ihnen etwas aus? Sie brauchen nicht zu antworten, wenn es Ihnen etwas ausmacht.«

»Ich bin nur überrascht. Es macht mir nichts aus.«

»Ich bin überrascht, dass ich gefragt habe.«

»Also gut«, sagte er und stellte seine Tasse auf die Untertasse. »Was man im Wesentlichen tun muss, man muss die Flüssigkeiten aus den Blutgefäßen und der Körperhöhle ablassen, und dabei können Probleme auftreten wie Blutgerinnsel und so weiter, und dann muss man das Notwendige tun, um sie zu umgehen. In den meisten Fällen kann man die Drosselvene benutzen, aber manchmal muss man einen Herzkatheter setzen. Und die Flüssigkeit aus der Körperhöhle lässt man mit einem Ding namens Trokar ab, das ist mehr oder weniger eine lange dünne Nadel an einem biegsamen Schlauch. Aber nach einer Autopsie, wenn die Organe entfernt worden sind, ist es natürlich anders. Man muss Füllmaterial hineintun, um die natürliche Körperform wiederherzustellen ...«

Er behielt sie dabei die ganze Zeit im Auge und fuhr vorsichtig fort. Es ging gut – was sie in sich erwachen spürte, war nur eine kühle und umfassende Neugier.

»Ist es das, was Sie wissen wollten?«

»Ja«, sagte sie fest.

Er sah, dass es gut ging. Er war erleichtert und vielleicht dankbar. Er musste es gewohnt sein, dass die Menschen vor dem, was er tat, zurückschreckten oder darüber Witze rissen.

»Und dann injiziert man die Konservierungsflüssigkeit, eine Lösung aus Formaldehyd und Phenol und Alkohol, und oft mit einem Farbstoff für die Hände und das Gesicht. Alle finden das Gesicht wichtig, und da hat man viel Arbeit mit den Augenlidern und dem Verdrahten der Kiefer. Dazu noch Massage und das Gefummel mit den Wimpern und besonderes Makeup. Aber die Leute legen ebenso viel Wert auf die Hände und wollen sie weich und natürlich und nicht mit eingeschrumpelten Fingerspitzen ...«

»All das haben Sie getan.«

»Schon gut. Es war nicht, was Sie wollten. Wir machen hauptsächlich bloß kosmetische Sachen. Darum geht es heutzutage, mehr als um längerfristige Konservierung. Sogar den alten Lenin, wissen Sie, den mussten sie immer wieder mit Spritzen voll pumpen, damit er nicht austrocknete oder sich verfärbte – ich weiß nicht, ob sie's noch machen.«

Eine Ausweitung oder Entspannung, im Verein mit der Ernsthaftigkeit in seiner Stimme, erinnerte sie an Lewis. Sie musste an den Abend vor dem letzten denken, als Lewis schwach, aber voll Befriedigung von den Einzellern gesprochen hatte – kein Zellkern, keine Chromosomenpaare, keine was sonst noch? –, die für nahezu zwei Drittel der Geschichte des Lebens auf der Erde die einzige Lebensform auf dem gesamten Erdball gewesen waren.

»Also die alten Ägypter«, sagte Ed, »die hatten die Vorstellung, dass die Seele auf eine Reise geht, die dreitausend Jahre dauert, und dann kehrt sie zum Körper zurück, und der Körper soll deshalb in relativ guter Verfassung sein. Ihr Hauptanliegen war also die Konservierung, die wir heute nicht annähernd im gleichen Ausmaß haben.«

Keine Chloroplasten und keine – Mitochondrien.

»Dreitausend Jahre«, sagte sie. »Dann kehrt sie zurück.«

»Nach Meinung der alten Ägypter«, sagte er. Dann stellte er seine leere Tasse hin und bemerkte, dass er langsam nach Hause müsse.

»Ich danke Ihnen«, sagte Nina. Dann, hastig: »Glauben Sie an so etwas wie die Seele?«

Er stand auf und stützte sich mit den Händen auf den Küchentisch. Er seufzte und schüttelte den Kopf und sagte: »Ja.«

Bald nachdem er gegangen war, brachte sie die Asche hinaus und stellte sie auf den Beifahrersitz des Autos. Dann ging sie ins Haus zurück, um ihre Schlüssel und einen Mantel zu holen. Sie fuhr ungefähr eine Meile weit aus der Stadt hinaus zu einer Kreuzung, hielt an und stieg aus und ging mit der Schachtel eine Nebenstraße entlang. Die Nacht war sehr kalt und vollkommen still, der Mond stand schon hoch am Himmel.

Die Straße verlief anfangs durch morastiges Gelände, wo Rohrkolben wuchsen – sie waren jetzt vertrocknet, dünn und winterlich. Es wuchs auch Schwalbenwurz, dessen leere Samenkapseln wie Muscheln glänzten. Alles war unter dem Mond deutlich umrissen. Sie roch Pferde. Ja – da standen zwei ganz in der Nähe, massige schwarze Gestalten hinter den Rohrkolben und dem Zaun des Farmers. Sie rieben ihre großen Körper aneinander und beobachteten sie.

Sie öffnete die Schachtel und steckte die Hand in die abkühlende Asche und warf oder streute sie – mit kleinen, widersetzlichen Teilchen des Körpers – zwischen die Pflanzen am Straßenrand. Dies zu tun war wie das Hineinwaten in den See für das erste eisige Bad im Juni und sich dann ins Wasser stürzen. Anfangs ein Übelkeit erregender Schock, dann Staunen, dass

man sich immer noch bewegte, getragen von einem Strom ei-
serner Hingabe – ruhig an der Oberfläche des eigenen Lebens,
immer noch da, obwohl der Schmerz der Kälte weiterhin in
den Körper drang.

Nesseln

Im Sommer des Jahres 1979 spazierte ich in die Küche des Hauses meiner Freundin Sunny in der Nähe von Uxbridge, Ontario, und sah einen Mann am Küchentisch stehen und sich ein Ketchup-Sandwich machen.

Später bin ich in diesem Hügelland nordöstlich von Toronto mit meinem Mann umhergefahren – mit meinem zweiten Mann, nicht mit dem, den ich in jenem Sommer verließ – und habe nach dem Haus gesucht, vergebens, aber hartnäckig, habe die Straße ausfindig zu machen versucht, in der es stand, aber es ist mir nie gelungen. Wahrscheinlich ist es abgerissen worden. Sunny und ihr Mann verkauften es ein paar Jahre nach meinem Besuch bei ihnen. Für einen bequemen Sommeraufenthalt war es zu weit von Ottawa weg, wo sie wohnten. Und als die Kinder größer wurden, maulten sie, wenn es hieß hinzufahren. Außerdem gab es am Haus für Johnston – Sunnys Mann – ständig etwas zu tun, wohingegen er am Wochenende lieber Golf spielte.

Ich habe den Golfplatz gefunden – ich glaube, es ist der richtige, obwohl die verwilderten Ränder ordentlich hergerichtet worden sind und ein feudaleres Clubhaus dasteht.

In der ländlichen Gegend, wo ich meine Kindheit verbrachte, versiegten im Sommer die Brunnen. Das passierte alle fünf bis sechs Jahre, wenn es zu wenig geregnet hatte. Diese Brunnen waren nichts weiter als in den Boden gegrabene Löcher. Unser Brunnen war ein tieferes Loch als die meisten anderen, aber wir brauchten immer reichlich Wasser für unsere Käfigtiere – mein Vater züchtete Silberfüchse und Nerze –, also rückte eines Tages der Brunnenbauer mit eindrucksvollem Gerät an, und das Loch wurde vertieft, weiter und immer weiter in die Erde hinein, bis er im Gestein Wasser fand. Von da an konnten wir klares, kaltes Wasser hochpumpen, ganz egal, welche Jahreszeit herrschte, und ganz egal, wie trocken die Witterung war. Das war etwas, worauf wir stolz sein konnten. An der Pumpe hing immer ein Blechbecher, und wenn ich an einem glühend heißen Tag daraus trank, dachte ich an schwarzes Gestein mit Wasser, das funkelte wie Diamanten.

Der Brunnenbauer – manchmal wurde er Brunnengräber genannt, als wäre es zu mühsam, genau zu benennen, was er tat, und als wäre die alte Bezeichnung bequemer – war ein Mann namens Mike McCallum. Er wohnte in der Stadt ganz in der Nähe unserer Farm, aber er hatte dort kein Haus. Er wohnte im Hotel Clark – da war er seit dem Frühjahr untergebracht und blieb, solange es in diesem Teil des Landes etwas für ihn zu tun gab. Dann zog er weiter.

Mike McCallum war jünger als mein Vater, aber er hatte einen Sohn, der ein Jahr und zwei Monate älter war als ich. Dieser Junge wohnte mit seinem Vater zusammen in Hotelzimmern oder Pensionen, je nachdem, wo sein Vater gerade arbeitete, und ging auf irgendeine Schule, die gerade zur Verfügung stand. Er hieß ebenfalls Mike McCallum.

Ich weiß genau, wie alt er war, denn das ist etwas, was Kinder sofort klarstellen, als eines der wesentlichen Dinge, um herauszufinden, ob sie Freunde sein können oder nicht. Er war neun, und ich war acht. Er hatte im April Geburtstag, ich im Juni. Die Sommerferien hatten schon angefangen, als er mit seinem Vater bei uns eintraf.

Sein Vater fuhr einen dunkelroten Laster, der immer dreckbespritzt oder staubig war. Mike und ich krabbelten in die Fahrerkabine, wenn es regnete. Ich weiß nicht mehr, ob sein Vater dann in unsere Küche ging, um zu rauchen und eine Tasse Tee zu trinken, oder ob er sich unter einen Baum stellte oder ob er einfach weiterarbeitete. Der Regen lief an den Fenstern des Führerhauses herunter und trommelte auf das Dach wie Steine. Es roch nach Männern – nach Arbeitskleidung und Werkzeug und Tabak und schmutzigen Stiefeln und käsigen Socken. Außerdem nach nassem, langhaarigem Hund, denn wir hatten Ranger mit hineingenommen. Ranger gehörte für mich dazu, und ich war es gewohnt, dass er mir hinterhertrottete, und manchmal befahl ich ihm aus keinem besonderen Grund, zu Hause zu bleiben, in der Scheune zu verschwinden, mich in Ruhe zu lassen. Aber Mike mochte ihn und redete ihn immer freundlich und mit Namen an, erzählte ihm, was wir vorhatten, und wartete auf ihn, wenn er einem seiner Hundeträume nachging und ein Murmeltier oder ein Kaninchen jagte. Bei dem Leben mit seinem Vater kam für Mike ein eigener Hund nicht in Frage.

Eines Tages, als wir mit Ranger unterwegs waren, jagte er ein Stinktier, und das Stinktier drehte sich um und bespritzte ihn. Mike und ich wurden dafür mitverantwortlich gemacht. Meine Mutter musste unterbrechen, was sie gerade tat, in die Stadt fahren und etliche große Dosen Tomatensaft besorgen. Mike überredete Ranger, in die Badewanne zu klettern, und wir übergossen ihn mit Tomatensaft und bürsteten das rote Zeug in sein Fell ein. Er sah aus, als wüschen wir ihn mit Blut. Wie viele Menschen wären erforderlich für so viel Blut, überlegten wir. Wie viele Pferde? Oder Elefanten?

Ich hatte mehr Erfahrung mit Blut und dem Töten von Tieren als Mike. Ich führte ihn zu der Ecke der Viehweide gleich beim Hoftor, wo mein Vater die Pferde erschoss und schlachtete, die an die Füchse und Nerze verfüttert wurden. Der Boden war kahlgetrampelt und schien einen tiefen Blutfleck zu haben, einen rostroten Farbton. Dann führte ich ihn zum Fleischhaus im Hof, wo die Pferdekadaver hingen, bevor sie zu Futter zerkleinert wurden. Das Fleischhaus war nichts als ein Schuppen mit Drahtwänden, und diese Wände waren schwarz von Fliegen, die sich am Aasgestank berauschten. Wir suchten uns Schindeln und quetschten sie tot.

Unsere Farm war klein – dreieinhalb Hektar. Klein genug für mich, um sie bis in alle Winkel zu erkunden, und jeder Winkel hatte sein besonderes Aussehen und seine Eigenart, die ich nicht in Worte hätte fassen können. Es ist leicht erkennbar, was der Drahtschuppen an sich hatte, in dem die langen, bleichen Pferdekadaver an brutalen Haken hingen, oder der zertrampelte, blutgetränkte Boden, wo sie sich von lebendigen Pferden in Fleischvorräte verwandelt hatten. Aber es gab andere Dinge wie zum Beispiel die Steine zu beiden Seiten der Schräge zum Schober, die mir ebenso viel zu sagen hatten, obwohl sich dort nie etwas Denkwürdiges ereignet hatte. Auf der einen Seite lag ein großer, glatter weißlicher Stein, der sich breit machte und alle anderen beherrschte, und so hatte diese Seite für mich etwas Öffentliches, Einladendes, und ich stieg immer auf dieser Seite hoch und nie auf der anderen, wo die Steine dunkler waren und feindseliger zusammenhielten. Jeder Baum hatte ebenfalls etwas ganz Persönliches – die Ulme sah gelassen aus und die Eiche grimmig, die Ahornbäume freundlich und werktäglich, der Weißdorn alt und griesgrämig. Sogar die Gruben in der Flussniederung – wo mein Vater vor Jahren Kies verkauft hatte – besaßen ihren individuellen Charakter, was vielleicht am ehesten zu entdecken war, wenn sie voll Wasser standen wie beim Abfließen des Frühlingshochwassers. Da gab es eine, die war klein und rund und tief und vollkommen; dann die, die sich hinstreckte wie ein Hundeschwanz, und die, deren Form breit und unentschieden war und auf der sich immer kleine Wellen kräuselten, weil das Wasser so flach war.

Mike sah all diese Dinge mit anderen Augen. Und ich ebenfalls, seit er da war. Ich sah sie nicht nur auf meine Weise, sondern auch auf seine, und da meine Weise sich von ihrem ganzen Wesen her nicht mitteilen ließ, blieb sie mein Geheimnis. Seine Weise brachte unmittelbare Vorteile mit sich. Der große, bleiche Stein im Aufgang war zum Herunterspringen da, damit man sich nach kurzem, schnellem Anlauf in die Luft schwingen, über die kleineren Steine im Abhang hinweg, und auf der gestampften Erde neben der Stalltür landen konnte. Alle Bäume waren zum Klettern da, ganz besonders der Ahorn gleich beim Haus, mit dem Ast, auf dem man hinauskrabbeln und sich von da aus aufs Verandadach fallen lassen konnte. Und die Kiesgruben waren einfach dazu da, um hineinzuspringen, mit den Schreien von Tieren, die sich auf ihre Beute stürzen, nach einem rasenden Lauf durchs hohe Gras. Wären wir zeitiger im Jahr dran, sagte Mike, als in den Gruben das Wasser noch höher stand, hätten wir ein Floß bauen können.

Dieses Vorhaben wurde im Hinblick auf den Fluss in Betracht gezogen. Aber der Fluss war im August beinahe eher eine steinige Straße als ein Wasserweg, und statt zu versuchen, darauf zu treiben oder darin zu schwimmen, zogen wir die Schuhe aus und wateten – sprangen von einem kahlen knochenweißen Stein zum anderen und rutschten auf den schleimigen Steinen unter der Oberfläche aus, pflügten durch das Geflecht flachblättriger Seerosen und anderer Wasserpflanzen, deren Namen ich nicht mehr weiß oder nie wusste (Wilder Pastinak, Wasserschierling?). Sie wuchsen so dicht, dass sie aussahen, als müssten sie auf Inseln verwurzelt sein, auf festem Land, aber tatsächlich wuchsen sie aus dem Faulschlamm, und unsere Füße verfingen sich in ihren schlangenartigen Wurzeln.

Dieser Fluss durchquerte auch die Stadt, und wenn wir flussaufwärts liefen, kamen die zwei Bögen der Highway-Brücke in Sicht. Allein oder nur mit Ranger dabei war ich nie bis zur Brücke gegangen, denn da trieben sich meistens Leute aus der

Stadt herum. Sie kamen, um von der Brücke aus zu angeln, und wenn der Fluss genug Wasser führte, kletterten Jungen aufs Geländer und sprangen hinein. Das würden sie jetzt kaum tun, aber es war mehr als wahrscheinlich, dass welche unten bei der Brücke im Wasser planschten – großmäulig und feindselig, wie die Stadtkinder immer waren.

Landstreicher konnten ebenfalls da lungern. Aber davon sagte ich nichts zu Mike, der vor mir herging, als wäre die Brücke ein ganz normales Ziel ohne irgendetwas Bedrohliches oder Verbotenes. Stimmen drangen zu uns, und ganz wie ich erwartet hatte, waren es die Stimmen von Jungen, die herumschrien – als gehörte ihnen die Brücke ganz allein. Ranger war bis dahin ohne Begeisterung mitgekommen, aber jetzt machte er sich davon, hinunter zum Ufer. Er war zu der Zeit schon ein alter Hund, der Kinder nie unterschiedslos gemocht hatte.

Ein Mann saß da und angelte, nicht von der Brücke, sondern vom Ufer aus, und fluchte, weil Ranger das Wasser aufwühlte, als er wieder an Land kam. Der Angler fragte uns, warum wir unseren Scheißköter nicht zu Hause ließen. Mike ging einfach weiter, als hätte der Mann uns nur zugepfiffen, und dann gelangten wir in den Schatten der Brücke, in dem ich noch nie im Leben gewesen war.

Der Boden der Brücke war unser Dach, mit Streifen von Sonnenlicht zwischen den Bohlen. Und jetzt fuhr ein Auto über die Brücke, es klang wie Donnergrollen und löschte das Licht aus. Wir standen für dieses Ereignis still und sahen hoch. Unter-der-Brücke war ein eigener Ort, nicht nur ein kurzes Stück vom Fluss. Als das Auto fort war und die Sonne wieder durch die Spalten schien, bildete die Spiegelung des Wassers oben an den Betonbögen sonderbare Lichtwellen und Lichtblasen. Mike rief etwas, um das Echo auszuprobieren, und ich tat es ihm nach, aber nur leise, denn die Jungen am Ufer, die Fremden auf der anderen Seite der Brücke, jagten mir mehr Angst ein, als Landstreicher es getan hätten.

Ich ging in die Dorfschule nicht weit von unserer Farm. Die Schülerzahlen dort waren so geschrumpft, dass ich in meiner Klasse das einzige Kind war. Aber Mike war seit dem Frühjahr auf die Stadtschule gegangen, und diese Jungen waren für ihn keine Fremden. Er hätte wahrscheinlich mit ihnen gespielt und nicht mit mir, wenn sein Vater sich nicht in den Kopf gesetzt hätte, ihn an seine Arbeitsstellen mitzunehmen, damit er – hin und wieder – ein Auge auf ihn haben konnte.

Es müssen einige Begrüßungsworte gewechselt worden sein, zwischen diesen Stadtjungen und Mike.

He. Was willst du denn hier?

Nichts. Was wollt ihr hier?

Nichts. Wer ist die bei dir?

Niemand. Bloß die.

Bloß die. Öh-öh.

Es war nämlich ein Spiel im Gang, das die Aufmerksamkeit aller in Anspruch nahm und Mädchen mit einschloss – ein Stück weiter waren Mädchen mit Eigenem beschäftigt –, obwohl wir alle aus dem Alter heraus waren, in dem Gruppen von Jungen und Mädchen üblicherweise zusammen spielen. Vielleicht waren sie den Jungen aus der Stadt hinaus nachgegangen – natürlich, ohne es sich anmerken zu lassen –, oder die Jungen waren ihnen nachgekommen, mit irgendeiner Schikane im Sinn, aber als sich alle zusammenfanden, hatte irgendwie dieses Spiel Gestalt angenommen und die Mitwirkung aller erfordert, und so waren die üblichen Schranken gefallen.

Es war ein Kriegsspiel. Die Jungen hatten sich in zwei Armeen geteilt, die gegeneinander kämpften, im Schutz von Barrikaden, die grob aus Ästen und Zweigen errichtet worden waren, und auch im Schutz des rauen, scharfkantigen Grases sowie der Binsen und Wasserpflanzen, die uns überragten. Die Waffen, das waren Kugeln aus Tonerde, Lehmbälle etwa in der Größe von Basebällen. Zufällig war eine geeignete Lehmquelle vorhanden, eine graue, ausgehöhlte, halb von Pflanzen verborgene Grube ein Stückchen die Uferböschung hinauf (ihre Entdeckung mochte zu dem Spiel geführt haben), und an dieser Stelle arbeiteten die Mädchen und stellten die Munition her. Man quetschte und klopfte den klebrigen Lehm zu einer Kugel zusammen, die so hart wie möglich sein musste – es durfte ein bisschen Kies drin sein, auch Bindemittel wie Gras, Blätter und kleine Zweige, an Ort und Stelle aufgesammelt, aber keine absichtlich reingekneteten Steine –, und es waren sehr viele dieser Bälle erforderlich, denn jeder taugte nur für einen Wurf. Es war verboten, die Bälle, die danebengegangen waren, aufzuheben und neu zu formen und noch einmal zu werfen.

Die Regeln des Krieges waren einfach. Wenn man von einem Ball – sie hießen offiziell Kanonenkugeln – ins Gesicht, am Kopf oder Körper getroffen wurde, musste man tot umfallen. Wenn man an den Armen oder Beinen getroffen wurde, musste man hinfallen, aber man war nur verwundet. Dann hatten die Mädchen die Aufgabe, hinzukrabbeln und die verwundeten Soldaten zu einer platt getrampelten Stelle zu schleppen, die als Lazarett diente. Blätter wurden auf ihre Wunden gepflastert, und sie mussten still liegen und bis hundert zählen. Danach durften sie aufstehen und weiterkämpfen. Die toten Soldaten durften nicht aufstehen, bis der Krieg zu Ende war, und der Krieg war erst zu Ende, wenn auf einer Seite alle tot waren.

Die Mädchen hatten sich ebenso wie die Jungen in zwei Parteien geteilt, aber es waren längst nicht so viele Mädchen wie Jungen da, und so konnten wir nicht als Munitionshersteller und Krankenschwestern nur für einen Soldaten fungieren. Es gab jedoch Bündnisse. Jedes Mädchen hatte einen eigenen Stapel Bälle und arbeitete für bestimmte Soldaten, und wenn ein Soldat verwundet hinfiel, dann rief er den Namen dieses Mädchens, damit es ihn so schnell wie möglich wegschleppte und seine Wunden verarztete. Ich stellte Waffen für Mike her, und Mike rief meinen Namen. Es herrschte ein derartiger Lärm – ständig ertönten Schreie »Du bist tot!«, entweder triumphierend oder empört (empört, weil natürlich immer welche, die eigentlich tot waren, versuchten, sich in den Kampf zurückzustehlen), dazu das Gebell eines Hundes, nicht Ranger, der irgendwie ins Schlachtgetümmel geraten war – ein derartiger Lärm, dass alle Mädchen unablässig auf die Stimme des Jungen lauschten, der ihren Namen rief. Wenn der Ruf kam, war man elektrisiert, ein Draht schwirrte durch den ganzen Körper, ein fanatisches Gefühl der Ergebenheit. (Zumindest war es für mich so, die ich im Gegensatz zu den anderen Mädchen in den Diensten nur eines Kriegers stand.)

Ich glaube auch nicht, dass ich je zuvor so in einer Gruppe gespielt hatte. Es war eine helle Freude, Teil einer großen und heldenmütigen Unternehmung zu sein, und darin auserwählt, verpflichtet, einem Kämpfer zur Seite zu stehen. Als Mike verwundet wurde, blieb er mit geschlossenen Augen still und schlaff liegen, während ich die schleimigen großen Blätter auf seine Stirn und seinen Hals drückte und – nachdem ich sein Hemd aus der Hose gezogen hatte – auf seinen blassen, zarten Bauch mit dem lieben und verletzlichen Bauchnabel.

Niemand gewann. Das Spiel zerfiel nach langer Dauer in Streitereien und Massenwiederauferstehungen. Wir versuchten, uns auf dem Heimweg vom Lehm zu befreien, indem wir uns flach ins Flusswasser legten. Unsere Hemden und kurzen Hosen waren verdreckt und klatschnass.

Es war später Nachmittag. Mikes Vater wollte gerade aufbrechen.

»Verdammte Scheiße«, sagte er.

Wir hatten einen Tagelöhner, der kam und meinem Vater half, wenn geschlachtet wurde oder irgendeine Mehrarbeit anfiel. Er hatte ein ältliches, jungenhaftes Gesicht und atmete auf keuchende, asthmatische Art. Er packte mich gern und kitzelte mich, bis ich zu ersticken meinte. Niemand mischte sich dabei ein. Meiner Mutter gefiel das nicht, aber mein Vater sagte ihr, das sei nur Scherz.

Er war im Hof und half Mikes Vater.

»Ihr zwei habt euch im Dreck gewälzt«, sagte er. »Und wisst ihr was, jetzt müsst ihr heiraten.«

Meine Mutter hörte das hinter der Fliegengittertür. (Wenn die Männer gewusst hätten, dass sie da stand, hätten beide nicht so geredet.) Sie kam heraus und sagte etwas zu dem Tagelöhner, mit leiser, vorwurfsvoller Stimme, bevor sie sich zu unserem Aussehen äußerte.

Ich hörte teilweise, was sie sagte.

Wie Bruder und Schwester.

Der Tagelöhner schaute auf seine Stiefel und grinste verlegen.

Sie hatte Unrecht. Der Tagelöhner war der Wahrheit näher gekommen als sie. Wir waren nicht wie Bruder und Schwester, oder nicht wie irgendein Geschwisterpaar, das ich je gesehen hatte. Mein einziger Bruder war noch ein Kleinkind, also hatte ich in der Hinsicht keine eigenen Erfahrungen. Und wir waren nicht wie die Ehepaare, die ich kannte, die vor allem alt waren und in so getrennten Welten lebten, dass die Partner einander kaum wiederzuerkennen schienen. Wir waren wie ein festes und altgewohntes Liebespaar, dessen Bindung nicht viel äußeres Bekunden brauchte. Und für mich wenigstens war das heilig und aufwühlend.

Ich wusste, dass der Tagelöhner von Sex redete, obwohl ich das Wort »Sex« damals wohl noch nicht kannte. Und dafür hasste ich ihn noch mehr als ohnehin schon. Genau genommen hatte er Unrecht. Es ging uns nicht um irgendein Herzeigen und Rubbeln, um ein schuldbeladenes Geheimnis – da war nichts von der ängstlichen Suche nach einem geeigneten Versteck, nichts von der herumspielenden Wonne, dem Unbefriedigtsein und den sofort danach einsetzenden heftigen Schamgefühlen. Solche Szenen hatten für mich mit einem Vetter stattgefunden und mit zwei etwas älteren Mädchen, Schwestern, die auf meine Schule gingen. Ich mochte diese Partner weder vor noch nach dem Ereignis und leugnete wütend ab, sogar vor mir selbst, dass etwas Derartiges stattgefunden hatte. Solche Eskapaden wären niemals mit jemandem in Frage gekommen, dem ich irgend Zuneigung oder Achtung entgegenbrachte – nur mit solchen, die mich anekelten, ebenso, wie ich mich nach diesen lüsternen, widerwärtigen Spielereien selbst anekelte.

In meinen Gefühlen für Mike hatte sich der örtlich begrenzte Dämon in eine diffuse Erregung und Zärtlichkeit verwandelt, die sich überall unter der Haut ausbreitete, ein Genuss der Augen und Ohren und eine kribbelnde Zufriedenheit in der Gegenwart des anderen. Ich wachte jeden Morgen hungrig auf, hungrig auf seinen Anblick, auf das Geräusch des Lasters, mit dem sein Vater auf dem Feldweg angerumpelt kam. Ohne es je zu zeigen, betete ich seinen Nacken und seine Kopfform an, die Wölbung seiner Augenbrauen, seine langen, nackten Zehen und seine schmutzigen Ellbogen, seine laute und selbstbewusste Stimme, seinen Geruch. Ich akzeptierte bereitwillig, sogar mit Hingabe, die Rollen, die nicht erklärt oder zwischen uns ausgehandelt werden mussten – dass ich ihm beistehen und ihn bewundern würde und dass er führen und mich jederzeit beschützen würde.

Und eines Morgens kam der Laster nicht. Eines Morgens war natürlich die Arbeit beendet, der Brunnen abgedeckt, die Pumpe wieder installiert und das frische Wasser bestaunt worden. Zum Mittagessen standen zwei Stühle weniger am Tisch. Der jüngere und der ältere Mike nahmen bis dahin diese Mahlzeit mit uns zusammen ein. Der jüngere Mike und ich, wir redeten dabei nie miteinander und sahen uns kaum an. Er tat sich gern Ketchup aufs Brot. Sein Vater redete mit meinem Vater, und das Gespräch drehte sich meistens um Brunnen, Unfälle und Grundwasserspiegel. Ein ernsthafter Mann. Geht ganz in seiner Arbeit auf, sagte mein Vater. Doch er – Mikes Vater –

beendete nahezu alles, was er sagte, mit einem Lachen. In diesem Lachen klang ein einsames Dröhnen auf, als sei er immer noch unten im Brunnen.

Sie kamen nicht. Die Arbeit war getan, es gab keinen Grund für sie, je wiederzukommen. Und wie sich herausstellte, war das der letzte Auftrag, den der Brunnenbauer in unserem Teil des Landes zu erledigen hatte. Anderswo warteten weitere Aufträge auf ihn, und er wollte so bald wie möglich dorthin, um das anhaltend schöne Wetter auszunutzen. Bei seinem Leben in Hotels konnte er einfach seine Sachen packen und abreisen. Und genau das hatte er getan.

Warum verstand ich nicht, was geschah? Gab es keinen Abschied, kein Bewusstsein, dass Mike, als er an jenem letzten Nachmittag in den Laster kletterte, für immer wegfuhr? Kein Winken, kein zu mir umgewandtes – oder nicht zu mir umgewandtes – Gesicht, als der Laster, jetzt schwer beladen mit dem ganzen Gerät, zum letzten Mal unseren Feldweg hinunterholperte? Als das Wasser herausschoss – ich weiß noch, wie es herausschoss und alle sich versammelten, um davon zu trinken –, warum verstand ich da nicht, wie viel für mich zu Ende gegangen war? Heute frage ich mich, ob es Absicht war, von der Abreise so wenig wie möglich herzumachen, nicht förmlich Abschied zu nehmen, damit ich oder wir nicht allzu unglücklich und aufsässig wurden.

Es mutet wenig wahrscheinlich an, dass zu der Zeit auf die Gefühle von Kindern so viel Rücksicht genommen wurde. Kinder blieben damit sich selbst überlassen, sie zu erleiden oder zu unterdrücken.

Ich wurde nicht aufsässig. Nach dem ersten Schock ließ ich mir nichts anmerken. Der Tagelöhner neckte mich, wann immer er mich sah (»Hat dich dein Liebster sitzen gelassen?«), aber ich würdigte ihn keines Blickes.

Ich muss gewusst haben, dass Mike fortgehen würde. Ebenso wie ich wusste, dass Ranger alt war und bald sterben würde. Zukünftige Abwesenheit nahm ich hin – nur dass ich, bis Mike verschwand, keine Ahnung davon hatte, wie Abwesenheit sein konnte. Wie meine ganze eigene Welt sich verändern würde, als sei ein Erdrutsch darüber hinweggegangen und habe alle Bedeutung mit sich gerissen, nur den Verlust von Mike hinterlassen. Ich konnte den weißen Stein auf der Schräge nie wieder anschauen, ohne an ihn zu denken, und entwickelte daher eine Abneigung gegen den Stein. Ebenso gegen den großen Ast vom Ahorn, und als mein Vater ihn absägte, weil er dem Haus zu nahe kam, übertrug sich meine Abneigung auf die Narbe, die übrig blieb.

Eines Tages, Wochen später, als ich meinen Herbstmantel trug, stand ich an der Tür des Schuhgeschäfts, während meine Mutter Schuhe anprobierte, und hörte eine Frau rufen: »Mike.« Sie rannte am Laden vorbei und rief: »Mike.« Ich war sofort davon überzeugt, dass diese mir unbekannte Frau Mikes Mutter sein musste – wie ich wusste, wenn auch nicht von ihm, hatte sie sich von seinem Vater getrennt und war nicht tot – und dass die Familie aus irgendeinem Grund in die Stadt zurückgekehrt war. Ich überlegte nicht, ob diese Rückkehr nur vorübergehend oder von Dauer sein mochte, mein einziger Gedanke – ich rannte aus dem Geschäft – war, dass ich gleich Mike wiedersehen würde.

Die Frau hatte inzwischen einen etwa fünf Jahre alten Jungen eingeholt, der sich gerade einen Apfel aus einer Kiste genommen hatte, die vor dem Lebensmittelgeschäft nebenan auf dem Bürgersteig stand.

Ich blieb stehen und starrte ungläubig dieses Kind an, als hätte vor meinen Augen eine abscheuliche, eine hundsgemeine Verwandlung stattgefunden.

Ein häufiger Name. Ein blödes Kind mit Mondgesicht und schmutzigem blonden Haar.

Mein Herz klopfte mit schweren Schlägen wie schluchzende Schreie, die sich in meiner Brust ereigneten.

* * *

Sunny holte mich von der Bushaltestelle in Uxbridge ab. Sie war eine grobknochige Frau mit strahlendem Gesicht und silbrig-braunem, lockigen Haar, das zu beiden Seiten von nicht zusammenpassenden Kämmen zurückgehalten wurde. Auch wenn sie zunahm – was sie getan hatte –, sah sie nicht matronenhaft aus, sondern auf majestätische Weise mädchenhaft.

Sie riss mich in ihr Leben hinein, wie sie es immer getan hatte, und erzählte mir, dass sie gefürchtet habe, zu spät zu kommen, denn Claire hatte am Morgen ein Insekt im Ohr und musste ins Krankenhaus, damit es rausgespült wurde, dann kotzte der Hund auf die Küchenschwelle, wahrscheinlich, weil er die Reise und das Haus und das Landleben hasste, und als sie – Sunny – losfahren wollte, um mich abzuholen, zwang Johnston die Jungen, es sauber zu machen, weil sie einen Hund hatten haben wollen, und Claire jammerte, dass in ihrem Ohr immer noch was summte.

»Also was meinst du, wollen wir uns ein nettes, stilles Plätzchen suchen und uns betrinken und nie mehr heimfahren?«, sagte sie. »Aber wir müssen leider. Johnston hat einen Freund eingeladen, dessen Frau mit den Kindern nach Irland gefahren ist, und er will mit ihm los und Golf spielen.«

Sunny und ich waren in Vancouver Freundinnen geworden. Unsere Schwangerschaften hatten gut aneinander gepasst, so dass wir mit einer Garnitur Schwangerschaftskleidung ausgekommen waren. Ungefähr einmal pro Woche stärkten wir uns in meiner Küche oder in ihrer, von unseren Kindern zermürbt und manchmal vor Schlafmangel taumelnd, mit starkem Kaffee und Zigaretten und stürzten uns in eine Redeorgie – über unsere Ehen, unsere Kräche, unsere persönlichen Schwächen, unsere interessanten und schändlichen Motive, unsere früheren ehrgeizigen Pläne. Wir lasen zur selben Zeit Jung und versuchten, unsere Träume zu notieren. In einer Lebensphase, die angeblich eine reproduktive Trance ist, bei der der Verstand der Frau völlig von mütterlichen Säften überschwemmt wird, sahen wir uns trotzdem gezwungen, über Simone de Beauvoir und Arthur Koestler und *Die Cocktailparty* zu diskutieren.

Unsere Ehemänner waren überhaupt nicht in dieser Geistesverfassung. Wenn wir versuchten, mit ihnen über solche Dinge zu reden, sagten sie nur: »Ach, das ist bloß Literatur«, oder: »Du hörst dich an wie der Grundkurs in Philosophie.«

Inzwischen waren wir beide aus Vancouver weggezogen. Aber Sunny war mit Mann und Kindern und Möbeln auf normale Art und aus dem üblichen Grund umgezogen – ihr Mann hatte eine neue Stelle angetreten. Und ich war aus dem neumodischen Grund umgezogen, der große Anerkennung fand, allerdings nur flüchtig und nur in besonderen Kreisen – ich hatte Mann und Haus und alle im Laufe der Ehe erworbenen Dinge (außer natürlich die Kinder, die hin- und hergeschickt werden sollten) verlassen, um zu einem Leben ohne Heuchelei oder Gefühlskälte oder Beschämung zu finden.

Ich wohnte jetzt im ersten Stock eines Hauses in Toronto. Die Leute im Erdgeschoss – denen das Haus gehörte – waren vor zwölf Jahren aus Trinidad gekommen. In der ganzen Straße wimmelte es in den alten Backsteinhäusern mit ihren Veranden und den hohen, schmalen Fenstern, hinter denen früher Methodisten und Presbyterianer mit Namen wie Henderson und Grisham und McAllister gewohnt hatten, von braunhäutigen Menschen, die Englisch auf eine mir fremde Weise sprachen, wenn sie es denn überhaupt sprachen, und die zu allen Tageszeiten die Luft mit den Gerüchen ihrer pikant-süßlichen Küche erfüllten. Ich war glücklich mit all dem – es gab mir das Gefühl, als hätte ich es zu einer echten Veränderung gebracht, nach einer langen und notwendigen Reise fort aus dem Haus der Ehe. Aber es war von meinen Töchtern, die zehn und zwölf Jahre alt waren, zu viel verlangt, das ebenso zu empfinden. Ich hatte Vancouver im Frühjahr verlassen, und sie waren zu Beginn der Sommerferien zu mir gekommen, um plangemäß ganze zwei Monate zu bleiben. Sie fanden die Gerüche der Straße ekelhaft und den Lärm beängstigend. Es war heiß, und sie konnten nicht schlafen, nicht einmal mit dem Ventilator, den ich kaufte. Wir mussten die Fenster auflassen, und die Hinterhoffeste dauerten manchmal bis vier Uhr morgens.

Ausflüge ins Naturwissenschaftszentrum und auf den Fernsehturm, ins Museum oder den Zoo, Lieblingsgerichte in den gekühlten Restaurants der Warenhäuser, eine Bootsfahrt zum Toronto Island konnten für sie die Abwesenheit ihrer Freundinnen nicht wettmachen oder sie mit dem Zerrbild eines Zuhauses, wie ich es ihnen bot, aussöhnen. Sie vermissten ihre Katzen. Sie wollten jede ihr eigenes Zimmer, die Freiheit ihrer gewohnten Nachbarschaft, die zu Hause vertrödelten Tage.

Eine Weile beklagten sie sich nicht. Ich hörte die Ältere zu der Jüngeren sagen: »Lass Mami denken, wir sind glücklich. Sonst ist sie traurig.«

Schließlich eine Explosion. Beschuldigungen, Eingeständnisse des Leidens (sogar Übertreibungen des Leidens, wie ich fand, für mich produziert). Die Jüngere jammerte: »Warum kannst du nicht einfach zu Hause wohnen?«, und die Ältere belehrte sie bitter: »Weil sie Daddy hasst.«

Ich rief meinen Mann an – der mir die nahezu gleiche Frage stellte und von sich aus zur nahezu gleichen Antwort gelangte. Ich buchte die Rückflüge um und half meinen Kindern beim Packen und brachte sie zum Flughafen. Auf dem Weg dorthin spielten wir ein albernes Spiel, das die Ältere angeregt hatte. Man musste sich eine Zahl ausdenken – 27, 42 – und dann aus dem Fenster schauen und die Männer zählen, die man sah, und der 27. oder 42. Mann war dann der, den man heiraten musste. Als ich allein nach Hause kam, sammelte ich alles ein, was an sie erinnerte – ein Bild, das die Jüngere gemalt hatte, eine Glamour-Zeitschrift, die die Ältere gekauft hatte, diverse Schmuck- und Kleidungsstücke, die sie in Toronto tragen konnten, aber nicht zu Hause –, und stopfte es in einen Müllsack. Und jedes Mal, wenn ich an sie dachte, tat ich mehr oder weniger dasselbe – ich schaltete mein Gehirn aus. Es gab Unglück, das ich ertragen konnte – jenes, das mit Männern verbunden war. Und anderes Unglück – jenes, das mit Kindern verbunden war –, das ich nicht ertragen konnte.

Ich kehrte zu dem Leben zurück, das ich geführt hatte, bevor sie kamen. Ich hörte auf, mir Frühstück zu machen, und ging jeden Morgen für Kaffee und frische Brötchen ins italienische Feinkostgeschäft. Der Gedanke, ganz von häuslichen Pflichten befreit zu sein, entzückte mich. Aber was mir jetzt auffiel und vorher nicht aufgefallen war, das war der Gesichtsausdruck einiger der Leute, die jeden Morgen auf den Hockern hinter dem Schaufenster oder an den Tischen auf dem Bürgersteig saßen – Leute, für die das kein berauschender Luxus war, sondern die fade Gewohnheit eines einsamen Lebens.

Wenn ich dann wieder zu Hause war, setzte ich mich hin und schrieb stundenlang an einem Holztisch unter den Fenstern einer ehemaligen Veranda, die jetzt als provisorische Küche diente. Ich hoffte, mich als Schriftstellerin durchzuschlagen. Die Sonne heizte den kleinen Raum bald auf, und meine Beine – ich trug Shorts – klebten am Stuhl. Der eigentümlich süßliche Chemiegeruch meiner Plastiksandalen, die meinen Fußschweiß aufnahmen, stieg mir in die Nase. Ich mochte das – es war der Geruch meiner Emsigkeit und, so hoffte ich, meiner wachsenden Meisterschaft. Was ich schrieb, war keinen Deut besser als das, was ich im alten Leben zustande gebracht hatte, während die Kartoffeln kochten oder die Wäsche in der Waschmaschine rumpelte. Es entstand nur mehr als früher, und es war nicht schlechter – das war alles.

Später am Tag nahm ich ein Bad und traf mich dann in aller

Regel mit der einen oder anderen meiner Freundinnen. Wir tranken Wein an den Tischen auf dem Bürgersteig vor kleinen Restaurants in der Queen Street oder der Baldwin Street oder der Brunswick Street und redeten über unser Leben – hauptsächlich über unsere Liebhaber, aber uns war nicht ganz wohl bei dem Wort »Liebhaber«, also nannten wir sie »die Männer, mit denen wir eine Beziehung haben«. Und manchmal traf ich mich mit dem Mann, mit dem ich eine Beziehung hatte. Er war verbannt worden, als die Kinder bei mir waren, wenngleich ich diese Regel zweimal gebrochen und meine Töchter in einem tiefgekühlten Kino sich selbst überlassen hatte.

Ich hatte diesen Mann kennen gelernt, bevor ich aus meiner Ehe ausbrach, und er war der unmittelbare Grund dafür gewesen, obwohl ich das weder ihm noch anderen gegenüber je zugab. Wenn ich mich mit ihm traf, bemühte ich mich, sorglos zu wirken und Unternehmungsgeist zu zeigen. Wir tauschten Neuigkeiten aus – ich legte es darauf an, immer welche zu haben –, und wir lachten und begaben uns auf Wanderungen durch die Schlucht, aber eigentlich wollte ich ihn nur dazu verführen, mit mir zu schlafen, weil ich überzeugt war, dass in der Hitze der sexuellen Vereinigung das Beste von zwei Menschen miteinander verschmilzt. Ich war sehr dumm in diesen Dingen, in einer Weise, die für eine Frau in meinem Alter besonders gefährlich war. Es gab Zeiten, da war ich nach unseren Begegnungen glücklich – strahlend und sicher –, und es gab andere Zeiten, da lag ich da, von bösen Ahnungen schwer wie ein Stein.

Nachdem er sich fortgemacht hatte, spürte ich oft die Tränen laufen, bevor ich wusste, dass ich weinte. Und das war wegen eines Schattens, den ich in ihm erspäht hatte, oder wegen einer hingeworfenen Bemerkung oder einer versteckten Warnung, die er mir erteilt hatte. Draußen vor den Fenstern begannen, während es dunkelte, die Hinterhoffeste, mit Musik und Geschrei und Provokationen, die sich später zu Schlägereien auswachsen konnten, und ich hatte Angst, nicht vor irgendwelchen Feindseligkeiten, sondern vor einer Art Nichtsein.

In einer dieser Stimmungen rief ich Sunny an und erhielt die Einladung, das Wochenende auf dem Land zu verbringen.

»Es ist schön hier«, sagte ich.

Aber die Landschaft, durch die wir fuhren, sagte mir nichts. Die Hügel waren eine Reihe grüner Beulen, einige mit Kühen drauf. Flache Betonbrücken führten über Bäche voll Wasserpflanzen. Stroh wurde auf neue Weise geerntet, aufgerollt und auf den Feldern gelassen.

»Warte, bis du das Haus siehst«, sagte Sunny. »Eine Bruchbude. In den Wasserrohren war eine tote Maus. Wir hatten immer wieder so Härchen im Badewasser. Das ist jetzt alles beseitigt, aber man weiß nie, was als Nächstes kommt.«

Sie fragte mich nicht – aus Feingefühl oder aus Missfallen? – nach meinem neuen Leben. Vielleicht wusste sie einfach nicht, wie sie anfangen sollte, konnte es sich nicht vorstellen. Ich hätte ihr ohnehin Lügen erzählt oder Halbwahrheiten. *Es war schwer, mit allem zu brechen, aber es musste sein. Die Kinder fehlen mir entsetzlich, aber man muss für alles einen Preis zahlen. Ich lerne, einem Mann seine Freiheit zu lassen und selbst frei zu sein. Ich lerne, das Sexuelle leicht zu nehmen, obwohl es mir schwer fällt, denn ich habe ganz anders angefangen und ich bin nicht mehr jung, aber ich lerne.*

Ein Wochenende, dachte ich. Es kam mir sehr lang vor.

Die Ziegelsteine des Hauses wiesen eine Narbe auf, wo eine Veranda abgerissen worden war. Sunnys Jungen stapften im Hof umher.

»Mark hat den Ball verloren«, rief der ältere – Gregory.

Sunny forderte ihn auf, mir Guten Tag zu sagen.

»Tag. Mark hat den Ball über den Schuppen geworfen, und jetzt finden wir ihn nicht mehr.«

Das drei Jahre alte Mädchen, geboren, nachdem ich Sunny zum letzten Mal gesehen hatte, kam aus der Küchentür gerannt und blieb abrupt stehen, überrascht, eine Fremde zu erblicken. Aber sie erholte sich rasch und erzählte mir: »Da war ein Viech, das ist in meinen Kopf geflogen.«

Sunny nahm sie auf den Arm, und ich nahm meine Reisetasche, und wir gingen in die Küche, wo Mike McCallum sich Ketchup auf eine Scheibe Brot tat.

»Du bist es«, sagten wir fast im gleichen Atemzug. Wir lachten, ich eilte auf ihn zu, und er ging auf mich zu. Wir gaben uns die Hand.

»Ich dachte, es ist dein Vater«, sagte ich.

Ich weiß nicht, ob ich so weit kam, an den Brunnenbauer zu denken. Ich hatte gedacht: Wer ist dieser Mann, der mir so bekannt vorkommt? Ein Mann, der seinen Körper leicht trug, als machte er sich nichts daraus, in Brunnen herumzusteigen. Kurz geschorenes, ergrauendes Haar, tief liegende helle Augen. Ein hageres Gesicht, freundlich, doch ernst. Eine gewohnheitsmäßige, nicht unangenehme Zurückhaltung.

»Kann nicht sein«, sagte er. »Vater ist tot.«

Johnston kam mit den Golftaschen in die Küche und begrüßte mich und bat Mike, sich zu beeilen, und Sunny sagte: »Sie kennen sich, Schatz. Sie kennen sich von früher. Stell dir vor.«

»Als wir noch Kinder waren«, sagte Mike.

Johnston sagte: »Tatsache? Ist ja kurios.« Und wir alle sagten zusammen, was ihm offensichtlich auf den Lippen lag.

»Die Welt ist klein.«

Mike und ich, wir sahen uns immer noch an und lachten – offenbar wollten wir einander zu verstehen geben, dass dieses Wiedersehen, das Sunny und Johnston kurios fanden, für uns ein komisch verwirrender, urplötzlicher Glücksfall war.

Den ganzen Nachmittag über, während die Männer fort waren, trieb mich fröhliche Energie an. Ich buk einen Pfirsichkuchen zum Abendessen und las Claire etwas vor, damit sie in ihren Mittagsschlaf fand, während Sunny mit den Jungen im schlammigen Bach angeln ging, ohne Erfolg. Dann saßen wir beide mit einer Flasche Wein auf dem Fußboden im Wohnzimmer und wurden wieder Freundinnen, redeten über Bücher und nicht über das Leben.

Mike erinnerte sich an ganz andere Dinge als ich. Er erinnerte sich daran, dass wir auf dem schmalen Grat eines alten Betonsockels herumspaziert waren und so getan hatten, als wäre er so hoch wie das höchste Gebäude, und wenn wir stolperten, stürzten wir in den Tod. Ich sagte, das müsse irgendwo anders gewesen sein, dann erinnerte ich mich, dass ein Sockel für eine Tankstelle gegossen worden war, die dann nie gebaut wurde, da, wo unser Feldweg in die Straße mündete. Waren wir darauf herumspaziert?

Ja.

Ich erinnerte mich daran, dass ich unter der Brücke laut rufen wollte, aber vor den Stadtkindern Angst hatte. Er erinnerte sich an keine Brücke.

Wir erinnerten uns beide an die Lehmkanonenkugeln und den Krieg.

Wir wuschen zusammen ab, damit wir uns austauschen konnten, ohne unhöflich zu sein.

Er erzählte mir, wie sein Vater gestorben war. Er hatte sein Leben bei einem Autounfall verloren, auf dem Heimweg von einem Auftrag in der Nähe von Bancroft.

»Leben deine Eltern noch?«

Ich berichtete, dass meine Mutter tot war und dass mein Vater wieder geheiratet hatte.

Irgendwann erzählte ich ihm, dass ich mich von meinem

Mann getrennt hatte und in Toronto wohnte. Ich sagte, dass meine Kinder eine Zeit lang bei mir gewesen waren, aber jetzt mit ihrem Vater Ferien machten.

Er erzählte mir, dass er in Kingston wohnte, aber noch nicht lange. Er hatte Johnston erst vor kurzem durch die Arbeit kennen gelernt. Er war wie Johnston Bauingenieur. Seine Frau war Irin, auch dort geboren, hatte aber in Kanada gearbeitet, als er sie kennen lernte. Sie war Krankenschwester. Zurzeit war sie in Irland, im County Clare, und besuchte ihre Familie. Die Kinder hatte sie mitgenommen.

»Wie viele Kinder?«

»Drei.«

Als wir mit dem Abwasch fertig waren, gingen wir ins Wohnzimmer und boten an, mit den Jungen Scrabble zu spielen, damit Sunny und Johnston einen Spaziergang machen konnten. Ein Spiel – dann war Schlafenszeit. Aber sie überredeten uns, noch eine Runde anzufangen, und wir spielten immer noch, als ihre Eltern zurückkamen.

»Was hab ich dir gesagt?«, sagte Johnston.

»Es ist dasselbe Spiel«, sagte Gregory. »Du hast gesagt, wir können zu Ende spielen, und es ist dasselbe Spiel.«

»Von wegen«, sagte Sunny.

Sie sagte, es sei ein herrlicher Abend, und sie und Johnston würden verwöhnt, von Hausgästen, die sich als Babysitter entpuppten.

»Gestern Abend sind wir sogar ins Kino gegangen, und Mike ist bei den Kindern geblieben. Wir haben einen alten Film gesehen. *Die Brücke über den Kwai.*«

»*Am*«, sagte Johnston. »*Die Brücke am Kwai.*«

Mike sagte: »Den hatte ich sowieso schon gesehen. Vor Jahren.«

»Er war ganz gut«, sagte Sunny. »Bloß mit dem Schluss war ich nicht einverstanden. Ich fand, der Schluss war falsch. Als Alec Guiness den Draht im Wasser sieht, am Morgen, wisst ihr, und ihm klar wird, dass jemand die Brücke in die Luft sprengen will? Und er rastet völlig aus, und dann wird es so kompliziert, und alle müssen dabei draufgehen und so? Also ich finde, er hätte einfach den Draht sehen und begreifen sollen, was passieren wird, und er hätte auf der Brücke bleiben und damit in die Luft fliegen sollen. Ich finde, das hätte seine Figur getan, und es wäre dramatisch wirkungsvoller gewesen.«

»Nein, wäre es nicht«, sagte Johnston im Tone von jemandem, der diese Diskussion schon einmal geführt hatte. »Wo bleibt die Spannung?«

»Ich bin Sunnys Meinung«, sagte ich. »Ich erinnere mich, dass ich den Schluss zu kompliziert fand.«

»Mike?«, fragte Johnston.

»Ich fand es ganz gut«, sagte Mike. »So, wie es war.«

»Die Männer gegen die Frauen«, sagte Johnston. »Die Männer gewinnen.«

Dann befahl er den Jungen, das Scrabblespiel einzupacken, und sie gehorchten. Aber Gregory kam auf die Idee, die Sterne sehen zu wollen. »Das hier ist der einzige Ort, wo wir sie sehen können«, sagte er. »Zu Hause ist viel zu viel Licht und Scheiß.«

»Es setzt gleich was«, sagte sein Vater. Aber dann lenkte er ein: Also gut, fünf Minuten, und wir gingen alle hinaus und betrachteten den Himmel. Wir suchten das Reiterlein, gleich neben dem zweiten Stern in der Deichsel des Großen Wagens. Wenn man das sehen konnte, sagte Johnston, dann hatte man so gute Augen, dass man von der Air Force genommen wurde, wenigstens damals im Zweiten Weltkrieg.

Sunny sagte: »Also ich kann es sehen, aber schließlich wusste ich vorher, dass es da ist.«

Mike sagte, ihm gehe es genauso.

»Ich konnte es sehen«, sagte Gregory verächtlich. »Ich konnte es sehen, egal, ob ich wusste, dass es da ist oder nicht.«

»Ich konnte es auch sehen«, sagte Mark.

Mike stand schräg vor mir, eigentlich näher bei Sunny als bei mir. Niemand war hinter uns, und ich wollte ihn gern streifen – seinen Arm oder seine Schulter, nur leicht und wie zufällig. Wenn er daraufhin nicht auswich – aus Höflichkeit, weil er meine Berührung für einen echten Zufall hielt? –, wollte ich ihm den Finger auf den bloßen Nacken legen. Hätte er das auch getan, wenn er hinter mir gestanden hätte? Hätte er sich auch darauf konzentriert statt auf die Sterne?

Ich hatte jedoch das Gefühl, dass er ein gewissenhafter Mann war und sich zurückhalten würde.

Und aus diesem Grund würde er in der Nacht bestimmt nicht in mein Bett kommen. Es war ohnehin so gut wie unmöglich, weil zu riskant. Oben waren drei Schlafzimmer – das Gästezimmer und das Elternschlafzimmer, die beide von einem größeren Zimmer abgingen, in dem die Kinder schliefen. Jeder, der in die kleineren Schlafzimmer wollte, musste durch das Kinderzimmer. Mike, der vorige Nacht im Gästezimmer geschlafen hatte, war nach unten verlegt worden, auf die Klappcouch im Wohnzimmer. Sunny hatte ihm frische Bettwäsche gegeben, statt das Bett, das er für mich frei machte, neu zu beziehen.

»Er ist sehr reinlich«, sagte sie. »Und schließlich ist er ein alter Freund.«

In derselben Bettwäsche zu liegen trug nicht zu meiner Nachtruhe bei. In meinen Träumen, wenn auch nicht in Wirklichkeit, roch sie nach Wasserpflanzen, Flussschlamm und Schilf in heißem Sonnenlicht.

Ich wusste, dass er nicht zu mir kommen würde, ganz gleichgültig, wie gering das Risiko war. Es wäre übel, das im Haus von Freunden zu tun, die – falls sie es nicht schon waren – auch die Freunde seiner Frau werden würden. Und wie konnte er sicher sein, dass ich das wollte? Oder dass er das wirklich wollte? Selbst ich war mir nicht sicher. Bis dahin hatte ich mich immer für eine Frau halten dürfen, die dem Menschen, mit dem sie gerade schlief, treu blieb.

Mein Schlaf war unruhig, meine Träume allesamt lustbestimmt, mit störenden und unangenehmen Nebenhandlungen. Manchmal war Mike einverstanden, traf aber auf Hindernisse. Manchmal wurde er abgelenkt, so, als er sagte, dass er mir ein Geschenk mitgebracht, es aber verlegt habe, und ihm ungeheuer wichtig sei, es zu finden. Ich sagte, lass doch, das Geschenk interessiert mich nicht, denn du selbst bist mein Geschenk, der Mensch, den ich liebe und immer geliebt habe, doch, das sagte ich. Aber er war beschäftigt. Und manchmal machte er mir Vorwürfe.

Die ganze Nacht lang – oder zumindest immer, wenn ich wach wurde, und ich wurde oft wach – zirpten draußen vor dem Fenster die Grillen. Anfangs hielt ich sie für Vögel, einen Chor unermüdlicher Nachtvögel. Ich lebte schon so lange in Großstädten, dass ich vergessen hatte, was für einen wahren Wasserfall aus Lärm Grillen erzeugen können.

Es muss auch gesagt werden, dass mir manchmal, wenn ich wach wurde, alle Felle fortschwammen. Unwillkommene Hellsichtigkeit. Was weißt du überhaupt von diesem Mann? Oder er von dir? Welche Musik hört er gern? Welche politischen Ansichten vertritt er? Welche Erwartungen hat er an Frauen?

»Habt ihr beiden gut geschlafen?«, fragte Sunny.

Mike sagte: »Wie ein Stein.«

Ich sagte: »Doch. Prima.«

Alle waren an dem Morgen im Haus eines Nachbarn, der einen Swimmingpool hatte, zum Brunch eingeladen. Mike sagte, dass er eigentlich ganz gern eine Runde Golf spielen würde, wenn das allen recht sei.

Sunny sagte: »Sicher«, und sah mich an. Ich sagte: »Also ich weiß nicht, ob ich …«, und Mike sagte: »Du spielst nicht Golf, oder?«

»Nein.«

»Trotzdem. Du könntest als mein Caddie mitkommen.«

»Ich komme als dein Caddie mit«, sagte Gregory. Er war bereit, sich jeder unserer Unternehmungen anzuschließen, denn er war überzeugt, wir würden großzügiger und unterhaltsamer sein als seine Eltern.

Sunny sagte nein. »Du kommst mit uns mit. Willst du denn nicht in den Pool?«

»Alle Kinder pinkeln in den Pool. Ich hoffe, du weißt das.«

Johnston hatte uns vor unserem Aufbruch gewarnt, dass Regen angekündigt sei. Mike hatte erwidert, wir würden es darauf ankommen lassen. Mir gefiel, dass er »wir« sagte, und es gefiel mir, neben ihm im Auto zu sitzen, auf dem Platz der Ehefrau. Die Vorstellung von uns als einem Paar erfüllte mich mit Freude – einer Freude, so unbeschwert wie die eines jungen Mädchens. Der Gedanke, Ehefrau zu sein, betörte mich, als sei ich nie eine gewesen. Mit dem Mann, der zurzeit mein Liebhaber war, passierte mir das nie. Hätte ich mich mit dem Mann meines Herzens einleben und die Teile von mir, die nicht passten, irgendwie loswerden und glücklich sein können?

Aber jetzt, da wir allein waren, herrschte ein wenig Befangenheit.

»Ist die Landschaft hier nicht schön?«, sagte ich. Und heute meinte ich es auch. Die Hügel sahen unter dem wolkigen weißen Himmel weicher aus als gestern im gleißenden Sonnenlicht. Die Bäume hatten am Ende des Sommers zerzaustes Laub, viele Blätter rosteten an den Kanten, und manche hatten sich schon braun oder rot verfärbt. Ich erkannte inzwischen einige Bäume am Laub. Ich sagte: »Eichen.«

»Der Boden hier ist sandig«, sagte Mike. »In der ganzen Gegend – die Leute nennen sie die Eichenberge.«

Ich sagte, dass Irland wohl sehr schön sei.

»Teilweise völlig kahl. Kahler Felsen.«

»Ist deine Frau da aufgewachsen? Redet sie mit dieser entzückenden Aussprache?«

»Du würdest meinen, ja, wenn du sie hörtest. Aber wenn sie dahin zurückfährt, sagen ihr alle, sie hat sie verloren. Sie behaupten, sie hört sich wie eine Amerikanerin an. Amerikanerin sagen sie immer – Kanada kümmert sie nicht weiter.«

»Und deine Kinder – die hören sich wahrscheinlich gar nicht irisch an?«

»Nein.«

»Was sind es überhaupt – Jungen oder Mädchen?«

»Zwei Jungen und ein Mädchen.«

Ich verspürte einen Drang, von den Widersprüchen, den Kümmernissen und Zwangslagen meines Lebens zu reden. Ich sagte: »Meine Kinder fehlen mir.«

Aber er sagte nichts. Kein Wort des Mitleids oder der Ermutigung. Vielleicht fand er es ungehörig, unter diesen Umständen über unsere Partner oder unsere Kinder zu reden.

Bald danach fuhren wir auf den Parkplatz neben dem Clubhaus, und ganz ausgelassen, als wollte er seine Förmlichkeit wettmachen, sagte er: »Sieht so aus, als seien die Sonntagsgolfer aus Angst vor dem Regen zu Hause geblieben.« Auf dem Parkplatz stand nur ein Auto.

Er stieg aus und ging ins Büro, um die Gastgebühr zu bezahlen.

Ich war noch nie auf einem Golfplatz gewesen. Ich hatte das Spiel im Fernsehen gesehen, ein- oder zweimal und niemals freiwillig, und ich hatte mitbekommen, dass einige der Schläger Eisen genannt wurden oder einige der Eisen Schläger und dass einer Niblick genannt wurde und dass Golfer den Platz die Bahnen nannten. Als ich ihm das erzählte, sagte Mike: »Vielleicht wirst du dich fürchterlich langweilen.«

»Wenn ja, geh ich einfach spazieren.«

Das schien ihm zu gefallen. Er legte das Gewicht seiner warmen Hand auf meine Schulter und sagte: »Das sähe dir ähnlich.«

Meine Unkenntnis spielte keine Rolle – natürlich brauchte ich nicht tatsächlich als Caddie zu fungieren –, und ich langweilte mich nicht. Alles, was ich zu tun hatte, war, ihm zu folgen und ihm zuzuschauen. Und ich brauchte ihm nicht einmal zuzuschauen. Ich hätte mir die Bäume am Rand des Platzes anschauen können – es waren hohe Bäume mit federigem Laub und schlanken Stämmen, deren Namen ich nicht genau wusste – Akazien? –, und sie wurden hin und wieder von Winden gezaust, die wir da unten überhaupt nicht spürten. Es gab auch Vogelschwärme, Amseln oder Stare, die mit einem gemeinschaftlichen Gefühl der Dringlichkeit umherflogen, aber nur von einem Wipfel zum anderen. Mir fiel wieder ein, dass Vögel das taten; im August oder schon Ende Juli begannen sie, sich zu lärmenden Massenversammlungen zusammenzufinden und sich auf die Reise nach Süden vorzubereiten.

Mike sagte hin und wieder etwas, aber eigentlich nicht zu mir. Ich brauchte nicht zu antworten, und ich hätte es auch gar nicht gekonnt. Ich fand jedoch, er sagte mehr, als es ein Mann getan hätte, der ganz allein spielte. Seine unzusammenhängenden Worte waren Vorwürfe oder vorsichtige Glückwünsche an sich selbst, oder es waren überhaupt keine richtigen Wörter – nur die Geräusche, die etwas mitteilen sollen und die in der langen Vertrautheit eines in willentlicher Zweisamkeit verbrachten Lebens auch tatsächlich etwas mitteilen.

Das sollte ich also tun – ihm eine verstärkte, erweiterte Wahrnehmung von sich selbst geben. Eine behaglichere Wahrnehmung, könnte man sagen, ein beruhigendes Gefühl menschlicher Polsterung um seine Einsamkeit. Er hätte das nicht ganz in dieser Weise erwartet oder ganz so selbstverständlich und ungezwungen eingefordert, wenn ich ein Mann gewesen wäre. Oder wenn ich eine Frau gewesen wäre, der er sich nicht in bestimmter Form verbunden fühlte.

Ich dachte diesen Gedanken nicht zu Ende. Er ging ganz in dem Wohlgefühl auf, das mich überkam, während wir unseren

Weg nahmen. Die Wollust, die mich in der Nacht mit stechenden Schmerzen heimgesucht hatte, war bezähmt und auf eine ruhig brennende Zündflamme zusammengestutzt, ehelich zugewandt. Ich sah zu, wie er sich aufstellte und auswählte und grübelte und blinzelte und ausholte, und ich folgte dem Flug des Balls, den ich immer glorios fand, er dagegen meistens problematisch, zum Ort unserer nächsten Herausforderung, unserer unmittelbaren Zukunft.

Auf dem Weg dahin sagten wir kaum etwas. Wird's regnen? Hast du einen Tropfen abbekommen? Ich glaub, ich hab einen abbekommen. Aber vielleicht auch nicht. Es war nicht das übliche Gespräch über das Wetter – es hing ganz mit dem Spiel zusammen. Würden wir die achtzehn Löcher schaffen oder nicht?

Wie sich herausstellte, schafften wir sie nicht. Ein Regentropfen fiel, ganz unzweifelhaft ein Regentropfen, dann noch einer, dann ein leichter Schauer. Mike schaute über den Platz, dorthin, wo die Wolken die Farbe gewechselt hatten und nicht mehr weiß, sondern dunkelblau waren, und sagte ohne besondere Besorgnis oder Enttäuschung: »Da kommt unser Unwetter.« Er packte methodisch die Schläger ein.

Wir waren zu dem Zeitpunkt so weit fort vom Clubhaus, wie es nur ging. Die Vögel verstärkten ihren Tumult und kreisten aufgeregt, unentschlossen. Die Baumwipfel schwankten, und wir vernahmen ein Geräusch – es schien über uns zu sein –, als krachte eine Sturzwelle voller Steine auf den Strand. Mike sagte: »Na, dann. Am besten da rein«, und er nahm meine Hand und hastete mit mir über den Rasen zu den Sträuchern und dem hohen Unkraut, das zwischen dem Golfplatz und dem Fluss wuchs.

Die Sträucher direkt am Rand des Rasens hatten dunkle Blätter und ein beinahe förmliches Aussehen wie eine dort angepflanzte Hecke. Aber sie waren wild gewachsenes Gebüsch. Außerdem sahen sie undurchdringlich aus, aber von nahem waren kleine Lücken zu erkennen, schmale Pfade, die Tiere oder nach Golfbällen suchende Menschen hinterlassen hatten. Der Boden war leicht abschüssig, und sobald man sich durch die unregelmäßige Mauer der Sträucher gekämpft hatte, sah man ein Stückchen vom Fluss – dem Fluss, der die Ursache für das Schild am Tor, für den Namen am Clubhaus war. Riverside Golf Club. Das Wasser war stahlgrau und strömte in langen Wogen, brach nicht in kurze, kleine Wellen auf, wie es das Wasser eines Teichs getan hätte, in diesem Ansturm des Unwetters. Zwischen uns und dem Ufer lag eine Wiese mit Wildpflanzen, die offenbar alle in Blüte standen. Goldrute, Springkraut mit seinen roten und gelben Glöckchen, dann das, was ich mit seinen rosa-violetten Blütentrauben für Taubnesseln hielt, und wilde Astern. Auch wilder Wein, der alles, was er finden konnte, ergriff und einwickelte und unseren Füßen Fallen stellte. Der Boden war weich, nicht sehr lehmig, selbst die dünnstieligsten, zartesten Pflanzen waren fast mannshoch gewachsen oder überragten uns sogar. Wenn wir stehen blieben und durch sie aufblickten, sahen wir, dass die Bäume gar nicht weit von uns umhergeschleudert wurden wie Blumensträuße. Und wir sahen etwas kommen, aus der Richtung der mitternächtigen Wolken. Es war der richtige Regen, der hinter dem Getröpfel auf uns zukam, aber er schien wesentlich mehr als nur Regen zu sein. Es war, als hätte ein großer Teil des Himmels sich abgelöst und stürzte nun geschäftig und energisch in nicht ganz erkennbarer, aber belebter Gestalt herunter. Regenvorhänge – nicht Schleier, sondern dichte und heftig flatternde Vorhänge – wurden davon vorangetrieben. Wir konnten sie deutlich sehen, während wir immer noch nichts weiter spürten als diese sanften, trägen Tropfen. Es war fast, als blickten wir durch ein Fenster und glaubten nicht ganz, dass das Fenster bald zersplittern würde, bis es geschah und der Sturmwind uns mit voller Wucht traf und meine Haare erfasste und rings um meinen Kopf hochblies. Ich hatte das Gefühl, gleich würde das meiner Haut auch so ergehen.

Ich versuchte mich umzudrehen – anders als vorher hatte ich den Drang, von den Sträuchern fort und zum Clubhaus zu rennen. Aber ich konnte mich nicht bewegen. Es war schwer genug, sich auf den Beinen zu halten – draußen im Freien hätte der Wind uns sofort umgeweht.

Vorgebeugt, mit dem Kopf voran durch die Pflanzen und gegen den Wind kam Mike um mich herum und hielt die ganze Zeit meinen Arm fest. Dann stand er mir gegenüber, sein Körper zwischen mir und dem Orkan. Doch das half nicht mehr, als ein Zahnstocher geholfen hätte. Er sagte etwas, mir direkt ins Gesicht, aber ich konnte ihn nicht hören. Er brüllte, aber mich erreichte von ihm kein Laut. Er hatte jetzt auch meinen anderen Arm ergriffen, verlagerte seinen Griff und hielt mich bei den Handgelenken fest. Er zog mich hinunter – wir taumelten beide, sobald wir versuchten, unsere Stellung zu verändern –, bis wir am Boden kauerten. So dicht beieinander, dass wir uns nicht ansehen konnten – wir konnten nur hinunterschauen, auf die kleinen Wasserläufe, die bereits die Erde um unsere Füße aufbrachen, und auf die zertretenen Pflanzen und unsere durchweichten Schuhe. Und sogar das sahen wir nur durch den Wasserfall, der jedem übers Gesicht lief.

Mike ließ meine Handgelenke los und packte meine Schultern. Sein Griff drückte immer noch eher Zurückhaltung als Trost aus.

Wir blieben so, bis das Unwetter nachließ. Das konnte nicht mehr als fünf Minuten gedauert haben, vielleicht nur zwei oder drei. Es regnete immer noch, aber jetzt war es normaler starker Regen. Er nahm die Hände fort, und wir standen zittrig auf. Unsere Sachen klebten uns am Leib. Meine Haare hingen mir in langen Strähnen ins Gesicht, und seine Haare lagen in kurzen dunklen Stummeln auf seiner Stirn. Wir versuchten zu lächeln, konnten aber kaum die Kraft dazu aufbringen. Dann küssten wir uns und umarmten uns kurz. Es war eher ein Ritual anlässlich unseres Überlebens als ein Bedürfnis unserer Körper.

Unsere Lippen glitten aneinander, glatt und kühl, und vom Druck der Umarmung fröstelten wir, denn unsere Kleidung troff von kaltem Wasser.

Von Minute zu Minute ließ der Regen nach. Wir bahnten uns ein wenig unsicher einen Weg durch das umgeknickte Unkraut, dann zwischen den dichten, triefenden Sträuchern hindurch. Überall waren mächtige Äste auf den Golfplatz geschleudert worden. Erst später kam mir der Gedanke, dass uns jeder davon hätte erschlagen können.

Wir liefen über den Rasen, machten Umwege um die großen der abgerissenen Äste. Der Regen hatte fast aufgehört, und es hatte sich aufgehellt. Ich ging mit gesenktem Kopf – damit das Wasser in meinen Haaren zu Boden tropfte und mir nicht übers Gesicht lief –, und ich spürte die Wärme der Sonne auf den Schultern, ehe ich zu ihrem festlichen Licht aufsah.

Ich blieb stehen, atmete tief durch und schwang die Haare aus dem Gesicht. Jetzt war es an der Zeit für uns, durchnässt und in Sicherheit und von strahlendem Glanz umgeben. Jetzt musste etwas gesagt werden.

»Da ist was, das du noch nicht weißt.«

Seine Stimme überraschte mich, wie die Sonne. Aber ganz anders. Es lag eine Schwere darin, eine Warnung – Entschlossenheit mit einem Anflug von Entschuldigung.

»Über unseren jüngsten Sohn«, sagte er. »Unser jüngster Sohn ist im vorigen Sommer ums Leben gekommen.«

O nein.

»Er ist überfahren worden«, sagte er. »Ich war es, der ihn überfahren hat. Beim Zurücksetzen in der Ausfahrt.«

Ich blieb wieder stehen. Er auch. Wir sahen beide vor uns hin.

»Er hieß Brian. Er war drei Jahre alt.

Das kam, weil ich dachte, er liegt oben im Bett. Die anderen waren noch auf, aber er war zu Bett gebracht worden. Dann muss er wieder aufgestanden sein.

Trotzdem hätte ich hinsehen müssen. Ich hätte sorgfältiger hinsehen müssen.«

Ich dachte an den Augenblick, als er aus dem Auto stieg. Das Geräusch, das entstanden sein musste. Der Augenblick, als die Mutter des Kindes aus dem Haus gerannt kam. *Das ist er nicht, er ist nicht hier, es ist nicht passiert.*

Oben im Bett.

Er ging wieder weiter, auf den Parkplatz zu. Ich ging ein Stückchen hinter ihm. Und ich sagte nichts – kein einziges freundliches, normales, hilfloses Wort. Wir waren darüber hinaus.

Er sagte nicht: Es war meine Schuld, und ich werde nie darüber hinwegkommen. Ich werde mir das nie verzeihen. Aber ich versuche damit umzugehen, so gut ich kann.

Oder: Meine Frau verzeiht mir, aber sie wird auch nie darüber hinwegkommen.

Ich wusste das alles. Ich wusste jetzt, dass er ein Mensch war, der durch die Hölle gegangen war. Ein Mensch, der genau wusste – wie ich es nicht wusste, nicht einmal annähernd –, wie es in der Hölle aussah. Er und seine Frau wussten das gemeinsam, und es schmiedete sie zusammen, wie so etwas zwei Menschen entweder auseinander bringt oder fürs Leben zusammenschmiedet. Nicht, dass sie in der Hölle lebten. Aber sie teilten ein Wissen davon – von jenem kalten, leeren, abgeschlossenen und zentralen Ort.

Das kann jedem passieren.

Ja. Aber so kommt es einem nicht vor. Es kommt einem vor, als passiere es mal diesem, mal jenem, der mal da, mal dort dazu bestimmt worden ist, jeweils ein Einzelfall.

Ich sagte: »Das ist ungerecht.« Ich meinte das Austeilen dieser sinnlosen Strafen, dieser bösen und zerstörenden Schicksalsschläge. In gewisser Weise vielleicht noch schlimmer, als wenn sie inmitten von allgemeinem Leid passieren, in Kriegen oder Naturkatastrophen. Am allerschlimmsten, wenn es denjenigen gibt, dessen Tat, wahrscheinlich eine uncharakteristische Tat, einzig und auf Dauer dafür verantwortlich ist.

Das meinte ich. Aber mir war auch im Sinn: *Das ist ungerecht. Was hat das mit uns zu tun?*

Ein Protest, so plump, dass er fast unschuldig anmutet, wenn er aus dem Innersten eines verwundeten Ichs kommt. Der unschuldig anmutet, wenn er von einem selbst kommt und nicht laut geworden ist.

»Na ja«, sagte er ganz sanft. Mit Gerechtigkeit hatte das nichts zu tun.

»Sunny und Johnston wissen nichts davon«, sagte er. »Niemand von denen, die wir seit unserem Umzug kennen gelernt haben. Das schien uns der bessere Weg zu sein. Sogar die Kinder – sie erwähnen ihn kaum je. Erwähnen seinen Namen nie.«

Ich gehörte nicht zu denen, die sie erst seit ihrem Umzug kennen gelernt hatten. Nicht zu denen, in deren Mitte sie ihr neues schweres, normales Leben führen würden. Ich war jemand, der davon wusste – das war alles. Jemand, den nur er kannte.

»Merkwürdig«, sagte er und sah sich um, bevor er den Kofferraum des Wagens öffnete, um seine Golfsachen zu verstauen.

»Was ist aus dem Mann geworden, der vorhin hier geparkt hat? Hast du nicht auch ein anderes Auto hier stehen sehen, als wir ankamen? Aber auf dem Platz habe ich niemand sonst gesehen. Wenn ich's jetzt bedenke. Oder du?«

Ich verneinte.

»Mysteriös«, sagte er. Und wieder: »Na ja.«

Das war ein Wort, das ich als Kind im selben Tonfall recht häufig gehört hatte. Eine Brücke zwischen einem Thema und einem anderen oder ein Abschluss oder eine Art, etwas zu sagen, das nicht ausführlicher gesagt oder gedacht werden konnte.

»Eine Naja ist eine Brillenschlange.« Das war die scherzhafte Antwort.

★ ★ ★

Das Unwetter hatte der Swimmingpool-Party ein Ende bereitet. Es waren zu viele da gewesen, als dass sich alle ins Haus retten konnten, und diejenigen mit Kindern waren in der Mehrzahl nach Hause gegangen.

Während Mike und ich zurückfuhren, verspürten wir beide ein Kribbeln, ein Jucken oder Brennen an den bloßen Unterarmen, den Handrücken und um die Fußgelenke. Stellen, die nicht von unserer Kleidung geschützt waren, als wir im Unkraut hockten. Mir fielen wieder die Nesseln ein.

Als wir dann in trockenen Sachen in Sunnys rustikaler Küche saßen, erzählten wir von unserem Abenteuer und zeigten unseren Hautausschlag her.

Sunny wusste, was zu tun war. Die gestrige Fahrt mit Claire zur Notaufnahme des örtlichen Krankenhauses war nicht der erste Familienbesuch dort gewesen. An einem früheren Wochenende waren die Jungen zu der verwilderten, lehmigen Wiese hinter der Scheune hinuntergegangen und übersät mit Quaddeln und roten Flecken zurückgekommen. Der Arzt sagte, sie mussten in Nesseln geraten sein. Sich darin gesuhlt haben, so drückte er sich aus. Er verordnete kalte Umschläge, ein Einreibemittel mit Antihistaminen und Tabletten. In der Flasche mit dem Einreibemittel war noch etwas drin, und es gab auch noch die Tabletten, denn Mark und Gregory hatten sich schnell erholt.

Die Tabletten lehnten wir ab – unser Fall schien nicht schwer genug.

Sunny sagte, sie habe mal mit der Frau am Highway geredet, die sie beim Tanken bediente, und die habe gesagt, es gebe eine Pflanze, deren Blätter, zu Brei zerrieben, seien das beste Mittel gegen Nesselausschlag. Die Tabletten und all das Zeug brauchen Sie gar nicht, so die Frau. Der Name der Pflanze hatte irgendwas mit Hufen zu tun. Hufblatt? Die Frau hatte ihr gesagt, die Pflanze sei an einem bestimmten Straßengraben bei einer Brücke zu finden.

Sunny wollte unbedingt danach suchen, ihr gefiel die Idee eines volkstümlichen Heilmittels. Wir mussten darauf hinweisen, dass schon das Einreibemittel vorhanden und bezahlt war.

Sunny genoss es, uns zu verarzten. Unser Missgeschick versetzte sogar die ganze Familie in gute Laune, rettete sie aus dem Trübsinn einer ins Wasser gefallenen Tagesplanung. Die Tatsache, dass wir uns entschieden hatten, gemeinsam etwas zu unternehmen, und dann in dieses Abenteuer geraten waren – ein Abenteuer, das bei uns seine Spuren hinterlassen hatte –, versetzte Sunny und Johnston offenbar in spottlustige Erregung. Vieldeutige Blicke von ihm, fröhliche Fürsorge von ihr. Wenn wir Spuren einer richtigen Missetat heimgebracht hätten – Quaddeln am Po, rote Flecken an Hüften und Bauch –, wären sie natürlich nicht so begeistert und fürsorglich gewesen.

Die Kinder fanden es komisch, wie wir dasaßen, die Füße in Waschschüsseln, die Arme und Hände dick verpackt. Besonders Claire entzückte der Anblick unserer nackten, lächerlichen Erwachsenenfüße. Mike wackelte für sie mit seinen langen Zehen, was bei ihr ängstliche Kicheranfälle auslöste.

Na ja. Es war nun einmal so und würde immer so bleiben, egal, ob wir uns je wieder begegneten oder nicht. Liebe, für die es keine Verwendung gab, die sich bescheiden musste. (Manche würden sagen, keine wahrhafte, weil sie nie riskieren würde, sich den Hals zu brechen oder zu einem schlechten Witz zu werden oder sich traurig abzunutzen.) Die nichts riskierte, jedoch als süßes Rinnsal, als untergründiger Quell am Leben blieb. Mit der Last dieser neuen Verschwiegenheit darauf, diesem Siegel.

Ich fragte Sunny nie nach ihm, und sie erwähnte ihn auch nie, in all den Jahren unserer schwindenden Freundschaft.

* * *

Die Pflanzen mit den großen rosa-violetten Blüten gehören nicht zu den Nesseln. Ich habe herausgefunden, dass sie Wasserdost heißen. Die Brennnesseln, in die wir geraten sein müssen, sind wesentlich unscheinbarer, haben hellere Blüten und Stängel, die böse mit feinen, angriffslustigen, hautdurchdringenden, giftigen Stachelhärchen ausgerüstet sind. Bestimmt wuchsen sie auch da, unbemerkt in all dem Wuchern der brachliegenden Wiese.

Pfosten und Bohlen

Lionel erzählte ihnen, wie seine Mutter gestorben war.

Sie hatte nach ihrem Make-up verlangt. Lionel hielt den Spiegel.

»Es wird etwa eine Stunde dauern«, sagte sie.

Grundierung, Gesichtspuder, Augenbrauenstift, Wimperntusche, Konturenstift, Lippenstift, Rouge. Sie war langsam und zittrig, aber sie machte ihre Sache gar nicht so schlecht.

»Es hat keine Stunde gedauert«, sagte Lionel.

Sie sagte, nein, das habe sie nicht gemeint.

Sie hatte das Sterben gemeint.

Er fragte, ob er seinen Vater rufen solle. Seinen Vater, ihren Mann, ihren Geistlichen.

Sie gab zurück: Wozu.

In ihrer Voraussage hatte sie sich nur um etwa fünf Minuten vertan.

Sie saßen hinter dem Haus – Lornas und Brendans Haus – auf einer kleinen Terrasse, von der man Sicht auf die Burrardbucht und die Lichter von Point Grey hatte. Brendan stand auf, um den Rasensprenger zu versetzen.

Lorna hatte Lionels Mutter erst vor ein paar Monaten kennen gelernt. Eine hübsche kleine weißhaarige Frau mit unverwüstlichem Charme, die aus einer Stadt in den Rocky Mountains nach Vancouver heruntergekommen war, um die Comédie Française auf deren Tournee zu sehen. Lionel hatte Lorna gebeten, ihn und seine Mutter zu begleiten. Nach der Vorstellung, als Lionel seiner Mutter ins blaue Samtcape half, hatte sie zu Lorna gesagt: »Ich freue mich sehr, die *belle amie* meines Sohnes kennen zu lernen.«

»Wir wollen es mit dem Französisch nicht übertreiben«, sagte Lionel.

Lorna wusste nicht einmal genau, was das bedeutete. *Belle amie.* Schöne Freundin? Geliebte?

Lionel hatte die Augenbrauen hochgezogen, über den Kopf seiner Mutter hinweg. Als wollte er sagen: Was immer sie sich zusammengereimt hat, ich kann nichts dafür.

Lionel hatte früher einmal an der Universität bei Brendan studiert. Ein Rohdiamant, ein sechzehn Jahre altes Wunderkind. Die größte mathematische Begabung, die Brendan je untergekommen war. Lorna fragte sich, ob Brendan das im Nachhinein dramatisierte, aufgrund seiner ungewöhnlichen Großzügigkeit gegenüber begabten Studenten. Auch aufgrund der Wendung, die die Dinge genommen hatten. Brendan hatte dem ganzen irischen Umfeld – seiner Familie und seiner Kirche und den sentimentalen Liedern – den Rücken gekehrt, aber er hatte immer noch eine Schwäche für tragische Geschichten. Und tatsächlich hatte Lionel nach seinem brillanten Start eine Art Zusammenbruch erlitten, musste in eine Klinik eingewiesen werden und verschwand von der Bildfläche. Bis Brendan ihn im Supermarkt getroffen und festgestellt hatte, dass er gar nicht weit von ihnen hier in North Vancouver wohnte. Er hatte die Mathematik völlig aufgegeben und arbeitete in der Pressestelle der anglikanischen Kirche.

»Kommen Sie uns besuchen«, hatte Brendan gesagt. Lionel wirkte auf ihn ein wenig heruntergekommen und einsam. »Kommen Sie und lernen Sie meine Frau kennen.«

Er war froh, jetzt ein Zuhause zu haben, in das er Leute einladen konnte.

»Ich hatte also keine Ahnung, was für ein Mensch Sie sind«, sagte Lionel, als er Lorna das berichtete. »Ich hielt für möglich, dass Sie schrecklich sind.«

»Ach«, sagte Lorna. »Warum?«

»Ich weiß nicht. Ehefrauen.«

Er besuchte sie abends, wenn die Kinder im Bett waren. Die kleinen Störungen durch das Familienleben – das Greinen des Babys, das aus einem offenen Fenster zu ihnen drang, die Gardinenpredigt, die Brendan manchmal Lorna halten musste, weil wieder Spielzeug auf dem Rasen liegen geblieben und nicht in den Sandkasten geräumt worden war, der Ruf aus der Küche, ob sie daran gedacht hatte, Limonen für den Gin Tonic zu besorgen – sie alle lösten in Lionels hochgeschossenem, schmalen Körper und auf seinem hellwachen, misstrauischen Gesicht ein Schaudern, ein Zusammenzucken aus. Dann musste eine Pause eingelegt werden, eine Rückbesinnung auf die Ebene lohnender menschlicher Begegnungen. Einmal sang er ganz leise zur Melodie von »O Tannenbaum« »*O Ehelos, o Ehelos*«. Er lächelte ein wenig, oder so kam es Lorna im Dunkeln vor. Dieses Lächeln war für sie wie das Lächeln ihrer vierjährigen Tochter Elizabeth, wenn sie ihrer Mutter an einem öffentlichen Ort etwas ein wenig Ungehöriges zugeflüstert hatte. Ein verstohlenes Lächeln, nicht ohne Genugtuung, auch ein bisschen ängstlich.

Lionel fuhr auf seinem hohen altmodischen Fahrrad den Hügel hinauf – zu einer Zeit, als kaum jemand außer Kindern Fahrrad fuhr. Er hatte unweigerlich noch seine Bürokleidung an. Eine dunkle Hose, ein weißes Hemd, das an Manschetten und Kragen immer schmuddelig und abgetragen aussah, und einen unscheinbaren Schlips. Als sie ausgegangen waren, um die Comédie Française zu sehen, hatte er dem ein Tweedjackett hinzugefügt, das um die Schultern zu breit und an den Armen zu kurz war. Vielleicht besaß er keine andere Kleidung.

»Ich schinde mich ab für einen Hungerlohn«, sagte er. »Und nicht einmal in den Weinbergen des Herrn. In der Diözese des Erzbischofs.«

Und: »Manchmal meine ich, in einem Roman von Dickens zu sein. Und das Komische daran ist, ich mache mir gar nichts aus Dickens.«

Beim Sprechen neigte er meistens den Kopf zur Seite, und sein Blick verweilte auf etwas dicht über Lornas Kopf. Seine Stimme war hell und flink, manchmal kickste sie vor nervösem Überschwang. Er erzählte alles ein wenig erstaunt. Er erzählte von dem Büro, in dem er arbeitete, im Haus hinter der Kathedrale. Die schmalen, hohen gotischen Fenster und das viele lackierte Holz (damit man sich wie in der Kirche fühlte), die Hutablage und der Schirmständer (der ihn aus irgendeinem Grunde mit tiefer Melancholie erfüllte), die Stenotypistin Janine und die Redakteurin der Kirchennachrichten, Mrs Penfound. Der gelegentliche geisterhafte Auftritt des zerstreuten Erzbischofs. Es gab einen noch nicht entschiedenen Krieg um Teebeutel zwischen Janine, die dafür war, und Mrs Penfound, die dagegen war. Alle verdrückten heimlich Süßigkeiten und teilten nie. Bei Janine waren es Sahnebonbons, Lionel selbst bevorzugte kandierte Mandeln. Was Mrs Penfounds geheimes Vergnügen war, hatten er und Janine noch nicht herausgefunden, weil Mrs Penfound das Einwickelpapier nicht in den Papierkorb tat. Aber ihre Kiefer waren ständig verstohlen in Bewegung.

Er erwähnte die Klinik, in der er eine Zeit lang Patient gewesen war, und sprach von den Ähnlichkeiten mit dem Büro, im Hinblick auf geheime Süßigkeiten. Auf Geheimnisse ganz allgemein. Aber der Unterschied war, dass man in der Klinik immer wieder einmal gefesselt und weggebracht und an die Steckdose angeschlossen wurde.

»Das war ganz interessant. Eigentlich war es entsetzlich. Aber ich kann es nicht beschreiben. Das ist das Verrückte daran. Ich kann mich daran erinnern, aber es nicht beschreiben.«

Aufgrund dieser Ereignisse in der Klinik, sagte er, fehle es ihm an Erinnerungen. An Einzelheiten. Er hatte es gern, wenn Lorna ihm welche von sich erzählte.

Sie erzählte ihm von ihrem Leben vor ihrer Heirat mit Brendan. Von den zwei Häusern, die sich genau glichen und in der Stadt, in der sie aufgewachsen war, nebeneinander standen. Davor war ein tiefer Graben namens Färberbach, weil er Wasser führte, das meistens von den Farbstoffen aus der Strickwarenfabrik eingefärbt war. Hinter ihnen war eine verwilderte Wiese, die Mädchen besser nicht betraten. In dem einen Haus wohnte sie mit ihrem Vater, in dem anderen wohnten ihre Großmutter und ihre Tante Beatrice und ihre Kusine Polly.

Polly hatte keinen Vater. So wurde immer gesagt, und Lorna hatte wirklich daran geglaubt. Polly hatte keinen Vater, so, wie Katzen auf der Insel Man keinen Schwanz haben.

Im Wohnzimmer der Großmutter hing eine Karte vom Heiligen Land, aus Wolle in vielen Farbtönen gearbeitet, die biblische Orte zeigte. Sie wurde in ihrem Testament der presbyterianischen Sonntagsschule hinterlassen. Tante Beatrice hatte seit der Zeit ihrer vertuschten Schande keinerlei gesellschaftlichen Umgang mehr gehabt, der einen Mann einschloss, und sie war so etepetete, so penibel in ihrer Lebensführung, dass sich Pollys Empfängnis ohne weiteres als unbefleckt vorstellen ließ. Von Tante Beatrice hatte Lorna nur gelernt, dass man eine Naht immer von den Seiten her bügeln musste, nicht flach von oben, damit das Bügeleisen keinen Abdruck hinterließ, und dass eine hauchdünne Bluse nie ohne Unterkleid getragen werden durfte, damit die Träger des Büstenhalters nicht zu sehen waren.

»O ja. Ja«, sagte Lionel. Er streckte die Beine aus, als reichte sein Verständnis bis in die Zehen. »Jetzt zu Polly. Aus diesem trostlosen Haushalt, wie ist sie denn so?«

Polly sei ganz in Ordnung, sagte Lorna. Energiegeladen und umgänglich, gutherzig, selbstsicher.

»Ach«, sagte Lionel. »Erzählen Sie mir wieder von der Küche.«

»Von welcher?«

»Von der ohne Kanarienvogel.«

»Also von unserer.« Sie beschrieb den Küchenherd, den sie mit eingewachstem Butterbrotpapier gewienert hatte, bis er glänzte, die geschwärzten Borde dahinter, auf denen die Bratpfannen standen, die Spüle und den kleinen Spiegel darüber, dem in einer Ecke ein dreieckiges Stück fehlte, und darunter die kleine, von ihrem Vater angefertigte Blechschale, in der immer ein Kamm lag, ein alter Tassenhenkel und ein Näpfchen mit eingetrocknetem Rouge, das noch von ihrer Mutter stammen musste.

Sie erzählte ihm ihre einzige Erinnerung an ihre Mutter. Sie war an einem Wintertag mit ihrer Mutter im Stadtzentrum. Zwischen dem Bürgersteig und dem Fahrdamm lag Schnee. Sie hatte gerade die Uhr lesen gelernt, und sie schaute zu der großen Uhr am Postamt hoch und sah, dass es Zeit für die Seifenoper war, die sie sich mit ihrer Mutter jeden Tag im Radio anhörte. Sie geriet in große Sorge, nicht, weil sie die Geschichte versäumte, sondern weil sie sich den Kopf zerbrach, was wohl mit den Leuten in der Geschichte wurde, wenn das Radio nicht angestellt war und ihre Mutter und sie nicht zuhörten. Sie empfand sogar mehr als Sorge, geradezu Entsetzen bei dem Gedanken an all das, was verloren gehen konnte, sich gar nicht erst ereignen konnte, allein durch eine zufällige Abwesenheit, einen zufälligen Umstand.

Und selbst in dieser Erinnerung war ihre Mutter nur eine Hüfte und eine Schulter in einem dicken Mantel.

Lionel sagte, dass er sich von seinem Vater kaum mehr in den Sinn rufen konnte, obwohl sein Vater noch lebte. Das Vorbeirauschen eines Chorrocks? Lionel hatte mit seiner Mutter immer Wetten darüber abgeschlossen, wie lange sein Vater es durchhalten würde, nicht mit ihnen zu sprechen. Einmal hatte er seine Mutter gefragt, was seinen Vater so wütend mache, und sie hatte geantwortet, sie habe keine Ahnung.

»Ich denke, vielleicht gefällt ihm seine Arbeit nicht«, sagte sie.

Lionel fragte: »Warum sucht er sich nicht eine andere?«

»Vielleicht weiß er keine, die ihm gefällt.«

Daraufhin war Lionel eingefallen, dass er, als sie mit ihm ins Museum gegangen war, große Angst vor den Mumien gehabt hatte und dass sie ihm erklärt hatte, sie seien in Wirklichkeit gar nicht tot, sondern konnten aus ihren Kisten steigen, wenn alle nach Hause gegangen waren. Also fragte er: »Kann er nicht Mumie werden?« Sie aber hatte »Mutti« verstanden und die Geschichte später als Witz erzählt, und er hatte nicht den Mut aufgebracht, sie zu verbessern. War schon in diesem zarten Alter von dem Riesenproblem der Verständigung entmutigt worden.

Das war eine der wenigen Erinnerungen, die ihm geblieben waren.

Brendan lachte – er lachte über diese Geschichte mehr als Lorna oder Lionel. Brendan setzte sich immer mit den Worten »Na, worüber schwatzt ihr beide?« eine Weile zu ihnen, dann, als hätte er für diesmal seine Schuldigkeit getan, stand er ein wenig erleichtert auf, sagte, dass er noch was zu tun habe, und ging ins Haus. Als wäre er froh über ihre Freundschaft, hätte sie in gewisser Weise vorhergesehen und zuwege gebracht – trotzdem machten ihre Gespräche ihn nervös.

»Es tut ihm gut, hierher zu kommen und für ein Weilchen normal zu sein, statt in seinem Zimmer zu hocken«, sagte er zu Lorna. »Natürlich giert er nach dir. Der arme Kerl.«

Er sagte gern, dass die Männer nach Lorna gierten. Besonders, wenn sie eine Fachschaftsparty besucht hatten und Lorna die jüngste Ehefrau gewesen war. Es wäre ihr peinlich gewesen, wenn das jemand mit angehört und womöglich für Wunschdenken und törichte Übertreibung gehalten hätte. Aber manchmal, besonders, wenn sie einen Schwips hatte, fand sie genau wie Brendan die Vorstellung, sie könnte so rundum begehrenswert sein, erregend. In Lionels Fall war sie sich jedoch ziemlich sicher, dass es nicht zutraf, und sie hoffte sehr, dass Brendan so etwas nie in seiner Gegenwart andeuten würde. Sie erinnerte sich an den Blick, den er ihr über den Kopf seiner Mutter hinweg zugeworfen hatte. Eine Richtigstellung lag darin, eine sanfte Warnung.

Sie erzählte Brendan nichts von den Gedichten. Etwa einmal pro Woche traf mit der Post ein Gedicht ein, ganz ordentlich in einem frankierten Briefumschlag. Sie waren nicht anonym – Lionel unterschrieb sie. Seine Unterschrift war allerdings nur ein schwer zu entziffernder Krakel – aber das waren auch alle Wörter in den Gedichten. Zum Glück gab es davon nie viele – manchmal im Ganzen nur etwa ein Dutzend –, und sie zogen sich als sonderbare Fährte über das Blatt Papier, wie von einem ängstlichen Vogel hinterlassen. Auf den ersten Blick vermochte Lorna nichts davon zu lesen. Sie fand heraus, dass es am besten war, sich nicht allzu große Mühe zu geben, sondern einfach den Bogen vor sich zu halten und lange unverwandt zu betrachten, gleichsam wie in Trance. Dann begannen Wörter zu erscheinen. Keineswegs alle – es gab in jedem Gedicht zwei oder drei, die sie nie entzifferte –, aber darauf kam es nicht an. Es gab keine Zeichensetzung, nur Gedankenstriche. Und die Wörter waren meistens Hauptwörter. Lorna war keine Frau, der Gedichte fremd waren oder die bald aufgab, wenn sie etwas nicht gleich verstand. Aber ihre Einstellung zu Lionels Gedichten war ungefähr so wie beispielsweise die zum Buddhismus – dass sie eine Quelle der Inspiration waren, die sich ihr vielleicht in Zukunft erschließen könnte, im Moment jedoch leider nicht.

Nach dem ersten Gedicht quälte sie sich damit herum, was sie ihm sagen sollte. Etwas Anerkennendes, aber nicht allzu Dummes. Alles, was sie herausbrachte, war: »Danke für das Gedicht« – als Brendan weit außer Hörweite war. Sie verkniff sich zu sagen: »Es hat mir gefallen.« Lionel nickte nur kurz und gab ein Geräusch von sich, mit dem das Thema beendet war. Die Gedichte trafen weiterhin ein und wurden nicht mehr erwähnt. Ihr kam der Gedanke, sie als Gaben zu betrachten, nicht als Botschaften. Aber keine Liebesgaben – wie Brendan zum Beispiel angenommen hätte. Sie enthielten nichts über Lionels Gefühle für sie, überhaupt nichts Persönliches. Sie erinnerten sie an die schwachen Abdrücke, die man im Frühling manchmal auf den Bürgersteigen sehen kann – Schatten, hinterlassen von nassen Blättern, die im Vorjahr dorthin gefallen sind.

Es gab noch etwas anderes, Dringenderes, über das sie nicht mit Brendan redete. Auch nicht mit Lionel. Sie sagte nicht, dass Polly zu Besuch kam. Ihre Kusine Polly kam von zu Hause.

Polly war fünf Jahre älter als Lorna und hatte seit ihrem High-School-Abschluss bei der örtlichen Bank gearbeitet. Sie hatte schon einmal genug Geld für diese Reise zusammengespart, dann aber beschlossen, es stattdessen für eine Senkgrubenpumpe auszugeben. Jetzt jedoch war sie quer durchs Land im Bus unterwegs. Ihr kam es wie das Natürlichste und Selbstverständlichste vor – ihre Kusine und deren Mann und deren Familie zu besuchen. Für Brendan würde es nahezu sicher eine aufdringliche Störung sein, etwas, wozu niemand das Recht hatte, es sei denn, er war eingeladen. Er hatte nichts gegen Gäste – siehe Lionel –, aber er wollte sie selbst aussuchen. Jeden Tag dachte Lorna daran, dass sie es ihm sagen musste. Und jeden Tag verschob sie es.

Außerdem war es nichts, worüber sie mit Lionel reden konnte. Man konnte mit ihm über nichts reden, was ein ernstes Problem darstellte. Von Problemen zu reden bedeutete, nach Lösungen zu suchen, darauf zu hoffen. Und das war nicht interessant, zeigte keine interessante Haltung gegenüber dem Leben. Sondern vielmehr eine seichte und fade Zuversicht. Normale Ängste, unkomplizierte Gefühle waren nicht das, was er gern hörte. Er bevorzugte zutiefst Bestürzendes und Unerträgliches, das jedoch mit Ironie und sogar Fröhlichkeit erduldet wurde.

Eines, was sie ihm erzählte, hätte riskant sein können. Sie erzählte ihm, dass sie an ihrem Hochzeitstag und sogar während der Trauung geweint hatte. Aber es gelang ihr, daraus einen Witz zu machen, denn sie konnte beschreiben, wie sie versucht hatte, Brendan ihre Hand zu entwinden, um an ihr Taschentuch zu kommen, er sie aber nicht losließ, und so musste sie weiter die Nase hochziehen. Und sie hatte nicht geweint, weil sie nicht heiraten wollte oder Brendan nicht liebte. Sie hatte geweint, weil alles zu Hause ihr plötzlich so liebenswert vorkam – obwohl sie immer vorgehabt hatte, fortzugehen –, und die Menschen dort schienen ihr näher zu stehen, als jemand anders es je konnte, obwohl sie all ihre privaten Gedanken immer vor ihnen verborgen hatte. Sie weinte, weil sie und Polly gelacht hatten, als sie am Tag zuvor die Küchenregale geputzt und das Linoleum aufgewischt hatten und sie so getan hatte, als wäre sie in einem schmalzigen Theaterstück, und gesagt hatte: Ade, altes Linoleum, ade, Sprung in der Teekanne, ade, du Stelle unter dem Tisch, wo ich immer meinen Kaugummi hingeklebt habe, ade.

Warum sagst du ihm nicht einfach, es wird nichts, hatte Polly gefragt. Aber natürlich meinte sie es nicht ernst, sie war stolz, und Lorna selbst war auch stolz, achtzehn Jahre alt und nie einen richtigen Freund, und jetzt heiratete sie einen gut aussehenden, dreißig Jahre alten Mann, einen Professor.

Trotzdem hatte sie geweint, ebenso in der Anfangszeit ihrer Ehe, wenn sie Briefe von zu Hause bekam. Brendan hatte sie dabei ertappt und gesagt: »Du liebst deine Familie, wie?«

Sie fand, er klang mitfühlend. Sie sagte: »Ja.«

Er seufzte. »Ich glaube, du liebst sie mehr, als du mich liebst.«

Sie sagte, das sei nicht wahr, nur manchmal tue ihre Familie ihr leid. Sie hatten alle viel durchzumachen, ihre Großmutter, die Jahr für Jahr die vierte Klasse unterrichtete, obwohl ihre Augen so schlecht waren, dass sie kaum sehen konnte, was sie an die Tafel schrieb, und Tante Beatrice mit zu vielen nervösen

Beschwerden, um je arbeiten zu können, und ihr Vater – Lornas Vater –, der in einem Eisenwarenladen rackerte, der ihm nicht mal gehörte.

»Viel durchzumachen?«, sagte Brendan. »Sind sie etwa in Konzentrationslagern gewesen?«

Dann sagte er, man brauche in dieser Welt eben Durchsetzungsvermögen. Und Lorna warf sich aufs Ehebett und überließ sich einem jener wütenden Weinkrämpfe, für die sie sich inzwischen schämte. Brendan kam nach einer Weile und tröstete sie, glaubte aber immer noch, dass sie weinte, wie Frauen es stets tun, wenn sie einen Streit nicht anders gewinnen können.

Einiges an Pollys Aussehen hatte Lorna vergessen. Wie groß sie war und was für einen langen Hals sie hatte und was für eine schmale Taille, dazu so gut wie keinen Busen. Ein knubbeliges kleines Kinn und einen trockenen Mund. Blasse Haut, hellbraune kurz geschnittene Haare, fein wie Federn. Sie sah zugleich zart und widerstandsfähig aus, wie ein Gänseblümchen auf einem langen Stängel. Sie trug einen mit Stickereien verzierten Glockenrock aus Jeansstoff.

Achtundvierzig Stunden im Voraus hatte Brendan erfahren, dass sie kam. Sie hatte aus Calgary angerufen, per R-Gespräch, und er war ans Telefon gegangen. Danach stellte er drei Fragen. Sein Ton war kühl, aber ruhig.

Wie lange bleibt sie?

Warum hast du mir nichts gesagt?

Warum hat sie per R-Gespräch angerufen?

»Ich weiß nicht«, sagte Lorna.

In der Küche bereitete Lorna jetzt das Abendessen zu und spitzte die Ohren, um zu hören, was die beiden zueinander sagen würden. Brendan war gerade nach Hause gekommen. Seine Begrüßung konnte sie nicht hören, aber Pollys Stimme war laut und getragen von waghalsiger Lustigkeit.

»Also hab ich gleich auf dem falschen Fuß angefangen, Brendan, wart's mal ab, was ich gesagt hab. Ich komm mit Lorna von der Bushaltestelle, und wir gehen die Straße rauf, und ich sage: Au, Schande, ein ziemlich nobles Viertel, in dem du wohnst, Lorna – und dann sag ich: Aber sieh dir mal die Hütte da an, was hat die hier zu suchen? Ich hab gesagt: Die sieht ja aus wie eine Scheune.«

Sie hätte sich keinen schlimmeren Anfang ausdenken können. Brendan war sehr stolz auf das Haus. Es war ein zeitgenössisches Holzhaus, erbaut in dem Westküstenstil, der Pfosten- und-Bohlen genannt wurde. Pfosten-und-Bohlen-Häuser wurden nicht angestrichen; dahinter stand die Vorstellung, sie den ursprünglichen Wäldern anzupassen. Also wirkten sie von außen schlicht und funktional, mit flachem Dach, das die Wände überkragte. Im Inneren lagen die Bohlen bloß, und das gesamte Holz war unverkleidet. Der Kamin in diesem Haus war aufgemauert und reichte durch die Decke, die Fenster waren hoch und schmal und ohne Gardinen. Die Architektur gibt überall den Ausschlag, hatte der Bauunternehmer ihnen gesagt, und Brendan wiederholte das, zusammen mit dem Wort »zeitgenössisch«, wenn er jemandem das Haus vorführte.

Er ließ sich nicht dazu herbei, Polly das zu sagen oder die Architekturzeitschrift hervorzuholen, in der ein Artikel über diesen Stil stand, mit Fotos – wenngleich auch nicht von diesem Haus.

Polly hatte von zu Hause die Angewohnheit mitgebracht, ihre Sätze mit dem Namen der Person zu beginnen, an die sie gerichtet waren. »Lorna …«, sagte sie dann, oder »Brendan …«. Lorna hatte diese Redeweise ganz vergessen – jetzt kam sie ihr ziemlich schroff und unhöflich vor. Die meisten von Pollys Sätzen am Abendbrottisch begannen mit »Lorna ...« und drehten sich um Leute, die nur den beiden Frauen bekannt waren. Lorna wusste, dass es nicht in Pollys Absicht lag, unhöflich zu sein, dass sie sich heftig und tapfer anstrengte, ungezwungen zu wirken. Und sie hatte anfangs versucht, Brendan mit einzubeziehen. Beide hatten es versucht, auch Lorna, hatten ausführlich erklärt, von wem sie gerade redeten – aber es funktionierte nicht. Brendan sprach nur, um Lorna darauf hinzuweisen, dass auf dem Tisch etwas fehlte oder dass Daniel sein püriertes Essen um seinen Kinderstuhl herum verschüttete.

Polly redete weiter, während sie mit Lorna den Tisch abräumte und das Geschirr abwusch. In der Regel richtete es Lorna so ein, die Kinder zu baden und zu Bett zu bringen, bevor sie an den Abwasch ging, aber heute Abend war sie zu sehr durcheinander – sie spürte, dass Polly den Tränen nahe war –, um alles in der gewohnten Reihenfolge zu erledigen. Sie ließ Daniel auf dem Fußboden herumkrabbeln, während Elizabeth, die immer neugierig auf fremden Besuch war, sich herumdrückte und ihrem Gespräch zuhörte. Das dauerte, bis Daniel seinen Kinderstuhl umstieß – zum Glück nicht auf sich selbst, aber er kreischte vor Schreck –, und Brendan kam aus dem Wohnzimmer.

»Die Schlafenszeit ist offenbar hinausgeschoben worden«, sagte er, als er seinen Sohn aus Lornas Armen nahm. »Elizabeth. Geh und mach dich fertig für dein Bad.«

Polly redete inzwischen nicht mehr über Leute in der Stadt, sondern beschrieb, wie es zu Hause lief. Nicht gut. Der Besitzer des Eisenwarenladens – ein Mann, von dem Lornas Vater immer wie von einem Freund gesprochen hatte und kaum je wie von einem Arbeitgeber – hatte das Geschäft verkauft, ohne ihm ein Wort davon zu sagen, und ihn vor vollendete Tatsachen gestellt. Der neue Mann erweiterte den Laden, gleichzeitig verlor er Umsatz an Canadian Tire, und es verging kein Tag, an dem er nicht mit Lornas Vater einen Streit vom Zaun brach. Wenn Lornas Vater aus dem Geschäft nach Hause kam, war er so erledigt, dass er sich nur noch aufs Sofa legen wollte. Die Zeitung oder die Nachrichten interessierten ihn nicht. Er nahm doppeltkohlensaures Natron, mochte aber nicht über seine Magenschmerzen reden.

Lorna erwähnte einen Brief von ihrem Vater, in dem er diese Sorgen verharmloste.

»Na ja, ist doch klar«, sagte Polly. »Dir gegenüber.«

Die Instandhaltung beider Häuser, sagte Polly, war ein ständiger Albtraum. Sie müssten eigentlich alle in ein Haus zusammenziehen und das andere verkaufen, aber seitdem Großmutter im Ruhestand war, hatte sie an Pollys Mutter ständig etwas auszusetzen, und Lornas Vater konnte den Gedanken nicht ertragen, mit den beiden zusammenzuleben. Polly hatte oft Lust, aus dem Haus zu gehen und nie mehr zurückzukommen, aber was würden sie ohne sie anfangen?

»Du solltest dein eigenes Leben leben«, sagte Lorna. Es kam ihr merkwürdig vor, Polly Ratschläge zu erteilen.

»Ja, klar, klar«, sagte Polly. »Ich hätte abhauen sollen, solange noch Gelegenheit war, das wär wohl das Beste gewesen. Aber wann war das? Ich kann mich nicht erinnern, wann die Gelegenheit je günstig war. Erstmal saß ich da und musste dich durch die Schule bringen, zum Beispiel.«

Lorna hatte in bedauerndem, hilfsbereiten Tonfall gesprochen, weigerte sich aber, ihre Arbeit zu unterbrechen, um Pollys Neuigkeiten gebührend zu würdigen. Sie nahm sie hin, als beträfen sie irgendwelche Leute, die sie kannte und mochte, für die sie aber nicht verantwortlich war. Sie dachte an ihren Vater, wie er abends auf dem Sofa lag und Mittel gegen Schmerzen nahm, die er nicht zugeben wollte, und an Tante Beatrice nebenan, die sich Sorgen machte, was die Leute über sie redeten, die Angst hatte, dass sie hinter ihrem Rücken lachten und Dinge über sie an Hauswände schrieben. Die weinte, weil beim Kirchgang ihr Unterrock zu sehen gewesen war. An zu Hause zu denken schmerzte Lorna, doch sie konnte sich nicht des Gefühls erwehren, dass Polly auf sie einhämmerte, sich bemühte, sie zu einer Kapitulation zu zwingen, sie in das familiäre Elend einzubinden. Und sie hatte sich fest vorgenommen, nicht nachzugeben.

Sieh dich doch bloß mal an. Sieh dir dein Leben an. Deine Edelstahlspüle. Dein Haus, in dem die Architektur den Ausschlag gibt.

»Wenn ich jetzt weggehen würde, hätte ich, glaub ich, zu viele Schuldgefühle«, sagte Polly. »Das könnte ich nicht ertragen. Ich hätte zu viele Schuldgefühle, wenn ich sie verlasse.«

Manche Leute haben natürlich nie Schuldgefühle. Manche Leute haben überhaupt keine Gefühle.

»Na, das ist ja eine ziemliche Leidensgeschichte«, sagte Brendan, als sie nebeneinander im Dunkeln lagen.

»Es bedrückt sie«, sagte Lorna.

»Denk dran, wir sind keine Millionäre.«

Lorna war entsetzt. »Sie will kein Geld.«

»Ach nein?«

»Deswegen hält sie mir das nicht vor.«

»Da sei dir nicht so sicher.«

Sie lag starr da und antwortete nicht. Dann fiel ihr etwas ein, was seine Laune bessern könnte.

»Sie bleibt nur zwei Wochen.«

Jetzt war es an ihm, nicht zu antworten.

»Findest du sie hübsch?«

»Nein.«

Sie wollte ihm erzählen, dass Polly ihr das Hochzeitskleid genäht hatte. Ihr ursprünglicher Plan war, sich in ihrem marineblauen Kostüm trauen zu lassen, aber Polly hatte ein paar Tage vor der Hochzeit gesagt: »Das geht so nicht.« Dann holte sie ihr eigenes High-School-Abendkleid heraus (Polly war immer viel beliebter als Lorna gewesen und auf Schulbälle gegangen) und setzte Keile aus weißer Spitze ein und nähte Ärmel an, auch aus weißer Spitze. Denn, sagte sie, eine Braut kann nicht ohne Ärmel gehen.

Aber was hätte ihn das gekümmert?

Lionel war für ein paar Tage nicht da. Sein Vater war in den Ruhestand gegangen, und Lionel half ihm beim Umzug aus der Stadt in den Rocky Mountains nach Vancouver Island. Am Tag nach Pollys Ankunft bekam Lorna einen Brief von ihm. Kein Gedicht – einen richtigen Brief, obwohl er sehr kurz war.

Ich habe geträumt, dass ich Sie auf meinem Fahrrad mitgenommen habe. Wir fuhren sehr schnell. Sie schienen keine Angst zu haben, obwohl Sie vielleicht hätten Angst haben sollen. Wir dürfen uns nicht aufgefordert fühlen, das zu interpretieren.

Brendan war früh aus dem Haus gegangen. Er gab Ferienkurse und sagte, er werde in der Mensa frühstücken. Sobald er fort war, kam Polly aus ihrem Zimmer. Statt des Glockenrocks trug sie eine Freizeithose, und sie lächelte die ganze Zeit, wie über einen nur ihr bekannten Witz. Sie hielt den Kopf leicht gesenkt, um Lornas Blick zu vermeiden.

»Ich geh lieber los und seh mir was von Vancouver an«, sagte sie, »zumal ja unwahrscheinlich ist, dass ich je wieder herkomme.«

Lorna kreuzte einiges auf einem Stadtplan an, gab ihr Anweisungen und sagte, es tue ihr leid, dass sie nicht mitkommen könne, aber es sei eher eine Last, als dass es lohne, mit den Kindern.

»Nein, nein. Das habe ich auch nicht erwartet. Ich bin nicht hergekommen, damit du mich die ganze Zeit am Hals hast.«

Elizabeth spürte die angespannte Atmosphäre. Sie fragte: »Warum sind wir eine Last?«

Lorna legte Daniel früher zu seinem Mittagsschläfchen hin, und als er wach wurde, setzte sie ihn in den Kinderwagen und sagte Elizabeth, sie gingen zu einem Spielplatz. Der Spielplatz, den sie sich ausgesucht hatte, war nicht der im nahen Park – er lag den Hügel hinunter, gleich bei der Straße, in der Lionel wohnte. Lorna wusste, wo er wohnte, obwohl sie das Haus noch nicht gesehen hatte. Sie wusste, dass es ein kleineres Haus war, kein Mietshaus. Er wohnte oben, in einem Zimmer.

Für den Hinweg brauchte sie nicht lange – obwohl der Rückweg zweifellos länger dauern würde, wenn sie den Kinderwagen bergauf schieben musste. So war sie bereits im älteren Teil von North Vancouver angelangt, wo die Häuser kleiner waren und auf schmalen Grundstücken hockten. An dem Haus, in dem Lionel wohnte, stand neben der einen Klingel sein Name und neben der anderen B. Hutchison. Sie wusste, dass Mrs Hutchison seine Vermieterin war. Sie drückte auf deren Klingelknopf.

»Ich weiß, Lionel ist nicht da, und bitte entschuldigen Sie die Störung«, sagte sie. »Aber ich habe ihm ein Buch geliehen, es ist ein Buch aus der Stadtbücherei, das ich dringend zurückgeben muss, und ich dachte, vielleicht kann ich mal eben in seine Wohnung rauf und nachsehen, ob ich es finde.«

Die Vermieterin sagte: »Ja, also.« Sie war eine alte Frau mit einem Kopftuch und großen dunklen Flecken im Gesicht.

»Mein Mann und ich, wir sind Freunde von Lionel. Mein Mann war auf dem College sein Professor.«

Das Wort »Professor« war immer nützlich. Lorna erhielt den Schlüssel. Sie stellte den Kinderwagen im Schatten des Hauses ab und schärfte Elizabeth ein, dazubleiben und auf Daniel aufzupassen.

»Das ist gar kein Spielplatz«, sagte Elizabeth.

»Ich muss nur kurz nach oben und bin gleich wieder da. Nur eine Minute, ja?«

Lionels Zimmer hatte am Ende eine Nische für einen zweiflammigen Gaskocher und einen Küchenschrank. Kein Kühlschrank und kein Waschbecken, bis auf das in der Toilette. Am Fenster eine Jalousie, die halb herunterhing, auf dem Fußboden ein Stück Linoleum, dessen Muster von brauner Farbe verdeckt wurde. Es roch ein wenig nach dem Gaskocher, außerdem nach ungelüfteter Winterkleidung, nach Schweiß und einem Nasenspray mit Tannenduft, eine Mischung, die sie – ohne weiter daran zu denken und auch keineswegs unangenehm davon berührt – als Lionels eigenen Geruch hinnahm.

Darüber hinaus verriet das Zimmer so gut wie nichts. Sie war natürlich nicht wegen eines ausgeliehenen Buches hergekommen, sondern um für einen Moment in dem Raum zu sein, in dem er lebte, seine Luft zu atmen, aus seinem Fenster zu schauen. Die Sicht ging auf andere Häuser am waldigen Hang des Grouse Mountain, die wahrscheinlich ebenso wie dieses hier in kleine Wohneinheiten zerstückelt waren. Die Kahlheit, die Anonymität des Zimmers stellten eine harte Probe dar. Bett, Kommode, Tisch, Stuhl. Lediglich das Notwendigste, damit das Zimmer als möbliert angeboten werden konnte. Sogar die Tagesdecke aus gelbbrauner Chenille musste schon da gewesen sein, als er einzog. Keine Bilder, nicht mal ein Kalender, und zur größten Überraschung keine Bücher.

Irgendwo musste etwas versteckt sein. In den Schubladen der Kommode? Sie konnte nicht nachsehen. Nicht nur, weil ihr keine Zeit dafür blieb – sie hörte Elizabeth unten schon nach ihr rufen –, sondern weil sie gerade durch das Fehlen aller persönlichen Dinge Lionel stärker zu spüren meinte. Nicht nur seine karge Lebensweise und seine Geheimnisse, sondern gleichsam seinen Blick – fast, als hätte er ihr eine Falle gestellt und wartete nun ab, was sie tun würde.

Eigentlich wollte sie gar nichts mehr erkunden, sondern sich

nur noch auf den Fußboden setzen, mitten auf das Stück Linoleum. Stundenlang dasitzen und nicht so sehr dieses Zimmer
betrachten, als vielmehr darin versinken. In diesem Zimmer
bleiben, in dem es niemanden gab, der sie kannte oder irgendetwas von ihr wollte. Lange, lange Zeit bleiben, feiner und
leichter werden, fein wie eine Nadel.

Am Samstagmorgen sollten Lorna und Brendan und die Kinder nach Penticton fahren. Ein Diplomand hatte sie zu seiner
Hochzeit eingeladen. Es war geplant, dass sie Samstag und den
ganzen Sonntag über blieben und erst am Montag wieder nach
Hause führen.

»Hast du es ihr gesagt?«, fragte Brendan.

»Schon gut. Sie erwartet nicht, dass wir sie mitnehmen.«

»Hast du es ihr *wirklich gesagt*?«

Der Donnerstag wurde am Ambleside Beach verbracht.
Lorna und Polly und die Kinder fuhren mit dem Bus hin und
mussten zweimal umsteigen, beladen mit Handtüchern,
Strandspielzeug, Windeln, Mittagbrot und Elizabeths aufblas-
barem Delphin. Die Widrigkeiten, mit denen sie zu kämpfen
hatten, und der gereizte Unmut, den ihr Anblick bei anderen
Fahrgästen hervorrief, führten zu einer typisch weiblichen Reaktion – einer Stimmung nahe der Ausgelassenheit. Aus dem
Haus fortzugelangen, in dem Lorna als Ehefrau festsaß, war
ebenfalls hilfreich. Sie erreichten den Strand im Triumph und
in wüster Auflösung und schlugen ihr Lager auf, von dem aus
sie abwechselnd ins Wasser gingen, auf die Kinder aufpassten,
Brause und Eis und Fritten holten.

Lorna hatte schon etwas Farbe, Polly überhaupt noch nicht.
Sie streckte ein Bein neben Lornas aus und sagte: »Schau dir das
an. Mehlteig.«

Bei ihren vielen Pflichten in beiden Häusern und bei ihrer
Arbeit in der Bank blieb ihr keine freie Viertelstunde, um sich

in die Sonne zu setzen. Aber sie sprach jetzt sachlich, ohne ihren Unterton von Tugendhaftigkeit und Anklage. Ein säuerlicher Geruch, der sie umgeben hatte wie alte Spüllappen, fiel von ihr ab. Sie hatte sich in Vancouver ganz allein zurechtgefunden – zum ersten Mal in ihrem Leben hatte sie das in einer Großstadt getan. Sie hatte an Bushaltestellen Fremde angesprochen und sich nach den Sehenswürdigkeiten erkundigt und hatte auf jemandes Rat hin den Sessellift zum Gipfel vom Grouse Mountain genommen.

Als sie im Sand lagen, versuchte Lorna es mit einer Erklärung.

»Das ist für Brendan eine schlimme Zeit im Jahr. Die Sommerkurse sind wirklich nervenaufreibend, so viel Stoff in so kurzer Zeit.«

Polly sagte: »Ja? Es liegt also nicht nur an mir?«

»Sei nicht blöd. Natürlich liegt es nicht an dir.«

»Na, da bin ich erleichtert. Ich dachte, er kann mich nicht ausstehen.«

Dann sprach sie von einem Mann zu Hause, der mit ihr ausgehen wollte.

»Er meint es zu ernst. Er sucht eine Frau zum Heiraten. Das hat Brendan damals wahrscheinlich auch getan, aber ich nehme an, du warst in ihn verliebt.«

»Ja, und das bin ich noch«, sagte Lorna.

»Also ich bin's, glaube ich, nicht.« Polly sprach mit dem Gesicht im Ellbogen. »Aber vielleicht geht es ja doch, wenn man jemanden genug mag und mit ihm ausgeht und sich entschließt, die Vorteile zu sehen.«

»Und was sind die Vorteile?« Lorna setzte sich auf, damit sie Elizabeth auf ihrem Delphin im Auge behalten konnte.

»Gib mir Zeit zum Überlegen«, sagte Polly kichernd. »Nein. Es gibt viele. Ich bin nur boshaft.«

Als sie die Spielsachen und die Handtücher einsammelten, sagte sie: »Ich hätte überhaupt nichts dagegen, das morgen wieder zu tun.«

»Ich auch nicht«, sagte Lorna, »aber ich muss alles vorbereiten für die Fahrt zum Okanagan Lake. Wir sind da zu einer Hochzeit eingeladen.« Sie ließ es klingen wie eine lästige Pflicht – etwas, worüber sie bisher nicht gesprochen hatte, weil es zu unangenehm und langweilig war.

Polly sagte: »Ach. Na, dann könnte ich ja alleine herkommen.«

»Klar. Solltest du machen.«

»Wo ist der Okanagan Lake?«

Als Lorna am nächsten Abend die Kinder zu Bett gebracht hatte, ging sie in das Zimmer, in dem Polly schlief. Sie ging hinein, um einen Koffer aus dem Schrank zu holen, weil sie dachte, das Zimmer sei leer – sie vermutete Polly noch in der Wanne, wo sie ihren Sonnenbrand in lauwarmem Wasser mit Soda badete.

Aber Polly lag im Bett und hatte sich in die Decke eingemummelt wie in ein Leichentuch.

»Du bist schon aus dem Bad raus«, sagte Lorna, als fände sie das alles ganz normal. »Wie geht es deinem Sonnenbrand?«

»Ganz gut«, sagte Polly mit erstickter Stimme. Lorna wusste sofort, dass sie geweint hatte und wahrscheinlich immer noch weinte. Sie stand am Fuß des Bettes, unfähig, das Zimmer zu verlassen. Enttäuschung befiel sie, die wie Übelkeit war, eine Welle des Abscheus. Polly wollte sich eigentlich nicht verstecken, sie drehte sich um und sah hervor, das Gesicht ganz verknittert und hilflos, rot von der Sonne und vom Weinen. Frische Tränen stiegen ihr in die Augen. Sie war ein Häufchen Elend, eine einzige Anklage.

»Was hast du denn?«, fragte Lorna. Sie täuschte Überraschung vor, sie täuschte Mitleid vor.

»Du willst mich nicht haben.«

Ihre Augen hingen die ganze Zeit an Lorna, flossen über nicht nur von ihren Tränen, ihrer Verbitterung und dem Vor-

wurf des Verrats, sondern auch von ihrer ungeheuerlichen For-
derung, in die Arme genommen und getröstet zu werden.

Lorna hätte sie am liebsten geohrfeigt. Was gibt dir das
Recht, wollte sie sagen. Was hängst du dich an mich wie eine
Klette? Was gibt dir das Recht?

Familienbande. Familienbande geben Polly das Recht. Sie
hat Geld gespart und ihre Flucht geplant, in dem Glauben, dass
Lorna sie schon aufnehmen wird. Stimmt das – hat sie davon
geträumt, hier zu bleiben und nie zurückkehren zu müssen?
Teil von Lornas Glück, Lornas gewandelter Welt zu werden?

»Was meinst du denn, was ich machen kann?«, fragte Lorna
ziemlich böse und zu ihrer eigenen Überraschung. »Meinst du,
ich habe irgendwelchen Einfluss? Er gibt mir nie mehr als jeweils einen Zwanzig-Dollar-Schein.«

Sie zerrte den Koffer aus dem Zimmer.

Es war alles so falsch und widerwärtig – derart ihr eigenes
Klagelied anzustimmen, um mit Polly zu wetteifern. Was sollte
das überhaupt mit den zwanzig Dollar? Sie hatte ein Kunden-
kreditkonto, und er schlug ihr nie eine Bitte ab.

Sie konnte nicht einschlafen, schimpfte im Geist auf Polly.

Es war heiß am Okanagan Lake, und durch die Hitze wirkte
der Sommer dort echter als der Sommer an der Küste. Die Hügel mit ihrem ausgeblichenen Gras und der spärliche Schatten
der genügsamen Kiefern muteten wie der natürliche Hintergrund für eine so festliche Hochzeit an, mit den endlosen Strö-
men von Champagner, dem Tanzen und Flirten, dem Überschwang spontaner Sympathie und Freundschaft. Lorna war
rasch betrunken und staunte, wie leicht es ihr mit dem Alkohol
fiel, sich aus der Umklammerung ihres Gemüts zu befreien.
Der Nebel der Hoffnungslosigkeit löste sich auf. Als sie zu Bett
ging, war sie immer noch betrunken und dazu wollüstig erregt,
was Brendan zugute kam. Sogar der Kater am nächsten Mor-

gen kam ihr sanft vor, eher reinigend als bestrafend. Matt, aber keineswegs unzufrieden mit sich lag sie am Ufer des Sees und sah zu, wie Elizabeth mit Brendans Hilfe eine Strandburg baute.

»Hast du gewusst, dass dein Daddy und deine Mami sich auf einer Hochzeit kennen gelernt haben?«, fragte sie.

»Aber auf einer, ziemlich anders als diese«, sagte Brendan. Er meinte, dass die Hochzeit, bei der er zu Gast war, als einer seiner Freunde die McQuaig-Tochter heiratete (die McQuaigs gehörten in Lornas Heimatstadt zu den ersten Familien), offiziell alkoholfrei gewesen war. Der Empfang hatte im Gemeindesaal der Presbyterianer stattgefunden – Lorna war eins der Mädchen, die Sandwiches herumreichten –, und der Alkohol war in aller Eile auf dem Parkplatz konsumiert worden. Lorna war es nicht gewohnt, dass Männer nach Whisky rochen, und dachte, Brendan hätte zu viel von einem unbekannten Haarwasser benutzt. Trotzdem bewunderte sie seine mächtigen Schultern, seinen Stiernacken, sein Lachen und seine gebieterischen goldbraunen Augen. Als sie erfuhr, dass er Mathematiklehrer war, verliebte sie sich auch in den Inhalt seines Kopfes. Jedwedes Wissen, das ein Mann sich erworben hatte und das ihr völlig fremd war, versetzte sie in Erregung. Das Wissen eines Automechanikers hätte es ebenso gut getan.

Dass er sich auch von ihr angezogen fühlte, kam ihr geradezu wie ein Wunder vor. Später erfuhr sie, dass er eine Frau zum Heiraten gesucht hatte; er war alt genug, es wurde Zeit. Er wollte ein junges Mädchen. Keine Kollegin oder Studentin, vielleicht nicht einmal die Art Mädchen, die von den Eltern aufs College geschickt werden konnten. Unverdorben. Intelligent, aber unverdorben. Eine Wildblume, sagte er in der Hitze jener ersten Tage und manchmal sogar jetzt noch.

Auf der Rückfahrt ließen sie irgendwo zwischen Keremeos und Princeton dieses heiße goldene Land hinter sich. Aber immer noch schien die Sonne, und Lorna spürte nur ein leises Unbehagen, wie ein Haar vor den Augen, das sich wegpusten ließ oder auch von allein wegflog.

Aber es kehrte immer wieder. Es wurde bedrohlicher und hartnäckiger, bis es sie schließlich ansprang und sie es erkannte.

Sie hatte Angst – war sich halb sicher, dass, während sie am Okanagan Lake waren, Polly in der Küche des Hauses in North Vancouver Selbstmord begangen hatte.

In der Küche. Lorna hatte ein ganz klares Bild davon. Sie sah genau vor sich, wie Polly es getan hatte. Sie hatte sich an der Hintertür erhängt. Wenn sie heimkamen, wenn sie von der Garage zum Haus gingen, würden sie die Hintertür verschlossen finden. Sie würden aufschließen und versuchen, sie aufzustoßen, es aber nicht schaffen, weil Pollys Körper dagegen drückte. Sie würden zur Vordertür hasten und so in die Küche gelangen und vor dem Anblick der toten Polly stehen. Sie würde den gerüschten Glockenrock aus Jeansstoff und die weiße, weit ausgeschnittene Folklore-Bluse tragen – das tapfere Kostüm, in dem sie angekommen war, um Lornas und Brendans Gastfreundschaft auf die Probe zu stellen. Ihre langen blassen Beine, die herunterbaumelten, ihr Kopf tödlich verdreht auf dem zarten Hals. Vor ihrem Körper würde der Küchenstuhl stehen, auf den sie geklettert war und von dem sie heruntergestiegen oder -gesprungen war, um herauszufinden, wie Elend sich selbst ein Ende setzen konnte.

Alleine in dem Haus von Menschen, die sie nicht wollten, wo sie das Gefühl haben musste, dass sogar die Wände und die Fenster und die Tasse, aus der sie Kaffee trank, sie verachteten.

Lorna erinnerte sich daran, wie sie einmal mit Polly allein geblieben war, im Haus der Großmutter für einen Tag in Pollys Obhut. Vielleicht war ihr Vater im Geschäft. Aber in ihrer Vorstellung war er auch fort gewesen, zusammen mit den anderen beiden Erwachsenen. Es musste ein ungewöhnlicher Anlass gewesen sein, da sie sich nie auf Einkaufsfahrten begaben, geschweige denn auf Vergnügungsfahrten. Eine Beerdigung – nahezu mit Sicherheit eine Beerdigung. Der Tag war ein Sonnabend, es war schulfrei. Lorna war sowieso noch zu klein, um zur Schule zu gehen. Ihre Haare waren noch nicht lang genug, um zu Zöpfen geflochten zu werden. Sie flogen in dünnen Strähnen um ihren Kopf, wie Pollys Haare es jetzt taten.

Polly machte eine Phase durch, in der sie es liebte, Karamellbonbons oder andere reichhaltige Süßspeisen aus dem Kochbuch ihrer Großmutter zuzubereiten. Schokoladendattelkuchen, Makronen, Schaumgebäck. Sie war an dem Tag gerade dabei, etwas anzurühren, als sie feststellte, dass eine Zutat, die sie brauchte, nicht im Küchenschrank war. Sie musste mit dem Fahrrad zur Innenstadt fahren und sie im Geschäft anschreiben lassen. Das Wetter war windig und kalt, der Erdboden kahl – es musste Spätherbst oder Vorfrühling gewesen sein. Bevor sie ging, schloss Polly die Luftklappe am Holzherd. Trotzdem dachte sie an Geschichten von Kindern, die bei Bränden umgekommen waren, als ihre Mütter zu ähnlichen Besorgungen kurz aus dem Haus gelaufen waren. Also wies sie Lorna an, sich den Mantel anzuziehen, und brachte sie hinaus, zu dem Winkel zwischen der Küche und dem Hauptteil des Hauses, wo der Wind nicht so stark wehte. Das Haus nebenan musste abgeschlossen gewesen sein, sonst hätte sie sie dorthin bringen können. Sie trug ihr auf, sich nicht von der Stelle zu rühren, und fuhr zum Geschäft. Bleib hier, nicht weglaufen, hab keine Angst, sagte sie. Dann küsste sie Lorna aufs Ohr. Lorna gehorchte ihr aufs Wort. Zehn oder vielleicht fünfzehn Minuten lang blieb sie hinter dem weißen Fliederbusch hocken, lernte die Formen der Steine, der hellen und der dunklen, in der Grundmauer des Hauses auswendig. Bis Polly zurückgesaust kam und das Fahrrad im Hof hinwarf und ihren Namen rief. Lorna, Lorna, ließ sie die Tüte mit braunem Zucker oder Walnüssen los und küsste sie überall auf den Kopf. Denn ihr war eingefallen, dass Lorna in ihrem Winkel von lauernden Kidnappern entdeckt worden sein konnte – von den bösen Männern, die der Grund dafür waren, dass Mädchen nicht zu der Wiese hinter den Häusern hinunterdurften. Sie hatte auf dem ganzen Heimweg gebetet, es möge nicht passiert sein. War es ja auch nicht. Sie schleppte Lorna ins Haus, um ihr die bloßen Knie und Hände zu wärmen.

Ach je, die armen kleinen Händchen, sagte sie. Ach je, hast du dich gefürchtet? Lorna liebte das Getue und senkte den Kopf, um gestreichelt zu werden, als wäre sie ein Pony.

Die Kiefern machten dichterem Nadelwald Platz, die Buckel der braunen Hügel den steileren blaugrünen Bergen. Später bat sie Brendan anzuhalten, damit sie das Baby auf den Vordersitz legen und die Windeln wechseln konnte. Brendan ging derweil ein Stück spazieren und rauchte eine Zigarette. Windelprozeduren kränkten ihn immer ein wenig.

Lorna benutzte die Gelegenheit auch dazu, eins von Elizabeths Kinderbüchern herauszuholen, und als sie alle wieder im Wagen saßen, las sie den Kindern vor. Es war ein Dr.-Seuss-Buch. Elizabeth kannte alle Reime auswendig, und sogar Daniel hatte schon eine Ahnung, wo er mit seinen erfundenen Wörtern einfallen musste.

Polly war nicht mehr die Große, die Lornas kleine Hände zwischen den eigenen gerubbelt hatte, die Große, die alles wusste, was Lorna nicht wusste, und auf die Verlass war, sie vor der Welt zu beschützen. Alles hatte sich umgekehrt, und es hatte den Anschein, dass Polly in den Jahren seit Lornas Heirat stillgestanden hatte. Lorna hatte sie überholt. Jetzt war es Lorna, deren Kinder auf dem Rücksitz ihre Liebe und Fürsorge beanspruchten, und es war unerhört von jemandem in Pollys Alter, daherzukommen und ihren Anteil daran einzufordern.

Es half Lorna nichts, das zu denken. Sobald sie ihre guten Gründe vorgebracht hatte, spürte sie den Körper gegen die Tür drücken, als sie hineinwollten. Das tote Gewicht, den grauen Körper. Den Körper von Polly, die überhaupt nichts bekommen hatte. Keinen Anteil an der Familie, die sie vorgefunden hatte, und keine Hoffnung auf die Veränderung in ihrem Leben, von der sie geträumt haben musste.

»Jetzt lies *Madeleine*«, sagte Elizabeth.

»Ich glaube, *Madeleine* hab ich nicht mitgenommen«, sagte Lorna. »Nein. Hab ich nicht. Macht nichts, du kannst ja alles auswendig.

Sie begann gemeinsam mit Elizabeth.

»In einem Haus in Paris, überwachsen von Wein,
Wohnten zwölf kleine Mädchen in zwei geraden Reih'n.
In zwei geraden Reih'n aßen sie ihr Baguette,
Putzten sich die Zähne und gingen zu Bett . . . «

Das ist Blödsinn, das ist Melodrama, das ist Schuldbewusstsein. Das wird nicht passiert sein.

Aber solche Dinge passieren wirklich. Manche Menschen verzweifeln, ihnen wird nicht rechtzeitig geholfen. Ihnen wird überhaupt nicht geholfen. Manche Menschen stürzen in den Abgrund.

»Doch mitten in der tiefsten Nacht
Ist Mademoiselle Clavel erwacht.
Sie drückte auf den Knopf fürs Licht
Und sagte: ›Etwas stimmt hier nicht . . . ‹«

»Mami«, sagte Elizabeth. »Warum hast du aufgehört?«

Lorna sagte: »Es geht gleich weiter. Mein Mund ist so trocken.«

Bei Hope gab es Hamburger und Milchshakes. Dann die Fahrt durch das Fraser Valley, die Kinder schliefen auf dem

Rücksitz. Immer noch Zeit übrig. Bis sie durch Chilliwack kamen, bis sie durch Abbotsford kamen, bis sie die Hügel von New Westminster vor sich sahen, die übrigen von Häusern gekrönten Hügel, die Anfänge der Stadt. Immer noch Brücken, über die sie fahren mussten, Abzweigungen, die sie nehmen mussten, Straßen, die sie entlangfahren mussten, Kreuzungen, die sie überqueren mussten. All das in der Zeit davor. Wenn sie das nächste Mal etwas davon sah, würde es in der Zeit danach sein.

Als sie in den Stanley Park fuhren, kam ihr der Gedanke, zu beten. Das war schamlos – das opportunistische Beten einer Ungläubigen. Die Litanei des Lass-es-nicht-geschehen, lass-es-nicht-geschehen. *Lass-es-nicht-geschehen-sein.*

Der Tag war immer noch wolkenlos. Von der Lion's Gate Bridge blickten sie auf die Meerenge von Georgia.

»Kannst du heute Vancouver Island sehen?«, fragte Brendan. »Schau du, ich kann nicht.«

Lorna reckte den Hals, um an ihm vorbeizuspähen.

»Weit fort«, sagte sie. »Ganz schwach, aber es ist da.«

Und mit dem Blick auf diese blauen, allmählich verschwimmenden und sich schließlich fast auflösenden Buckel, die auf dem Meer zu treiben schienen, dachte sie an das eine, was ihr noch übrig blieb. Schließe einen Tauschhandel ab. Glaube daran, dass es noch möglich ist, bis zur letzten Minute möglich ist, einen Tauschhandel abzuschließen.

Es musste etwas Ernstes sein, ein äußerst schwerwiegendes und schmerzliches Versprechen oder Angebot. Nimm das. Ich verspreche das. Wenn es dadurch nicht wahr ist, nicht geschehen ist.

Nicht die Kinder. Sie stieß diesen Gedanken fort, als müsste sie die Kinder aus dem Feuer reißen. Nicht Brendan, aus dem entgegengesetzten Grund. Sie liebte ihn nicht genug. Sie sagte immer, dass sie ihn liebte, und sie meinte es auch bis zu einem gewissen Grad, und sie wollte von ihm geliebt werden, aber unter ihrer Liebe lag nahezu ständig ein leiser Brummton von Hass. Also wäre es verwerflich und auch nutzlos, ihn bei einem Tauschhandel anzubieten.

Sich selbst? Ihr Aussehen? Ihre Gesundheit?

Ihr kam der Gedanke, dass sie vielleicht auf dem Holzweg war. In einem solchen Fall hatte sie vielleicht gar nicht die Wahl. Bestimmte nicht die Bedingungen. Sie würde sie erkennen, wenn sie ihr begegneten. Sie musste versprechen, sich daran zu halten, ohne sie vorher zu kennen. Fest versprechen.

Aber nichts, was mit den Kindern zu tun hatte.

Die Capilano Road hinauf, in ihren Teil der Stadt und in ihre Ecke der Welt, in der ihr Leben sein wahres Gewicht bekam und ihr Handeln Konsequenzen hatte. Da waren sie zu sehen, durch die Bäume, die schroffen hölzernen Wände ihres Hauses.

»Die Vordertür wäre leichter«, sagte Lorna. »Dann hätten wir keine Stufen.«

Brendan sagte: »Was ist denn an ein paar Stufen so schwierig?«

»Ich hab gar nicht die Brücke gesehen«, klagte Elizabeth, plötzlich hellwach und enttäuscht. »Warum habt ihr mich nicht geweckt für die Brücke?«

Keiner antwortete ihr.

»Daniels Arm hat Sonnenbrand«, sagte sie im Tonfall unvollständiger Zufriedenheit.

Lorna hörte Stimmen und meinte, sie kämen aus dem Garten des Nachbarhauses. Sie folgte Brendan ums Haus herum. Daniel lag, noch schwer vom Schlaf, an ihrer Schulter. Sie trug die Tasche mit den Windeln und die Tasche mit den Kinderbüchern, und Brendan trug den Koffer.

Sie sah, dass die Personen, deren Stimmen sie gehört hatte,

in ihrem eigenen Garten saßen. Polly und Lionel. Sie hatten zwei Liegestühle herumgedreht, damit sie im Schatten sitzen konnten, mit dem Rücken zur Aussicht.

Lionel. Sie hatte ihn völlig vergessen.

Er sprang auf, um die Hintertür zu öffnen.

»Alle Teilnehmer der Expedition sind wohlbehalten heimgekehrt«, sagte er mit einer Stimme, die Lorna noch nie gehört hatte. Eine ungezwungene Herzlichkeit lag darin, eine unbefangene und lautere Vertraulichkeit. Die Stimme eines Freundes der Familie. Als er die Tür aufhielt, sah er ihr direkt ins Gesicht – etwas, das er fast noch nie getan hatte – und schenkte ihr ein Lächeln, aus dem alle Untergründigkeit, Heimlichkeit, ironische Komplizenschaft und verborgene Verehrung verschwunden waren.

Sie machte ihre Stimme zu einem Echo der seinen.

»Und – seit wann sind Sie zurück?«

»Seit Samstag«, sagte er. »Ich hatte vergessen, dass Sie wegfahren wollten. Ich habe mich hier heraufgequält, um Guten Tag zu sagen, und Sie waren gar nicht da, aber Polly war da und hat es mir natürlich gesagt, und dann ist es mir wieder eingefallen.«

»Polly hat Ihnen was gesagt?«, fragte Polly im Näherkommen. Das war keine richtige Frage, sondern die sanft stichelnde Bemerkung einer Frau, die weiß, dass fast alles, was sie sagt, Beifall finden wird. Pollys Sonnenbrand auf Stirn und Hals war zu Bräune geworden oder zumindest zu frischer Röte.

»Gib her«, sagte sie zu Lorna und nahm ihr die beiden Taschen ab, die an ihrem Arm hingen, und die leere Saftflasche, die sie in der Hand hielt. »Ich nehme alles, nur nicht das Baby.«

Lionels weiches Haar war jetzt eher bräunlichschwarz als schwarz – natürlich sah sie ihn zum ersten Mal in vollem Sonnenlicht –, und er hatte auch Farbe bekommen, jedenfalls so viel, dass seine Stirn ihren bleichen Glanz verloren hatte. Er trug die übliche dunkle Hose, aber sein Hemd kannte sie noch nicht. Ein gelbes Hemd mit kurzen Ärmeln aus oft gebügeltem, glänzendem, billigen Stoff, um die Schultern zu weit, vielleicht auf einem Kirchenbasar erstanden.

Lorna trug Daniel in sein Zimmer hinauf. Sie legte ihn in sein Bettchen, blieb daneben stehen, machte sanfte Geräusche und streichelte seinen Rücken.

Sie dachte, dass Lionel sie offenbar für ihren Fehler, in sein Zimmer gegangen zu sein, bestrafte. Die Vermieterin hatte es ihm bestimmt gesagt. Lorna hätte damit rechnen müssen, wenn sie nachgedacht hätte. Aber sie hatte nicht nachgedacht, wahrscheinlich weil sie meinte, es sei unwichtig. Vielleicht dachte sie sogar, sie würde es ihm selbst sagen.

Ich bin auf dem Weg zum Spielplatz vorbeigekommen und habe einfach gedacht, ich gehe hinein und setze mich mitten auf den Fußboden. Ich kann's nicht erklären. Es kam mir wie etwas vor, das mir einen Augenblick Ruhe verschaffen würde, in Ihrem Zimmer zu sein und mitten auf dem Fußboden zu sitzen.

Sie hatte – nach dem Brief? – gedacht, dass es ein Band zwischen ihnen gab, das nicht offen gelegt zu werden brauchte, auf das aber Verlass war. Und sie hatte sich geirrt, sie hatte ihn erschreckt. Zu viel vorausgesetzt. Er hatte sich abgewandt, und da war Polly. Wegen Lornas Vergehen hatte er sich mit Polly eingelassen.

Vielleicht aber auch nicht. Vielleicht hatte er sich einfach verändert. Sie dachte an die außergewöhnliche Kahlheit seines Zimmers, an das Licht auf den Wänden. Daraus konnten solche veränderten Spielarten seines Ichs hervorgehen, mühelos erschaffen im Zeitraum eines Lidschlags. Das konnte eine Reaktion darauf sein, dass etwas ein bisschen schief gegangen war, oder aus der Erkenntnis kommen, dass er etwas nicht durchführen konnte. Vielleicht war auch gar kein bestimmter Anlass dafür notwendig – ein Lidschlag genügte.

Als Daniel fest eingeschlafen war, ging sie hinunter. Im Badezimmer stellte sie fest, dass Polly die Windeln ordentlich aus-gewaschen und in den Eimer mit der blauen Lösung zum Des-infizieren gelegt hatte. Sie nahm den Koffer, der mitten in der Küche stand, trug ihn nach oben, legte ihn auf das große Bett und klappte ihn auf, um auszusortieren, was gewaschen werden musste und was weggelegt werden konnte.

Das Fenster dieses Zimmers ging auf den Garten hinterm Haus. Sie hörte Stimmen – Elizabeths laut, fast kreischend von der Aufregung des Nachhausekommens und vielleicht von der Anstrengung, ein größeres Publikum fesseln zu müssen, Bren-dans gebieterisch, aber angenehm, von der Reise berichtend.

Sie ging ans Fenster und sah hinunter. Sie sah Brendan zum Schuppen gehen, ihn aufschließen und den Planschpool der Kinder herauszerren. Die Tür drohte zuzuschlagen, und Polly eilte hin, um sie festzuhalten.

Lionel stand auf, um den Gartenschlauch auszurollen. Sie hätte nicht gedacht, dass er überhaupt wusste, wo der Garten-schlauch war.

Brendan sagte etwas zu Polly. Bedankte er sich bei ihr? Man hätte meinen können, sie verstünden sich prächtig.

Wie war das geschehen?

Es konnte sein, dass Polly jetzt als Person galt, die Beachtung verdiente, da von Lionel akzeptiert. Von Lionel akzeptiert und nicht von Lorna aufgedrängt.

Oder vielleicht war Brendan einfach glücklicher, weil sie fort gewesen waren. Vielleicht hatte er für eine Weile die Last abgeworfen, seinen Hausstand in Ordnung halten zu müssen. Vielleicht hatte er – völlig zu Recht – gemerkt, dass diese ver-änderte Polly keine Bedrohung darstellte.

Eine Szene, so alltäglich und erstaunlich, als sei sie durch Zauberei zustande gekommen. Alle glücklich.

Brendan war dabei, die Einfassung des Planschpools auf-zublasen. Elizabeth hatte sich bis auf ihr Höschen ausgezogen und tanzte ungeduldig herum. Brendan hatte es nicht nötig gefunden, Elizabeth zu sagen, dass sie raufgehen und ihren Badeanzug anziehen sollte, dass Höschen sich nicht schickten. Lionel hatte das Wasser angestellt, und bis es für den Pool gebraucht wurde, stand er da und bewässerte die Kapuzinerkresse, wie ein ganz normaler Hausbesitzer. Polly sagte etwas zu Brendan, und er kniff den Stutzen zu, in den er gepustet hatte, und überließ ihr den halb aufgeblasenen Plastikhaufen.

Lorna erinnerte sich, dass es Polly gewesen war, die am Strand den Delphin aufgeblasen hatte. Sie sei gut bei Puste, hatte sie gesagt. Sie blies gleichmäßig, ohne jeden Anschein von Anstrengung. Sie stand in ihren Shorts da, die nackten Beine fest aufgepflanzt, die Haut schimmernd wie Birkenrinde. Und Lionel sah ihr zu. Genau das, was ich brauche, dachte er vielleicht. So eine tüchtige und vernünftige Frau, anschmiegsam, aber fest. Jemand, nicht eingebildet oder verträumt oder unzufrieden. Gut möglich, dass sie die Frau war, die er eines Tages heiraten würde. Eine Ehefrau, die das Heft in die Hand nehmen konnte. Dann würde er sich abermals verändern, sich vielleicht auf seine Weise in eine andere Frau verlieben, aber die Ehefrau würde zu beschäftigt sein, um es zu merken.

Das konnte geschehen. Polly und Lionel. Oder auch nicht. Möglich, dass Polly wie geplant heimfuhr, und falls sie das tat, würde es keine gebrochenen Herzen geben. Zumindest dachte Lorna das. Polly würde heiraten oder auch nicht, aber wie es auch kam, die Dinge, die mit Männern zu tun hatten, würden ihr nicht das Herz brechen.

Bald war die Einfassung des Pools aufgeplustert und glatt. Der Pool wurde auf dem Rasen ausgebreitet, der Gartenschlauch hineingelegt, und Elizabeth ließ sich die Füße bespritzen. Sie sah zu Lorna hoch, als hätte sie die ganze Zeit über gewusst, dass Lorna da oben war.

»Es ist kalt«, schrie sie verzückt. »Mami – es ist kalt.«

Jetzt sah auch Brendan zu Lorna hoch.

»Was machst du denn da oben?«

»Auspacken.«

»Das muss doch nicht jetzt sein. Komm nach draußen.«

»Ja. Gleich.«

Seit Lorna das Haus betreten hatte – eigentlich sogar, seit sie begriffen hatte, dass die Stimmen, die sie hörte, aus ihrem eigenen Garten kamen und die von Polly und Lionel waren –, hatte sie nicht mehr an das Bild gedacht, das ihr Meile um Meile vor Augen gewesen war, das Bild von Polly, erhängt an der Hintertür. Sie wurde jetzt davon überrascht, wie man manchmal, lange nach dem Aufwachen, von der Erinnerung an einen Traum überrascht wird. Es hatte die Kraft und das Beschämende eines Traums. Auch dessen Sinnlosigkeit.

Nicht im selben Moment, sondern ein wenig verzögert kam die Erinnerung an ihren Tauschhandel. Ihre unklare, primitive, neurotische Vorstellung von einem Tauschhandel.

Aber was hatte sie noch gleich versprochen?

Nichts, was mit den Kindern zu tun hatte.

Etwas, das mit ihr selbst zu tun hatte?

Sie hatte versprochen, dass sie tun würde, was immer ihr auferlegt wurde, sobald sie erkannt hatte, was es war.

Das war Drückebergerei, ein Tauschhandel, der keiner war, ein Versprechen, das keinerlei Bedeutung hatte.

Trotzdem probierte sie verschiedene Möglichkeiten aus. Fast, als gestaltete sie diese Geschichte, um sie jemandem zu erzählen, nicht mehr Lionel, sondern irgendjemandem, zur Unterhaltung.

Keine Bücher mehr lesen.

Pflegekinder aus schlechten Elternhäusern und armen Ländern aufnehmen. Sich bemühen, deren körperliche und seelische Wunden zu heilen.

In die Kirche gehen. Einwilligen, an Gott zu glauben.

Sich die Haare kurz schneiden, kein Make-up mehr benutzen, nie wieder die Brüste in einem versteiften Büstenhalter hochzwängen.

Sie setzte sich aufs Bett, ermüdet von all diesen Spielereien, von so viel Belanglosigkeit.

Sinnvoller war, dass der Tauschhandel, an den sie gebunden war, darin bestand, so weiterzuleben wie bisher. Der Tauschhandel war schon in Kraft. Annehmen, was geschehen war, und sich darüber im Klaren sein, was geschehen würde. Tage und Jahre und Gefühle, die sich ziemlich gleich blieben, außer dass die Kinder heranwachsen würden, und vielleicht kämen noch ein oder zwei dazu, und auch die würden heranwachsen, und sie und Brendan würden älter werden und dann alt.

Erst jetzt, erst in diesem Augenblick erkannte sie ganz klar: Bisher hatte sie immer damit gerechnet, dass etwas passieren würde, etwas, das ihr Leben verändern würde. Sie hatte ihre Ehe als eine große Veränderung aufgefasst, aber nicht als die letzte.

Also ab jetzt nur noch das, was sie oder sonst jemand vernünftigerweise voraussehen konnte. Das sollte ihr Lebensglück sein, das war, was sie ausgehandelt hatte. Nichts Geheimes oder Seltsames.

Das musst du beachten, dachte sie. Sie hatte den dramatischen Einfall niederzuknien. Das ist von Bedeutung.

Elizabeth rief wieder: »Mami, komm her.« Und dann riefen auch die anderen nach ihr – Brendan und Polly und Lionel, einer nach dem anderen, und neckten sie.

Mami.

Mami.

Komm her.

Das geschah alles vor langer Zeit. In North Vancouver, als sie in dem Pfosten-und-Bohlen-Haus wohnte. Als sie vierundzwanzig Jahre alt war und noch neu im Tauschhandel.

Was in Erinnerung bleibt

In einem Hotelzimmer in Vancouver zieht Meriel als junge Frau ihre kurzen weißen Sommerhandschuhe an. Sie trägt ein beigefarbenes Leinenkleid und um das Haar einen hauchzarten weißen Schal. Um das zu der Zeit dunkle Haar. Sie lächelt, denn ihr ist etwas eingefallen, was Königin Sirikit von Thailand gesagt hat oder laut einer Zeitschrift gesagt haben soll. Ein Zitat innerhalb eines Zitats – Königin Sirikit gab wieder, was Balmain gesagt hatte.

»Balmain hat mir alles beigebracht. Er hat gesagt: ›Tragen Sie immer weiße Handschuhe. Das ist das Beste.‹«

Das ist das Beste. Warum lächelt sie darüber? Über solch einen Ratschlag wie Gewisper, wie eine absurde und endgültige Weisheit. Ihre behandschuhten Hände wirken förmlich, aber auch sanft wie die Pfoten einer kleinen Katze.

Pierre fragt, warum sie lächelt, und sie sagt: »Ach, nichts«, dann erzählt sie es ihm.

Er fragt: »Wer ist Balmain?«

Sie machten sich fertig, um auf eine Beerdigung zu gehen. Sie waren am Vorabend von ihrem Haus auf Vancouver Island mit der Fähre herübergekommen, um ja rechtzeitig zu der morgendlichen Feierstunde zu erscheinen. Zum ersten Mal seit ihrer Hochzeitsnacht hatten sie in einem Hotelzimmer übernachtet. Wenn sie jetzt verreisten, dann immer mit den beiden Kindern, und sie hielten nach preiswerten Motels Ausschau, die familienfreundlich waren.

Dies war erst die zweite Beerdigung, der sie als Ehepaar beiwohnten. Pierres Vater und Meriels Mutter lebten nicht mehr, aber diese Todesfälle hatten sich ereignet, bevor Pierre und Meriel sich kennen lernten. Voriges Jahr war plötzlich ein Lehrer an Pierres Schule gestorben, und es gab einen schönen Gottesdienst, mit dem Knabenchor der Schule und den vierhundert Jahre alten Worten für die Grablegung der Toten. Der Mann war Mitte sechzig, sein Tod für Meriel und Pierre nur wenig überraschend und kaum traurig. In ihren Augen machte es nicht viel aus, ob man mit fünfundsechzig oder fünfundsiebzig oder fünfundachtzig starb.

Die Beerdigung heute war jedoch etwas anderes, denn es war Jonas, der beerdigt wurde. Über Jahre hin Pierres bester Freund und in Pierres Alter – neunundzwanzig. Pierre und Jonas waren zusammen in West Vancouver aufgewachsen –, sie konnten sich noch daran erinnern, wie es war, bevor die Lion's Gate Bridge erbaut wurde, als es einer Kleinstadt ähnelte. Ihre Eltern waren befreundet. Mit elf oder zwölf Jahren hatten sie ein Ruderboot gebaut und am Dundarave Pier zu Wasser gelassen. Auf der Universität hatten sie sich eine Zeit lang getrennt – Jonas wollte Ingenieur werden, während Pierre klassische Philologie studierte, und es war Tradition, dass die Studenten der Technischen und der Philosophischen Fakultät sich gegenseitig verachteten. Aber in den Jahren danach war die Freundschaft bis zu einem gewissen Grad wiederbelebt worden. Jonas, der nicht verheiratet war, besuchte Pierre und Meriel und blieb manchmal eine ganze Woche lang.

Beide jungen Männer waren überrascht, welche Wendungen ihr Leben genommen hatte, und sie machten darüber Witze. Jonas war derjenige, dessen Berufswahl für seine Eltern so beruhigend gewesen war und bei Pierres Eltern stummen Neid geweckt hatte, doch es war Pierre, der geheiratet und Arbeit als Lehrer gefunden und die üblichen Pflichten auf sich genommen hatte, während Jonas sich nach der Universität nie auf eine Frau oder eine feste Stelle eingelassen hatte. Er war gewissermaßen immer auf Probezeit, die nie in eine Anstellung bei einer Firma mündete, und die Frauen – zumindest, wenn man ihn darüber reden hörte – waren bei ihm auch nur auf Probezeit. Seine letzte Arbeit hatte ihn in den Norden der Provinz geführt, und er blieb dort, nachdem er gegangen oder gegangen worden war. »Beschäftigungsverhältnis in beiderseitigem Einverständnis gelöst«, schrieb er Pierre und fügte hinzu, dass er in einem Hotel wohnte, in dem alle feinen Pinkel abstiegen, und vielleicht Arbeit bei einer Holzfällerkolonne bekam. Er nahm auch Flugunterricht und dachte daran, Buschpilot zu werden und abgelegene Siedlungen zu versorgen. Er versprach, zu Besuch zu kommen, sobald sich seine gegenwärtigen finanziellen Probleme geklärt hätten.

Meriel hatte gehofft, dass das nicht eintrat. Jonas schlief auf der Couch im Wohnzimmer und warf morgens das Bettzeug auf den Fußboden, und sie musste es aufheben. Er hielt Pierre die halbe Nacht lang wach mit Gequatsche über Dinge, die sich ereignet hatten, als sie Halbwüchsige waren oder noch jünger. Pierre redete er mit Pissbär an, ein Spitzname aus dieser Zeit, und die anderen alten Freunde nannte er Stinkteich oder Doc oder Buster, nie bei den Namen, die Meriel immer gehört hatte – Stan oder Don oder Rick. Er erinnerte sich mit barscher Pedanterie an die Einzelheiten von Vorfällen, die Meriel nicht sonderlich bemerkenswert oder komisch fand (die Tüte mit Hundekacke, die sie vor der Haustür des Lehrers angezündet hatten, die Hetzjagd auf den alten Mann, der Jungen fünf Cent dafür bot, dass sie die Hose runterließen), und wurde gereizt, wenn sich die Unterhaltung der Gegenwart zuwandte.

Als sie Pierre sagen musste, dass Jonas tot war, war sie betreten und erschüttert. Betreten, weil sie Jonas nicht gemocht hatte, und erschüttert, weil er der Erste aus ihrem Freundeskreis, ihrer Altersgruppe war, der den Tod gefunden hatte. Aber Pierre schien nicht überrascht oder sonderlich getroffen zu sein.

»Selbstmord«, sagte er.

Nein, sagte sie, ein Unfall. Er fuhr Motorrad, nach Einbruch der Dunkelheit, auf Schotter, und kam von der Straße ab. Jemand fand ihn oder war bei ihm, Hilfe war zur Stelle, aber er starb innerhalb einer Stunde. Seine Verletzungen waren tödlich.

Das war, was seine Mutter am Telefon gesagt hatte. *Seine Verletzungen waren tödlich.* Sie hatte sich angehört, als hätte sie sich schnell damit abgefunden, wäre nicht weiter überrascht. Wie Pierre, als er sagte: »Selbstmord.«

Danach hatten Pierre und Meriel kaum über Jonas' Tod gesprochen, nur über die Beerdigung, das Hotelzimmer, einen Babysitter, der über Nacht blieb. Sein Anzug musste gereinigt, ein weißes Hemd besorgt werden. Es war Meriel, die sämtliche Vorkehrungen traf, und Pierre überprüfte alles in hausherrlicher Manier. Sie begriff, dass er von ihr verlangte, so beherrscht und sachlich zu bleiben, wie er es war, und keinen Anspruch auf Trauer zu erheben, die sie – da wäre er sicher – gar nicht wirklich empfand. Sie hatte ihn gefragt, warum er »Selbstmord« gesagt hatte, und er hatte ihr geantwortet: »Das kam mir einfach in den Sinn.« Sie empfand diese ausweichende Antwort als eine Art Warnung oder sogar Zurechtweisung. Als hätte er sie im Verdacht, dem Tod von Jonas – oder ihrer Nähe zu seinem Tod – ein Gefühl abgewinnen zu wollen, das ungehörig und egoistisch war. Eine morbide, sich weidende Erregung.

Junge Ehemänner waren zu der Zeit streng. Erst kurz zuvor waren sie Anbeter gewesen, fast Spottfiguren, X-beinig und verzweifelt in ihren sexuellen Nöten. Jetzt, im gemachten Bett, wurden sie resolut und missbilligten vieles. Jeden Tag fort zur Arbeit, glattrasiert, den jugendlichen Hals im Krawattenknoten, die Tage zugebracht in unbekannten Zwängen, abends wieder daheim, um einen kritischen Blick auf das Abendessen zu werfen und die Zeitung aufzuschlagen, sie zwischen sich und das Kuddelmuddel in der Küche zu halten, zwischen sich und die Krankheiten, die Gefühle, die Babys. Wie viel sie lernen mussten, in so kurzer Zeit. Wie man vor dem Chef katzbuckelt und wie man die Ehefrau gängelt. Wie man sich sachkundig und entscheidungsfreudig zeigt, wenn es um Hypotheken, tragende Wände, Rasenmischungen, Abflussrohre und Politik geht oder gar um die berufliche Laufbahn, die den Unterhalt der Familie für das nächste Vierteljahrhundert sicherstellen muss. Die Frauen hingegen konnten es sich damals erlauben – nur tagsüber und immer eingedenk der ungeheuren Verantwortung, die die Kinder mit sich brachten –, in eine Art zweite Jugend zurückzufallen. Ein Aufatmen, wenn der Ehemann fort war. Verträumte Palastrevolutionen, subversive Zusammenkünfte, Lachkrämpfe, die ein Rückfall in die Schulzeit waren, heimliches Qualmen in den vier Wänden, für die der Ehemann aufkam, in den Stunden seiner Abwesenheit.

Nach der Beerdigung waren einige in das Haus von Jonas' Eltern in Dundarave gebeten worden. Die Rhododendronhecke stand in Blüte, rot, rosa und violett. Jonas' Vater erhielt Komplimente für den Garten.

»Ach, ich weiß nicht«, sagte er. »Wir mussten ihn in aller Eile auf Vordermann bringen.«

Jonas' Mutter sagte: »Das ist leider kein richtiges Mittagessen. Nur ein Imbiss.« Die meisten tranken Sherry, einige der Männer allerdings Whisky. Speisen waren auf dem ausgezogenen Esszimmertisch angerichtet – Lachsmousse und Cracker, Pilztörtchen, Wurstbrötchen, ein luftiger Zitronenkuchen und aufgeschnittenes Obst und Mandelkekse, dazu noch Sandwiches mit Shrimps und Schinken und Gurken- und Avocadoscheiben. Pierre häufte alles auf seinen kleinen Porzellanteller, und Meriel hörte seine Mutter zu ihm sagen: »Weißt du, du kannst dir ohne weiteres nochmal etwas holen.«

Seine Mutter wohnte nicht mehr in West Vancouver, sondern war aus White Rock zur Beerdigung gekommen. Und sie traute sich nicht recht, Pierre offen zu tadeln, jetzt, wo er Lehrer und ein verheirateter Mann war.

»Oder dachtest du, dann ist nichts mehr übrig?«, fragte sie.

Pierre sagte achtlos: »Vielleicht nicht von dem, was ich mag.«

Seine Mutter wandte sich an Meriel. »Was für ein hübsches Kleid.«

»Ja, aber sieh mal«, sagte Meriel und strich die Falten glatt, die sich beim Sitzen während des Trauergottesdienstes gebildet hatten.

»Das ist das Problem«, sagte Pierres Mutter.

»Was ist das Problem?«, fragte Jonas' Mutter fröhlich und schob Törtchen auf die Wärmeplatte.

»Das ist das Problem bei Leinen«, sagte Pierres Mutter. »Meriel sagte gerade, dass sich ihr Kleid verknittert hat« – sie erwähnte nicht: »während des Trauergottesdienstes« –, »und ich habe gesagt, das ist das Problem bei Leinen.«

Möglich, dass Jonas' Mutter nicht richtig zuhörte. Sie sah durchs Zimmer und sagte: »Das ist der Arzt, der sich um ihn gekümmert hat. Er ist mit dem eigenen Flugzeug aus Smithers hergeflogen. Wir fanden das wirklich sehr nett von ihm.«

Pierres Mutter sagte: »Das ist ja ein ziemlich gewagtes Unternehmen.«

»Ja. Nun, ich vermute, so reist er immer umher, um die Leute im Busch zu versorgen.«

Der Mann, von dem sie redeten, unterhielt sich gerade mit Pierre. Er trug keinen Anzug, hatte aber ein anständiges Jackett an, über einem Rollkragenpullover.

»Das sähe ihm ähnlich«, sagte Pierres Mutter, und Jonas' Mutter sagte: »Ja«, und Meriel hatte das Gefühl, es sei etwas – über seine Art, sich zu kleiden? – zwischen ihnen geklärt worden.

Sie schaute hinunter auf die Servietten, die zu Quadraten gefaltet waren. Nicht so groß wie Mittagsservietten oder so klein wie Cocktailservietten. In überlappenden Reihen so ausgelegt, dass eine Ecke jeder Serviette (diejenige, die mit einer kleinen blauen oder roten oder gelben Blume bestickt war) mit den benachbarten Ecken ein säuberliches Zickzackmuster bildete. Keine zwei Servietten, die mit derselben Blumenfarbe bestickt waren, berührten einander. Niemand hatte sie angerührt, oder wenn doch – denn sie sah einige im Zimmer mit Servietten in der Hand –, dann hatten sie sich die Servietten vom Ende der Reihe sehr vorsichtig genommen und die Ordnung bewahrt.

Im Trauergottesdienst hatte der Geistliche das Leben von Jonas auf Erden mit dem Leben eines Babys im Mutterleib verglichen. Das Baby, sagte er, weiß nichts von irgendeinem anderen Leben und bewohnt seine warme dunkle Wasserhöhle ohne jede Ahnung von der weiten, hellen Welt, in die es bald hinausgestoßen wird. Und wir auf Erden haben eine Ahnung, sind aber trotzdem völlig unfähig, uns das Licht vorzustellen, in das wir eintreten werden, nachdem wir die Geburtswehen des Todes überlebt haben. Wenn das Baby irgendwie erfahren könnte, was ihm demnächst geschehen wird, wäre es dann nicht skeptisch und auch verängstigt? Und das sind wir auch meistens, aber wir sollten es nicht sein, denn uns ist Gewissheit gegeben worden. Trotzdem vermag unser blindes Hirn sich nicht vorzustellen, sich keinen Begriff davon zu machen, in was wir hinübergehen werden. Das Baby ist eingehüllt in seine Unwissenheit, in den vertrauensvollen Glauben seines stummen, hilflosen Seins. Und wir, die wir nicht gänzlich unwissend oder gänzlich wissend sind, müssen darauf achten, uns in unseren Glauben zu hüllen, in das Wort des Herrn.

Meriel sah zu dem Geistlichen hinüber, der mit einem Glas Sherry in der Hand in der Tür zur Diele stand und einer lebhaften Frau mit blondem, toupierten Haar zuhörte. Meriel hatte nicht den Eindruck, dass sie über die Qualen des Todes und das Licht danach redeten. Was würde er tun, wenn sie hinging und ihn mit diesem Thema konfrontierte?

Niemand würde sich das trauen. Oder so taktlos sein.

Stattdessen sah sie zu Pierre und dem Buschdoktor hinüber. Pierre redete mit einer jungenhaften Munterkeit, die man derzeit nicht oft bei ihm sah. Oder die Meriel nicht oft bei ihm sah. Sie beschäftigte sich damit, so zu tun, als sähe sie ihn jetzt zum ersten Mal. Sein krauses, kurz geschorenes, sehr dunkles Haar, das an den Schläfen zurückwich und die glatte, goldgetönte Elfenbeinhaut freigab. Seine breiten, spitzen Schultern und die langen, zarten Gliedmaßen und der hübsch geformte, ziemlich kleine Schädel. Er lächelte bezaubernd, aber nie aus taktischen Gründen, und schien, seit er Jungen unterrichtete, dem Lächeln gänzlich zu misstrauen. Feine Runzeln ständiger Gereiztheit gruben sich in seine Stirn.

Sie dachte an eine Lehrerparty vor über einem Jahr, bei der sie und er an entgegengesetzten Enden des Zimmers gelandet waren, ausgeschlossen von den umgebenden Gesprächen. Sie hatte sich durchs Zimmer geschlängelt, bis sie unbemerkt neben ihm stand, und dann mit ihm geredet, als sei sie eine unaufdringlich flirtende Fremde. Er hatte gelächelt, wie er jetzt lächelte – abgesehen von dem kleinen Unterschied, weil er jetzt nicht mit einer bestrickenden Frau redete, und war auf das Spiel eingegangen. Sie tauschten bedeutsame Blicke und belanglose Bemerkungen, bis sie vor Lachen herausplatzten. Jemand trat auf sie zu und teilte ihnen mit, dass Ehepaare hier nicht ihre privaten Witze machen durften.

»Was bringt Sie auf die Idee, dass wir ein Ehepaar sind?«, fragte Pierre, der sich sonst auf solchen Partys sehr angepasst verhielt.

Sie ging jetzt durchs Zimmer auf ihn zu, ohne solchen Unfug im Sinn zu haben. Sie musste ihn daran erinnern, dass ihnen bald getrennte Wege bevorstanden. Er musste zur Horseshoe Bay fahren, um die nächste Fähre zu erreichen, und sie wollte mit dem Bus rüber zum North Shore und nach Lynn Valley. Sie hatte beschlossen, diese Gelegenheit zu benutzen, um eine Frau zu besuchen, die ihre tote Mutter geliebt und bewundert hatte, nach der sie sogar ihre Tochter genannt hatte, und die Meriel immer mit Tante angeredet hatte, obwohl sie nicht blutsverwandt waren. Tante Muriel. (Als sie von zu Hause fortging aufs College, hatte Meriel die Schreibweise ihres Namens geändert.) Diese alte Frau lebte in einem Pflegeheim in Lynn Valley, und Meriel hatte sie über ein Jahr lang nicht besucht. Es kostete zu viel Zeit, im Rahmen ihrer seltenen Familienfahrten nach Vancouver dorthin zu gelangen, und die Kinder wurden von der Atmosphäre des Pflegeheims und dem Aussehen der Menschen, die dort lebten, verstört. Pierre ebenfalls, auch wenn er das nicht gerne zugab. Stattdessen fragte er, in welchem Verwandtschaftsverhältnis diese Person überhaupt zu Meriel stand.

Es ist ja nicht so, als wäre sie eine richtige Tante.

Daher wollte Meriel sie diesmal allein besuchen. Sie hatte gesagt, dass sie ein schlechtes Gewissen hätte, wenn sie diese Gelegenheit nicht nutzte, um hinzufahren. Außerdem, obwohl sie das nicht sagte, freute sie sich auf die Zeit, in der sie dadurch von ihrer Familie fort war.

»Vielleicht kann ich dich hinfahren«, sagte Pierre. »Gott weiß, wie lange du auf den Bus warten musst.«

»Kannst du nicht«, sagte sie. »Du würdest die Fähre versäumen.« Sie erinnerte ihn an die Vereinbarung mit dem Babysitter.

Er sagte: »Du hast Recht.«

Dem Mann, mit dem er geredet hatte, dem Arzt, war nichts anderes übrig geblieben, als dieses Gespräch mit anzuhören, und er sagte unerwartet: »Wie wär's, wenn ich Sie hinfahre?«

»Ich dachte, Sie sind mit dem Flugzeug hier«, sagte Meriel,

gerade als Pierre sagte: »Das ist meine Frau, entschuldigen Sie. Meriel.«

Der Arzt nannte ihr einen Namen, den sie kaum hörte.

»Es ist nicht so leicht, mit dem Flugzeug auf dem Hollyburn Mountain zu landen«, sagte er. »Also habe ich es auf dem Flughafen gelassen und ein Auto gemietet.«

Seine Höflichkeit wirkte ein wenig gezwungen, woraufhin Meriel sofort annahm, dass sie sich unmöglich angehört hatte. Sie war häufig entweder zu keck oder zu schüchtern.

»Würde Ihnen das wirklich nichts ausmachen?«, fragte Pierre. »Haben Sie denn Zeit?«

Der Arzt sah Meriel direkt an. Es war kein unangenehmer Blick – er war nicht aufdringlich oder hinterhältig, er war nicht abschätzend. Aber er war auch nicht galant.

Er sagte: »Natürlich.«

Also einigte man sich, dass es so gemacht werden sollte. Sie würden sich langsam verabschieden, und Pierre würde zur Fähre aufbrechen, und Asher, so hieß er – oder Dr. Asher –, würde Meriel nach Lynn Valley fahren.

Meriel plante, Tante Muriel einen längeren Besuch abzustatten – vielleicht sogar bis nach dem Abendbrot bei ihr zu sitzen, dann den Bus von Lynn Valley zum Busbahnhof in der Innenstadt zu nehmen (Busse in die Stadt fuhren relativ häufig), um den letzten Bus zu kriegen, der sie auf die Fähre und nach Hause brachte.

Das Pflegeheim hieß Villa Prinzessin. Es war ein einstöckiges Gebäude mit angebauten Flügeln, rosa-braun verputzt. Die Straße war stark befahren, zum Haus gehörte kein nennenswertes Grundstück, es gab keine Hecken oder Schutzzäune, um den Lärm abzuwehren oder das Stückchen Rasen abzuschirmen. Auf der einen Seite war ein Gotteshaus mit einem Witz von Kirchturm, auf der anderen eine Tankstelle.

»Das Wort ›Villa‹ bedeutet inzwischen überhaupt nichts mehr, wie?«, sagte Meriel. »Es bedeutet nicht mal, dass es einen ersten Stock gibt. Es bedeutet lediglich, dass man denken soll, das Haus sei was, das es nicht mal zu sein vorgibt.«

Der Arzt sagte nichts – vielleicht ergab das, was sie gesagt hatte, für ihn keinen Sinn. Oder war für ihn nicht der Rede wert, selbst wenn es stimmte. Auf dem ganzen Weg von Dundarave hatte sie sich selbst reden hören, und es hatte sie erschreckt. Nicht so sehr, weil sie schwafelte – alles aussprach, was ihr gerade in den Kopf kam –, sondern weil sie versuchte, Gedanken auszudrücken, die sie interessant fand oder die vielleicht interessant gewesen wären, wenn es ihr gelungen wäre, sie in die rechte Form zu bringen. Aber derart hastig formuliert hörten sie sich wahrscheinlich überspannt, wenn nicht gar unsinnig an. Sie musste wie eine dieser Frauen wirken, die wild entschlossen waren, keine normale Unterhaltung zu führen, sondern ein *echtes Gespräch*. Und obwohl sie merkte, dass ihr alles danebenging, dass ihr Gerede ihm wie eine Zumutung vorkommen musste, konnte sie beim besten Willen nicht aufhören.

Sie wusste nicht, wie es dazu gekommen war. Befangenheit, einfach weil sie sich inzwischen so selten mit einem Fremden unterhielt. Die ausgefallene Situation, in einem Auto mit einem Mann allein zu sein, der nicht ihr Ehemann war.

Sie hatte sogar unbesonnen danach gefragt, was er von Pierres Annahme hielt, dass der Motorradunfall Selbstmord war.

»Diese Vermutung kann man über viele tödliche Unfälle in die Welt setzen«, hatte er geantwortet.

»Sie brauchen nicht in die Auffahrt einzubiegen«, sagte sie. »Ich kann hier aussteigen.« So verlegen war sie, so eilig hatte sie es, von ihm und seiner kaum höflichen Gleichgültigkeit fortzukommen, dass sie nach dem Türgriff fasste, als wollte sie aussteigen, noch während sie die Straße entlangfuhren.

»Ich hatte vor, das Auto abzustellen«, sagte er und bog doch in die Auffahrt. »Ich wollte Sie hier nicht aussetzen.«

Sie sagte: »Es kann eine ganze Weile dauern.«

»Das macht nichts. Ich kann warten. Oder ich könnte mitkommen und mich umschauen. Wenn Sie nichts dagegen haben.«

Sie wollte sagen, dass Pflegeheime trostlos und niederschmetternd sein können. Dann fiel ihr ein, dass er Arzt war und hier nichts sehen würde, was er nicht schon gesehen hatte. Und etwas an der Art, wie er »wenn Sie nichts dagegen haben« sagte – mit Förmlichkeit, aber auch mit Unsicherheit in der Stimme –, überraschte sie. Wie es schien, machte er ihr ein Angebot seiner Zeit und seiner Anwesenheit, das wenig mit Höflichkeit, sondern vielmehr etwas mit ihr selbst zu tun hatte. Ein Angebot, durchaus bescheiden vorgebracht, ohne jedoch eine Bitte zu sein. Wenn sie gesagt hätte, dass sie seine Zeit wirklich nicht weiter in Anspruch nehmen wolle, hätte er nicht weiter versucht, sie zu überreden, sondern sich mit gelassener Verbeugung verabschiedet und wäre weggefahren.

Doch so stiegen sie aus dem Auto und gingen nebeneinander über den Parkplatz zum Haupteingang.

Mehrere Alte oder Schwerbehinderte saßen draußen auf einem gepflasterten Geviert, das von ein paar pelzigen Sträuchern und von Blumenkästen mit Petunien umgeben war, um eine Gartenterrasse anzudeuten. Tante Muriel war nicht darunter, trotzdem teilte Meriel fröhliche Begrüßungen aus. Etwas war mit ihr geschehen. Sie spürte plötzlich eine geheimnisvolle Kraft und Lebensfreude, als durchzuckte sie bei jedem Schritt, den sie tat, von den Fersen bis zur Schädeldecke eine strahlende Botschaft.

Als sie ihn später fragte: »Warum bist du dorthin mitgekommen?«, sagte er: »Weil ich dich nicht aus den Augen verlieren wollte.«

Tante Muriel saß ganz für sich in einem Rollstuhl gleich vor ihrer Zimmertür im dämmrigen Flur. Sie war aufgeplustert und schimmerte – aber das war, weil man sie in eine Asbestschürze gewickelt hatte, damit sie rauchen konnte. Meriel meinte, sie habe, als sie sich vor vielen Monaten von ihr verabschiedet hatte, im selben Rollstuhl am selben Fleck gesessen – wenn auch ohne die Asbestschürze, die offenbar einer neuen Vorschrift entsprach oder weiteren Verfall bezeugte. Höchstwahrscheinlich saß sie jeden Tag hier neben dem fest angebrachten, mit Sand gefüllten Aschbecher, und starrte die blaurot gestrichene Wand an – sie war rosa oder hellviolett angestrichen, aber in dem Dämmerlicht sah sie blaurot aus –, wo von einer Konsole ein bisschen künstlicher Efeu herunterhing.

»Meriel? Ich dachte mir schon, dass du es bist«, sagte sie. »Ich habe dich am Gang erkannt. Daran, wie dein Atem geht. Mein grauer Star ist mittlerweile die Hölle. Ich sehe nur noch Klecks-se.«

»Ich bin's wirklich, wie geht's dir?« Meriel küsste sie auf die Schläfe. »Warum sitzt du nicht draußen in der Sonne?«

»Ich mag keine Sonne«, sagte die alte Frau. »Ich muss an meinen Teint denken.«

Vielleicht sagte sie das zum Scherz, aber vielleicht stimmte es auch. Ihr blasses Gesicht und ihre Hände waren mit großen Flecken bedeckt – totenbleichen Flecken, die das wenige Licht einfingen und silbrig schimmerten. Sie war eine echte Blondine gewesen, schlank, mit rosigem Gesicht und glattem, sorgfältig frisierten Haar, das schon weiß wurde, als sie noch keine vierzig war. Jetzt war das Haar struppig, zerwühlt vom Druck des Kissens, und die Ohrläppchen hingen wie schlaffe Brustwarzen heraus. Früher trug sie immer Diamanten in den Ohrläppchen – wo waren sie hin? Diamanten in den Ohrläppchen, echte Goldketten, echte Perlen, Seidenblusen in ungewöhnlichen Farben – Bernstein, Aubergine – und schöne schmale Schuhe. Sie roch nach Krankenhauspuder und den Lakritzbonbons, die sie unentwegt zwischen den rationierten Zigaretten lutschte.

»Wir brauchen Stühle«, sagte sie. Sie beugte sich vor, fuchtelte mit der Zigarettenhand und versuchte zu pfeifen. »Bedienung, bitte. Stühle.«

Der Arzt sagte: »Ich hole welche.«

Die alte Muriel und die junge blieben allein zurück.

»Wie heißt dein Mann?«

»Pierre.«

»Und du hast zwei Kinder, ja? Jane und David?«

»Richtig. Aber der Mann, der mich begleitet ...«

»O nein«, sagte die alte Muriel. »Das ist nicht dein Mann.«

Tante Muriel gehörte eher zur Generation von Meriels Großmutter als zu der ihrer Mutter. Sie war in der Schule die Kunstlehrerin ihrer Mutter gewesen. Anfangs eine Quelle der Inspiration, dann eine Verbündete, dann eine Freundin. Sie hatte großformatige abstrakte Bilder gemalt, von denen eines – ein Geschenk an Meriels Mutter – in der hinteren Diele des Hauses gehangen hatte, in dem Meriel aufgewachsen war, und immer, wenn die Künstlerin zu Besuch kam, wurde es ins Esszimmer umgehängt. Seine Farben waren düster – dunkle Rot- und Brauntöne (Meriels Vater nannte es »Brennender Misthaufen«) –, aber Tante Muriel selbst wirkte immer fröhlich und furchtlos. Als sie jung war, hatte sie in Vancouver gelebt, bis sie kam, um in dieser Stadt im Landesinneren zu unterrichten. Sie war mit Künstlern befreundet gewesen, deren Namen inzwischen in den Zeitungen standen. Sie sehnte sich danach, dorthin zurückzukehren, und tat es schließlich auch, um als Privatsekretärin bei einem reichen alten Ehepaar zu wohnen, das viele Künstler förderte. Solange das währte, schien sie viel Geld zu haben, aber als die beiden starben, ging sie leer aus. Sie lebte von ihrer Rente, wandte sich der Aquarellmalerei zu, weil sie sich Ölfarben nicht mehr leisten konnte, und hungerte (vermutete Meriels Mutter), damit sie Meriel – die damals studierte

– in ein Restaurant einladen konnte. Bei diesen Anlässen redete sie in einem Sturzbach aus Witzen und Beurteilungen und legte meistens dar, dass die Arbeiten und Ideen von hochgelobten Leuten Bockmist waren, dass es aber hier und da – in der Produktion irgendeines obskuren Zeitgenossen oder irgendeines Halbvergessenen aus einem anderen Jahrhundert – etwas Außergewöhnliches gab. Das war ihr unerschütterliches Lobeswort – »außergewöhnlich«. Mit fast tonloser Stimme, als sei sie hin und wieder und sehr zu ihrer eigenen Überraschung auf wahre Qualität gestoßen, der die Anerkennung durch die Welt bislang versagt geblieben war.

Der Arzt kam mit zwei Stühlen wieder und stellte sich vor, ganz ungezwungen, als wäre dazu jetzt erst Gelegenheit.

»Eric Asher.«

»Er ist Arzt«, sagte Meriel. Sie wollte gerade alles erklären, die Beerdigung, den Unfall, den Flug von Smithers hierher, doch das Gespräch wurde ihr entzogen.

»Aber ich bin nicht von Berufs wegen hier, keine Sorge«, sagte der Arzt.

»O nein«, sagte Tante Meriel. »Sie sind mit ihr hier.«

»Ja«, sagte er.

Gleichzeitig streckte er die Hand aus, über den Abstand zwischen ihren Stühlen hinweg, nahm Meriels Hand, hielt sie für einen Augenblick fest umschlossen, ließ sie wieder los. Und zu Tante Muriel sagte er: »Woran haben Sie das gemerkt? Daran, wie mein Atem geht?«

»Natürlich hab ich's gemerkt«, sagte sie recht ungeduldig. »Schließlich war ich früher selbst ein Satansbraten.«

Ihre Stimme – das Tremolo oder das Kichern darin – klang völlig anders, als Meriel sie in Erinnnerung hatte. Als rührte sich in dieser plötzlich so sonderbaren alten Frau ein Verrat. Ein Verrat an der Vergangenheit, vielleicht an Meriels Mutter und an deren Freundschaft mit einer Person aus besseren Kreisen, die ihr so viel bedeutet hatte. Vielleicht an den Restaurantbesuchen mit Meriel selbst, an den schöngeistigen Gesprächen. Eine Entweihung stand bevor. Meriel fürchtete sich, spürte eine gewisse Erregung.

»Ja, früher hatte ich Freunde«, sagte Tante Muriel, und Meriel sagte: »Du hattest viele Freunde.« Sie nannte einige Namen.

»Tot«, sagte Tante Muriel.

Meriel sagte nein, sie habe erst kürzlich etwas in der Zeitung gelesen, von einer Retrospektive oder einer Preisverleihung.

»Ach? Ich dachte, er ist tot. Vielleicht denke ich an jemand anders ... Kannten Sie die Delaneys?«

Sie wandte sich direkt an den Mann, nicht an Meriel.

»Ich glaube nicht«, sagte er. »Nein.«

»Das waren Leute, die hatten ein Haus, wo wir uns immer alle einfanden, auf Bowen Island. Die Delaneys. Ich dachte, Sie hätten vielleicht von ihnen gehört. Na. Da tat sich so einiges. Das habe ich gemeint, als ich sagte, ich war früher ein Satansbraten. Abenteuer. Na. Es sah wie ein Abenteuer aus, aber es hielt sich alles ans Drehbuch, wenn Sie wissen, was ich meine. Eigentlich gar kein richtiges Abenteuer. Wir haben uns natürlich alle die Hucke voll gesoffen. Aber bei ihnen mussten immer Kerzen in einem Kreis brennen, und es musste natürlich Musik sein – mehr wie ein Ritual. Aber nicht völlig. Das hieß nicht, dass man nicht jemand Neues kennen lernen und das Drehbuch in die Ecke feuern konnte. Einfach jemandem zum ersten Mal begegnen und sich küssen wie verrückt und rauslaufen in den Wald. Ins Dunkel. Aber man kam nicht sehr weit. Machte nichts. Vom Blitz getroffen.«

Sie hatte zu husten begonnen, versuchte trotzdem weiterzusprechen, gab es auf und hustete keuchend. Der Arzt stand auf und klopfte ihr ein paar Mal fachmännisch auf den gekrümmten Rücken. Das Husten endete mit einem Stöhnen.

»Besser«, sagte sie. »Oh, man wusste genau, was man da tat, aber man gab vor, es nicht zu wissen. Einmal haben sie mir eine

Augenbinde angelegt. Nicht draußen im Wald, das war drinnen. Es war nicht schlimm, ich war einverstanden. Es hat aber nicht gut funktioniert – ich meine, ich wusste trotzdem Bescheid. Wahrscheinlich war niemand da, den ich nicht auch so erkannt hätte.«

Sie hustete wieder, wenn auch nicht so heftig wie vorher. Dann hob sie den Kopf, atmete ein paar Minuten lang tief und geräuschvoll und hielt die Hände hoch, um das Gespräch zu unterbrechen, als hätte sie gleich noch etwas Weiteres, etwas Wichtiges zu sagen. Aber schließlich lachte sie nur und sagte: »Jetzt trage ich ständig eine Augenbinde. Grauer Star. Jetzt nutzt das keiner mehr aus, zu keiner Ausschweifung, die mir bekannt ist.«

»Wie lange leiden Sie schon daran?«, fragte der Arzt mit respektvollem Interesse, und zu Meriels großer Erleichterung begann nun eine konzentrierte Unterhaltung, ein kenntnisreiches Gespräch über die Eintrübung der Linsen, ihre Entfernung, das Für und Wider dieser Operation und Tante Muriels Misstrauen gegen den Augenarzt, der dazu verdonnert war, wie sie sagte, die Leute hier drin zu betreuen. Die schlüpfrigen Phantasievorstellungen – denn das, beschloss Meriel jetzt, waren es gewesen – gingen ohne die geringste Schwierigkeit in eine medizinische Plauderei über, mit gut gelauntem Pessimismus aufseiten von Tante Muriel und mit sorgfältigen Trostworten vonseiten des Arztes. Ein Gespräch, wie es in diesen Mauern sicher regelmäßig stattfand.

Nach einer kleinen Weile tauschten Meriel und der Arzt einen Blick, der fragte, ob der Besuch lange genug gedauert hatte. Ein verstohlener, abwägender, fast verheirateter Blick, in seiner Heimlichkeit und verständnisvollen Nähe erregend für zwei, die letzten Endes doch nicht verheiratet waren.

Bald.

Tante Muriel ergriff selbst die Initiative. Sie sagte: »Es tut mir leid, es ist unhöflich von mir, ich muss euch sagen, ich werde müde.« In ihrem Gebaren war jetzt nichts mehr von der Person, die den ersten Teil der Unterhaltung bestritten hatte. Zerstreut, sich verstellend und mit einem unbestimmten Schamgefühl beugte Meriel sich vor und gab ihr einen Abschiedskuss. Sie hatte das Gefühl, dass sie Tante Muriel nie wiedersehen würde, und so kam es auch.

An offenen Türen vorbei, hinter denen Leute lagen und schliefen oder vielleicht von ihren Betten aus alles beobachteten, bogen sie um eine Ecke, und dann berührte der Arzt sie zwischen den Schulterblättern, ließ die Hand bis zur Taille über ihren Rücken gleiten. Sie merkte, dass er am Stoff ihre Kleides zupfte, das sich an ihre feuchte Haut geklebt hatte, als sie angelehnt auf dem Stuhl saß. Auch unter den Achseln war ihr Kleid feucht.

Außerdem musste sie auf die Toilette. Sie hielt nach der Besuchertoilette Ausschau, die sie auf dem Hinweg entdeckt zu haben meinte.

Da. Sie hatte Recht gehabt. Eine Erleichterung, aber auch ein Problem, denn sie musste sich von ihm entfernen und sagen: »Entschuldigen Sie mich bitte«, in einem Tonfall, der sich in ihren eigenen Ohren distanziert und gereizt anhörte. Er sagte: »Ja«, und ging mit raschen Schritten auf die Herrentoilette zu, und die Zartheit des Augenblicks war verloren.

Als sie ins warme Sonnenlicht hinaustrat, sah sie ihn neben dem Auto rauchend auf und ab gehen. Er hatte vorher nicht geraucht – nicht im Haus von Jonas' Eltern oder auf dem Weg hierher oder bei Tante Muriel. Jetzt schien er sich dadurch abzusondern, eine gewisse Ungeduld zu zeigen, vielleicht die Ungeduld, eine Angelegenheit hinter sich bringen zu wollen, um sich der nächsten zuzuwenden. Sie war sich nicht ganz sicher, ob sie die nächste Angelegenheit war oder die, die er hinter sich bringen wollte.

»Wohin?«, fragte er, als sie fuhren. Dann, als meinte er, zu barsch gesprochen zu haben: »Wo möchten Sie denn hin?« Es war fast, als redete er mit einem Kind oder mit Tante Muriel – mit jemandem, dem er den Nachmittag über etwas bieten musste. Und Meriel sagte: »Ich weiß nicht«, als wäre sie gezwungen, die Rolle des lästigen Kindes zu übernehmen. Sie verschluckte einen Aufschrei der Enttäuschung, eine Wehklage des Begehrens. Eines Begehrens, eben noch bei aller Scheu, allem Flackern unentrinnbar, das jetzt plötzlich für ungehörig erklärt wurde, für einseitig. Seine Hände am Lenkrad gehörten ganz ihm, zurückgefordert, als hätte er sie nie berührt.

»Wie wär's mit dem Stanley Park?«, fragte er. »Möchten Sie gern einen Spaziergang im Stanley Park machen?«

Sie sagte: »Ach, der Stanley Park. Da bin ich schon lange nicht mehr gewesen«, als hätte der Einfall sie aufgemuntert und als könnte sie sich nichts Besseres vorstellen. Und sie machte es noch schlimmer, indem sie hinzufügte: »Es ist so ein herrlicher Tag.«

»Ja. Wirklich ein herrlicher Tag.«

Sie redeten wie Karikaturen, es war unerträglich.

»Diese Mietwagen sind nie mit einem Autoradio ausgestattet. Naja, manchmal schon. Und manchmal nicht.«

Als sie die Lion's Gate Bridge überquerten, kurbelte sie ihr Fenster herunter. Sie fragte ihn, ob ihn das störe.

»Nein, überhaupt nicht.«

»Das bedeutet für mich immer Sommer. Das Fenster herunter und den Ellbogen draußen und den Fahrtwind hereinlassen – ich glaube, an ein Auto mit Klimaanlage könnte ich mich nie gewöhnen.«

»Bei bestimmten Temperaturen schon.«

Sie zwang sich, zu schweigen, bis der Wald des Parks beide aufnahm und die hohen dichten Bäume vielleicht die Platitüden und die Scham verschluckten. Dann verdarb sie alles durch ihren zu dankbaren Seufzer.

»Zum Rundblick.« Er las das Schild vor.

Viele Menschen waren unterwegs, obwohl es ein Wochentag im Mai war und die großen Ferien noch nicht begonnen hatten. Gut möglich, dass sie gleich darüber Bemerkungen austauschten. Autos parkten entlang der ganzen Auffahrt zum Restaurant, und Schlangen standen auf der Aussichtsplattform vor den Münzferngläsern.

»Ah.« Er hatte ein Auto entdeckt, das wegfuhr. Eine kurze Befreiung von dem Zwang, etwas sagen zu müssen, während er wartete, zurücksetzte, um Platz zu machen, und dann den Wagen in die ziemlich enge Lücke hineinmanövrierte. Sie stiegen gleichzeitig aus und gingen ums Auto herum auf den Bürgersteig. Er wandte sich dahin und dorthin, als wollte er eine Entscheidung treffen, in welche Richtung sie gehen sollten. Spaziergänger kamen und gingen auf sämtlichen Wegen, die zu sehen waren.

Ihre Beine zitterten, sie konnte das nicht mehr ertragen.

»Bringen Sie mich woandershin«, sagte sie.

Er sah ihr ins Gesicht. Er sagte: »Ja.«

Mitten auf dem Bürgersteig vor aller Augen. Sich küssen wie verrückt.

Bringen Sie mich, hatte sie gesagt. *Bringen Sie mich woandershin*, nicht *Fahren wir woandershin*. Das ist ihr wichtig. Das Wagnis, die Überlassung der Macht. Das völlige Wagnis und die vollständige Überlassung. *Fahren wir* – das hätte das Wagnis enthalten, aber nicht den Verzicht, der für sie – immer wenn sie diesen Augenblick noch einmal durchlebt – der Anfang der erotischen Talfahrt ist. Und was, wenn er seinerseits verzichtet hätte? *Wohin denn?* Das wäre es auch nicht gewesen. Er muss genau das sagen, was er tatsächlich sagte. Was er sagen muss, ist: *Ja.*

Er brachte sie in die Wohnung in Kitsilano, in der er übernachtete. Sie gehörte einem Freund von ihm, der auf einem Fischkutter unterwegs war, irgendwo vor der Westküste von

Vancouver Island. Sie lag in einem kleineren, bürgerlichen Haus, drei oder vier Stockwerke hoch. Alles, was Meriel davon in Erinnerung behalten sollte, waren die Glasbausteine um den Hauseingang und die aufwendige, schwere Hi-Fi-Anlage jener Zeit, die das einzige Mobiliar im Wohnzimmer zu sein schien.

Sie hätte einen anderen Schauplatz vorgezogen, und den setzte sie auch in ihrer Erinnerung an die Stelle des wirklichen. Ein schmales, sechs- oder siebenstöckiges Hotel, früher eine vornehme Unterkunft im West End von Vancouver. Gardinen aus vergilbter Spitze, hohe Decken, vielleicht ein eisernes Gitter vor einem Teil des Fensters, ein Austritt. Nichts wirklich Schmutziges oder Verrufenes, nur eine Atmosphäre langer Unterbringung von privaten Nöten und Sünden. Dort würde sie die kleine Empfangshalle mit gesenktem Kopf und herabhängenden Armen durchqueren müssen, ihr ganzer Körper durchdrungen von köstlicher Scham. Und er würde mit dem Mann am Empfang sprechen, mit leiser Stimme, die ihre gemeinsame Absicht nicht herausstrich, aber auch nicht verbarg oder entschuldigte.

Dann die Fahrt im altmodischen Käfig des Fahrstuhls, der von einem alten Mann bedient wurde – oder vielleicht von einer alten Frau, von einem Krüppel, von einem verschmitzten Diener des Lasters.

Warum malte sie sich das alles aus, warum fügte sie diese Szene hinzu? Es geschah wegen dieses Augenblicks der Bloßstellung, des stechenden Gefühls von Scham und Stolz, das ihren Körper ergriff, während sie durch die (imaginäre) Empfangshalle schritt, und wegen des Klangs seiner Stimme, der Diskretion und Autorität, mit der er an der Rezeption etwas sagte, das sie nicht ganz mitbekam.

Das könnte sein Tonfall im Drugstore unweit der Wohnung gewesen sein, nachdem er das Auto geparkt und gesagt hatte: »Bin gleich wieder da.« Die praktischen Vorkehrungen, die im Eheleben deprimierend und entmutigend wirkten, riefen unter diesen anderen Umständen bei ihr eine gewisse Hitze hervor, eine neuartige Trägheit und Unterwerfung.

Nach Einbruch der Dunkelheit wurde sie wieder zurückgefahren, durch den Park und über die Brücke und durch West Vancouver, nur in geringer Entfernung am Haus von Jonas' Eltern vorbei. Sie traf beinahe im letzten Moment an der Horseshoe Bay ein und ging auf die Fähre. Die letzten Tage im Mai zählen zu den längsten des Jahres, und trotz der Laternen an der Anlegestelle und der Scheinwerfer der Autos, die in den Bauch des Schiffes strömten, sah sie ein Leuchten am westlichen Himmel und davor den schwarzen Buckel einer Insel – nicht Bowen Island, sondern eine, deren Namen sie nicht wusste –, säuberlich wie ein Pudding im Rachen der Bucht platziert.

Sie musste sich der Menge drängelnder Leiber anschließen, die die Treppe hinaufströmten, und als das Passagierdeck erreicht war, setzte sie sich auf den erstbesten Platz, den sie sah. Sie machte sich nicht einmal wie sonst die Mühe, sich einen Fensterplatz zu suchen. Sie hatte anderthalb Stunden vor sich, bis das Schiff auf der anderen Seite der Meerenge anlegte, und in dieser Zeit hatte sie sehr viel zu tun.

Das Schiff hatte sich kaum in Bewegung gesetzt, schon fingen die Leute neben ihr an, sich zu unterhalten. Es waren keine zufälligen Gesprächspartner, die sich auf der Fähre begegnet waren, sondern Freunde oder Verwandte, die sich gut kannten und während der gesamten Überfahrt viel zu sagen finden würden. Also stand sie auf und ging hinaus, stieg zum obersten Deck hoch, auf dem meistens weniger Menschen waren, und setzte sich auf eine der Kisten, in denen sich die Schwimmwesten befanden. Sie verspürte Schmerzen an erwarteten und unerwarteten Stellen.

Was sie ihrer Ansicht nach zu tun hatte, das war, sich an alles zu erinnern – und mit »erinnern« meinte sie alles im Geiste noch einmal durchleben – und es dann für immer wegtun. Das Erlebnis dieses Tages ordnen, so dass nichts davon herausspießte oder übrig blieb, alles wie etwas Kostbares einsammeln und dann wegschließen, Schluss damit.

Sie klammerte sich an zwei Voraussagen, die erste bequem, und die zweite anfangs leicht genug einzuhalten, obwohl es ihr später zweifellos schwerer fallen würde.

Ihre Ehe mit Pierre würde weitergehen, sie würde halten.

Sie würde Asher nie wiedersehen.

Beide erwiesen sich als richtig.

Ihre Ehe hielt wirklich – noch über dreißig Jahre lang, bis Pierre starb. Während eines frühen und relativ leichten Stadiums seiner Krankheit las sie ihm vor, einige Bücher, die sie beide vor Jahren gelesen hatten und sich wieder vornehmen wollten. Eines davon war *Väter und Söhne*. Nachdem sie die Szene vorgelesen hatte, in der Basarow Anna Sergejewna seine heftige Liebe gesteht und Anna mit Abscheu reagiert, unterbrachen sie, um darüber zu diskutieren. (Nicht zu streiten – dafür waren sie zu zärtlich geworden.)

Meriel wollte einen anderen Verlauf der Szene. Sie war der Meinung, dass Anna nicht so reagierte.

»Das ist der Autor«, sagte sie. »Das spüre ich sonst kaum bei Turgenjew, aber hier spüre ich, es ist Turgenjew, der kommt und sie auseinander reißt, und er tut es, weil er damit eigene Zwecke verfolgt.«

Pierre lächelte schwach. Alle seine Ausdrucksmöglichkeiten hatten sich verringert. »Du meinst, sie hätte nachgegeben?«

»Nein. Nicht nachgegeben. Ich glaube ihr nicht, ich meine, sie ist ebenso getrieben wie er. Sie hätten es getan.«

»Das ist romantisch. Du verrenkst die Situation, damit sie glücklich endet.«

»Ich habe nicht gesagt, wie sie endet.«

»Hör zu«, sagte Pierre geduldig. Er genoss solche Gespräche, aber sie bereiteten ihm Mühe, er musste sich zwischendurch ausruhen und Kraft sammeln. »Hätte Anna nachgegeben, dann, weil sie ihn liebt. Hinterher hätte sie ihn nur umso mehr geliebt. So sind doch die Frauen? Ich meine, wenn sie verliebt sind? Und was hätte er getan – er wäre am nächsten Morgen verschwunden, ohne auch nur ein Wort zu ihr zu sagen. Das ist seine Natur. Er *hasst* es, sie zu lieben. Also wieso wäre das besser?«

»Sie hätten etwas Gemeinsames. Ihr Erlebnis.«

»Er würde es ziemlich bald vergessen, und sie würde an der Scham und der Zurückweisung sterben. Sie ist intelligent. Sie weiß das.«

»Na ja«, sagte Meriel und machte eine Pause, weil sie sich in die Ecke gedrängt fühlte. »Na ja, das sagt Turgenjew nicht. Er sagt, sie ist völlig entsetzt. Er sagt, sie ist kalt.«

»Ihre Intelligenz macht sie kalt. Intelligent bedeutet bei einer Frau: kalt.«

»Nein.«

»Ich meine, im neunzehnten Jahrhundert. Da war das so.«

An dem Abend auf der Fähre, als Meriel dachte, gleich werde sie alles ordnen und forträumen, tat sie nichts dergleichen. Sondern sie durchlebte Welle um Welle intensiver Erinnerung. Und so erging es ihr – in langsam länger werdenden Abständen – noch viele Jahre lang. Sie stieß immer wieder auf Dinge, die ihr entfallen waren und die ihr immer noch einen Ruck versetzten. Sie hörte oder sah wieder etwas – ein Geräusch, das sie zusammen gemacht hatten, der eigentümliche Blick, den sie getauscht hatten, voll Erkennen und Ermutigung. Ein Blick, der auf seine Art ganz kalt war, doch zutiefst respektvoll und intimer als jeder Blick, den Verheiratete tauschen würden oder Menschen, die einander irgendetwas schuldeten.

Sie erinnerte sich an seine graubraunen Augen, an seine wettergegerbte Gesichtshaut, an den Kreis wie eine alte Narbe neben seiner Nase, an die glatte Breite seiner Brust, als er sich von ihr aufbäumte. Aber sie hätte keine brauchbare Beschreibung von seinem Aussehen liefern können. Sie meinte, seine Gegenwart von Anfang an so stark gespürt zu haben, dass normale Beobachtung unmöglich war. Plötzliche Erinnerungen sogar an die frühen, unsicheren und tastenden Momente veranlassten sie, sich innerlich zusammenzukrümmen, als wollte sie die rohe Überraschung ihres Körpers, das Lärmen des Begehrens bewahren. *Mein-Liebster-mein-Liebster* murmelte sie dann heiser und mechanisch vor sich hin, eine lindernde Geheimformel.

Als sie sein Foto in der Zeitung sah, traf sie kein unmittelbarer Schmerz. Der Ausschnitt war von Jonas' Mutter geschickt worden, die zeit ihres Lebens darauf bestand, in Kontakt zu bleiben und sie an Jonas zu erinnern, wann immer sich dazu Gelegenheit bot. »Erinnern Sie sich an den Arzt auf Jonas' Beerdigung?«, hatte sie über die kleine Überschrift geschrieben. »Buscharzt stirbt bei Flugzeugabsturz«. Es war bestimmt eine alte Aufnahme, obendrein in der Zeitung unscharf abgedruckt. Ein recht bulliges Gesicht, das in die Kamera lächelte – was sie von ihm nie erwartet hätte. Er war nicht in seinem eigenen Flugzeug umgekommen, sondern bei einem Hubschrauberabsturz während eines Noteinsatzes. Sie zeigte Pierre den Ausschnitt. Sie fragte: »Bist du je dahinter gekommen, warum er auf der Beerdigung war?«

»Vielleicht waren sie irgendwie Kameraden. All die verlorenen Seelen da oben im Norden.«

»Worüber hast du dich mit ihm unterhalten?«

»Er hat mir erzählt, wie er Jonas mal in seiner Maschine mitgenommen hat, um ihm das Fliegen beizubringen. Er hat gesagt: ›Nie wieder.‹«

Dann fragte er: »Hat er dich nicht irgendwohin gefahren? Wohin noch gleich?«

»Nach Lynn Valley. Um Tante Muriel zu besuchen.«

»Und worüber habt ihr euch unterhalten?«

»Ich fand es schwer, mich mit ihm zu unterhalten.«

Die Tatsache, dass er tot war, schien nicht viel Wirkung auf ihre Tagträume zu haben – wenn man sie so nennen konnte. Diejenigen, in denen sie sich zufällige Begegnungen oder sogar verzweifelt arrangierte Zusammenkünfte ausmalte, hatten ohnehin keine Verbindung mit der Wirklichkeit und änderten sich nicht, nur weil er tot war. Sie mussten sich abnutzen, ohne dass sie darauf Einfluss hatte oder es je verstand.

Auf ihrer Heimfahrt an jenem Abend hatte es zu regnen begonnen, wenn auch nur leicht. Sie war draußen an Deck der Fähre geblieben. Sie stand auf und ging umher und konnte sich nicht wieder auf den Deckel der Kiste mit den Rettungswesten setzen, ohne sich einen großen nassen Fleck im Kleid zu holen. Also blieb sie stehen, starrte in den Schaum, der im Kielwasser des Schiffs aufgewirbelt wurde, und ihr kam der Gedanke, dass es in gewissen Erzählungen – wie sie niemand mehr schrieb – für sie jetzt das Richtige gewesen wäre, sich ins Wasser zu stürzen. So, wie sie war, randvoll mit Glücksgefühlen, belohnt, wie sie es bestimmt nie wieder sein würde, jede Zelle ihres Körpers prall von süßem Selbstbewusstsein. Eine romantische Tat, die – aus einem verbotenen Blickwinkel – für überaus vernünftig angesehen werden konnte.

War sie in Versuchung? Wahrscheinlich überließ sie sich nur der Vorstellung, in Versuchung zu sein. Wahrscheinlich war sie weit davon entfernt, sich ihr hinzugeben, obwohl gänzliche Hingabe eben noch auf der Tagesordnung gestanden hatte.

Erst nach Pierres Tod fiel ihr eine weitere Einzelheit ein.

Asher hatte sie zur Horseshoe Bay gefahren, zur Fähre. Er

war aus dem Auto ausgestiegen und zu ihr herübergekommen. Sie stand da und wartete darauf, sich von ihm zu verabschieden. Sie ging einen Schritt auf ihn zu, um ihm einen Kuss zu geben – bestimmt etwas ganz Natürliches nach den letzten Stunden –, und er hatte gesagt: »Nein.«

»Nein«, sagte er. »Das tue ich nie.«

Natürlich stimmte nicht, dass er es nie tat. Nie eine Frau draußen auf der Straße küsste, wo alle es sehen konnten. Noch am Nachmittag hatte er es getan, am Rundblick.

Nein.

Das war einfach. Eine Warnung. Eine Weigerung. Um sie zu schützen, könnte man sagen, und auch sich selbst. Auch wenn er sich wenige Stunden vorher darum nicht geschert hatte.

Das tue ich nie war allerdings etwas anderes. Eine andere Art von Warnung. Eine Information, die sie nicht glücklich machen konnte, obwohl dahinter vielleicht die Absicht stand, sie davor zu bewahren, einen schweren Fehler zu begehen. Vor den trügerischen Hoffnungen und den Demütigungen eines bestimmten Fehlers.

Wie nahmen sie also voneinander Abschied? Gaben sie sich die Hand? Sie konnte sich nicht mehr erinnern.

Aber sie hörte seine Stimme, das Leichte und doch Ernste seines Tonfalls, sie sah sein entschlossenes, lediglich freundliches Gesicht, sie spürte, wie er sich ihr entzog. Sie hatte keinen Zweifel daran, dass ihr Gedächtnis sie nicht trog. Sie begriff nicht, wie sie es fertig gebracht hatte, diese Erinnerung so lange Zeit völlig zu verdrängen.

Ihr kam der Gedanke, dass ihr Leben, wäre ihr das nicht gelungen, unter Umständen einen ganz anderen Verlauf genommen hätte.

Wieso?

Vielleicht wäre sie nicht bei Pierre geblieben. Vielleicht wäre sie nicht fähig gewesen, ihr Gleichgewicht zu bewahren. Der Versuch, das, was an der Fähre gesagt worden war, mit dem, was kurz zuvor am selben Tag gesagt und getan worden war, zusammenzufügen, hätte sie vielleicht aufmerksamer und neugieriger gemacht. Stolz oder Widerspruchsgeist hätten eine Rolle spielen können – das Bedürfnis, einen Mann zu zwingen, seine Worte zurückzunehmen, die Weigerung, sich zu fügen –, aber das wäre nicht alles gewesen. Da war noch das andere Leben, das sie hätte führen können – was nicht hieß, dass sie es vorgezogen hätte. Es lag wahrscheinlich an ihrem Alter (das sie immer zu berücksichtigen vergaß) und an der dünnen, kühlen Luft, die sie seit Pierres Tod atmete, dass sie sich dieses andere Leben einfach als eine Art von Erkundung vorstellen konnte, die ihre eigenen Fallstricke und Errungenschaften bereithielt.

Vielleicht fand man dabei ohnehin nicht besonders viel heraus. Vielleicht nur immer wieder dasselbe – was eine offenkundige, aber unbequeme Wahrheit über das eigene Ich sein konnte. In ihrem Fall die Wahrheit, dass sie sich immer von der Vernunft – oder zumindest von einem haushälterischen Umgang mit Gefühlen – hatte leiten lassen.

Sein kleiner, selbsterhaltender Schachzug, die freundliche und vernichtende Warnung, die Haltung starrer Unbeugsamkeit, die ihr inzwischen ein wenig altbacken vorkam, wie eine aus der Mode gekommene große Geste. Sie konnte ihn jetzt mit alltäglicher Ratlosigkeit betrachten, als wäre er ein Ehemann gewesen.

Sie stellte sich die Frage, ob er so für sie bleiben würde oder ob sie ihm noch eine neue Rolle zuzuweisen hatte, in ihren Gedanken noch andere Verwendung für ihn hatte, in der Zeit, die vor ihr lag.

Queenie

»Ist vielleicht besser, wenn du mich nicht mehr so nennst«, sagte Queenie, als sie mich an der Union Station abholte.

Ich fragte: »Wie? Queenie?«

»Stan mag das nicht«, sagte sie. »Er sagt, das hört sich für ihn nach einem Pferd an.«

Sie »Stan« sagen zu hören war für mich eine größere Überraschung als ihre Mitteilung, dass sie nicht mehr Queenie war, sondern Lena. Dabei konnte ich kaum erwartet haben, dass sie ihren Mann nach anderthalb Jahren Ehe immer noch Mr Vorguilla nannte. So lange hatte ich sie nicht mehr gesehen, und als ich sie unter den Wartenden auf dem Bahnhof erblickte, hätte ich sie fast nicht erkannt.

Ihr Haar war schwarz gefärbt und um das Gesicht herum auftoupiert, in einem der Stile, die damals der Farah-Diba-Frisur folgten. Seine schöne Mais-Sirup-Farbe – oben golden und darunter dunkel – ebenso wie seine seidige Länge waren für immer verloren. Sie trug ein gelbes Kattunkleid, das ihren Körper umspannte und kurz über ihren Knien endete. Durch die dicken Kleopatra-Striche und die violetten Lidschatten wirkten ihre Augen kleiner, nicht größer, so als wollten sie sich verstecken. Sie hatte sich die Ohrläppchen durchstechen lassen, und goldene Reifen schaukelten daran.

Ich sah, wie sie mich auch etwas überrascht betrachtete. Ich versuchte, frech und locker zu sein. Ich sagte: »Ist das ein Kleid oder eine Rüsche um deinen Po?« Sie lachte, und ich sagte: »Meine Herrn, war das heiß im Zug. Ich schwitze wie ein Schwein.«

Ich hörte, wie meine Stimme klang, so quäkig und munter wie die meiner Stiefmutter Bet.

Ich schwitze wie ein Schwein.

Jetzt in der Straßenbahn zu Queenies Haus konnte ich nicht aufhören, so blöde zu reden. Ich fragte: »Sind wir noch im Geschäftsviertel?« Die höheren Häuser hatten wir bald hinter uns gelassen, aber ich fand nicht, dass man diesen Teil der Stadt für eine bessere Wohngegend halten konnte. Immer wieder ähnliche Häuser und Geschäfte – eine chemische Reinigung, ein Blumenladen, ein Lebensmittelgeschäft, ein Restaurant. Kisten mit Obst und Gemüse auf dem Bürgersteig, Schilder von Zahnärzten und Schneidern und Klempnern in den Fenstern im ersten Stock. Kaum ein Haus, das höher war, kaum ein Baum.

»Das ist nicht das richtige Geschäftsviertel«, sagte Queenie. »Weißt du noch, wie ich dir gezeigt hab, wo Simpson's ist? Wo wir in die Straßenbahn eingestiegen sind? Das ist das richtige.«

»Dann sind wir bald da?«, fragte ich.

Sie sagte: »Wir haben noch massig Zeit.«

Dann sagte sie: »Noch viel Zeit. Stan mag auch nicht, wenn ich massig sage.«

Die endlosen Wiederholungen oder vielleicht die Hitze machten mich unruhig und verursachten mir starke Übelkeit. Wir hielten meinen Koffer auf den Knien, und nur wenige Zentimeter vor meinen Fingern befanden sich der fette Nacken und die Glatze eines Mannes. Ein paar schwarze, schweißnasse lange Haare klebten an seiner Kopfhaut. Aus irgendeinem Grund musste ich an Mr Vorguillas Zähne im Arzneischränkchen denken, die Queenie mir gezeigt hatte, als sie für die Vorguillas nebenan arbeitete. Das war lange, bevor daran zu denken war, dass Mr Vorguilla zu Stan werden könnte.

Zwei verklammerte Zähne lagen neben seinem Rasierapparat und dem Rasierpinsel und der Holzschale mit der haarigen und ekelhaften Rasierseife.

»Das ist seine Brücke«, hatte Queenie gesagt.

Seine Brücke?

»Seine Zahnbrücke.«

»Igitt«, sagte ich.

»Die hat er in Reserve«, sagte sie. »Er trägt die andere.«

»Igitt. Ist die nicht zum Kotzen?«

Queenie legte mir die Hand auf den Mund. Sie wollte nicht, dass Mrs Vorguilla uns hörte. Mrs Vorguilla lag unten auf der Couch im Esszimmer. Sie hatte meistens die Augen zu, aber es konnte sein, dass sie nicht schlief.

Als wir endlich aus der Straßenbahn stiegen, mussten wir eine steile Anhöhe hinauflaufen und versuchten ungeschickt, uns das Gewicht des Koffers zu teilen. Die Häuser glichen sich nicht völlig, obwohl es anfangs so aussah. Einige der Dächer senkten sich wie Mützen über die Hauswände oder aber das ganze Obergeschoss war wie ein Dach und mit Schindeln gedeckt. Die Schindeln waren dunkelgrün oder kastanienrot oder braun. Die Veranden reichten fast bis an den Bürgersteig, und die Zwischenräume zwischen den Häusern wirkten schmal genug, dass Nachbarn sich aus den Seitenfenstern die Hand geben konnten. Kinder spielten auf dem Bürgersteig, aber Queenie nahm von ihnen nicht mehr Notiz, als wären sie Vögel, die in den Ritzen pickten. Ein sehr dicker Mann, nackt von der Taille aufwärts, saß auf seiner Vortreppe und starrte uns so unverwandt und finster an, dass ich dachte, er wollte etwas zu uns sagen. Queenie marschierte an ihm vorbei.

Auf halber Höhe bog sie ab und folgte einem von Mülltonnen gesäumten Kiesweg. Aus einem Fenster im ersten Stock rief eine Frau etwas für mich Unverständliches. Queenie rief hinauf: »Das ist bloß meine Schwester, sie besucht uns.«

»Unsere Hauswirtin«, sagte sie. »Sie und ihr Mann wohnen vorn und oben. Es sind Griechen. Sie spricht fast kein Englisch.«

Es stellte sich heraus, dass Queenie und Mr Vorguilla sich mit den Griechen das Badezimmer teilten. Man nahm sein eigenes Toilettenpapier mit – wenn man es vergaß, war keins da. Ich musste sofort dorthin, denn ich menstruierte heftig und musste die Binde wechseln. Noch Jahre später überkam mich beim Anblick bestimmter Straßen an heißen Tagen, bestimmter Farbtöne von braunen Ziegeln und dunkel angestrichenen Schindeln und beim Geräusch von Straßenbahnen die Erinnerung an Krämpfe im Unterleib, Wellen des Errötens, undichte Körperstellen, heiße Beschämung.

Es gab ein Schlafzimmer, in dem Queenie und Mr Vorguilla schliefen, ein weiteres Schlafzimmer, das als kleines Wohnzimmer diente, eine enge Küche und eine verglaste Veranda. Ich sollte auf der Liege in der Veranda schlafen. Dicht vor den Fenstern reparierten der Hauswirt und ein anderer Mann ein Motorrad. Der Geruch von Öl, Metall und Maschinenteilen vermischte sich mit dem Geruch reifer Tomaten in der Sonne. Aus einem Fenster im ersten Stock dröhnte Radiomusik.

»Etwas, was Stan nicht ausstehen kann«, sagte Queenie. »Dieses Radio.« Sie zog die geblümten Vorhänge zu, aber der Lärm und die Sonne drangen trotzdem hindurch. »Ich wünschte, ich hätte mir gefütterte Vorhänge leisten können«, sagte sie.

Ich hielt die in Toilettenpapier eingewickelte blutige Binde in der Hand. Sie brachte mir eine Papiertüte und schickte mich zu den Mülltonnen. »Egal, welche. Gleich da draußen. Nicht vergessen, nein? Und lass deine Schachtel nicht irgendwo rumliegen, wo er sie sehen kann; er hasst es, daran erinnert zu werden.«

Ich versuchte, ungezwungen zu sein und mich zu verhalten,

als wäre ich zu Hause. »Ich muss mir ein hübsches leichtes Kleid wie deins besorgen«, sagte ich.

»Vielleicht kann ich dir eins machen«, sagte Queenie mit dem Kopf im Kühlschrank. »Ich möchte eine Cola, du auch? Ich geh einfach in den Laden, wo die Reste verkauft werden. Ich hab dieses Kleid für ungefähr drei Dollar gemacht. Welche Größe hast du jetzt eigentlich?«

Ich zuckte die Achseln. Ich sagte, dass ich abzunehmen versuchte.

»Na ja. Vielleicht finden wir was.«

»Ich werde eine Dame heiraten, die ein kleines Mädchen etwa in deinem Alter hat«, hatte mein Vater gesagt. »Und dieses kleine Mädchen ist ohne Vater. Du musst mir deshalb etwas versprechen, und zwar, dass du sie nie damit hänseln oder was Gemeines darüber zu ihr sagen wirst. Es wird vorkommen, dass ihr euch streitet oder verschiedener Meinung seid, wie es Schwestern tun, aber das ist etwas, was du nie sagen darfst. Und wenn andere Kinder es sagen, darfst du nie deren Partei ergreifen.«

Um des Widerspruchs willen sagte ich, dass ich keine Mutter habe und keiner deswegen was Gemeines zu mir sage.

Mein Vater erwiderte: »Das ist etwas anderes.«

Er hatte mit allem Unrecht. Wir waren unserer Meinung nach nicht annähernd im selben Alter, denn Queenie war neun, als mein Vater Bet heiratete, und ich war sechs. Obwohl wir später, als ich eine Klasse übersprungen hatte und Queenie sitzen geblieben war, in der Schule näher aneinander rückten. Und ich habe nie gemerkt, dass irgendwer versuchte, zu Queenie gemein zu sein. Sie war ein Mädchen, mit dem alle befreundet sein wollten. Sie wurde als Erste in ein Baseballteam gewählt, obwohl sie eine unlustige Baseballspielerin war, und als Erste in eine Rechtschreibgruppe, obwohl ihre Rechtschreibung von Fehlern wimmelte. Außerdem gerieten wir nicht in Streit. Kein einziges Mal. Sie war sehr lieb zu mir, und ich war voller Bewunderung für sie. Ich hätte sie allein schon für ihr dunkelgoldenes Haar und ihre schläfrig wirkenden dunklen Augen, für ihr Aussehen und ihr Lachen angebetet. Ihr Lachen war süß und rau wie brauner Zucker. Die Überraschung war, dass sie bei all ihren Vorzügen gutherzig und liebenswürdig sein konnte.

Als ich am Morgen von Queenies Verschwinden aufwachte, an jenem Morgen zu Beginn des Winters, wusste ich sofort, dass sie nicht mehr da war.

Es war noch dunkel, zwischen sechs und sieben Uhr. Das Haus war kalt. Ich zog den großen wollenen braunen Bademantel an, den ich mir mit Queenie teilte. Wir nannten ihn Buffalo Bill, und wer von uns morgens zuerst aufstand, nahm ihn sich. Keine Ahnung, woher er stammte.

»Vielleicht von einem Freund von Bet, bevor sie deinen Vater geheiratet hat«, hatte Queenie gesagt. »Aber kein Wort, sonst bringt sie mich um.«

Ihr Bett war leer, und sie war nicht im Badezimmer. Ich ging die Treppe hinunter, ohne Licht zu machen, da ich Bet nicht wecken wollte. Ich sah zu dem kleinen Fenster in der Haustür hinaus. Die Fliesen, der Bürgersteig und der Rasen im Vorgarten, alles glitzerte von Raureif. Der Schnee ließ auf sich warten. Ich drehte den Thermostat in der Diele hoch, und die Heizung sprang im Dunkeln an, mit ihrem verlässlichen Gebrumm. Wir hatten gerade erst Ölheizung bekommen, und mein Vater sagte, dass er immer noch jeden Morgen um fünf Uhr wach werde und denke, es sei Zeit, in den Keller zu gehen und Feuer zu machen.

Mein Vater schlief in der ehemaligen Speisekammer, neben der Küche. Da hatte er ein Eisenbett und einen Stuhl mit abgebrochener Lehne, auf dem sich alte *National Geographics* stapelten, in denen er las, wenn er nicht schlafen konnte. Die Deckenlampe knipste er mit einer Schnur an und aus, die am Bettgestell angebunden war. Diese Anordnung kam mir für den Mann im Haus, den Vater, ganz natürlich und richtig vor. Er sollte wie ein Wachposten unter einer groben Decke schlafen und einen unhäuslichen Geruch nach Maschinen und Tabak an sich haben. Lesend und wachend bis spät in die Nacht und selbst im Schlaf noch auf dem Quivive.

Trotz alledem hatte er Queenie nicht gehört. Er sagte, sie müsse irgendwo im Haus sein. »Hast du im Badezimmer nachgesehen?«

Ich sagte: »Da ist sie nicht.«

»Vielleicht bei ihrer Mutter. Weil die wieder ihre Zustände hat.«

Mein Vater nannte es ihre Zustände, wenn Bet aus einem Albtraum aufwachte oder halb wach hochschreckte. Dann kam sie aus ihrem Zimmer gestolpert, unfähig zu sagen, was sie erschreckt hatte, und ließ sich nur von Queenie ins Bett zurück führen. Queenie kuschelte sich dann immer an ihren Rücken und machte beruhigende Geräusche, die sich anhörten wie ein kleiner Hund, der Milch schlabbert, und am Morgen konnte Bet sich an nichts erinnern.

Ich knipste die Küchenlampe an.

»Ich wollte sie nicht wecken«, sagte ich. »Bet.«

Ich sah zu dem angerosteten Brotkasten, der zu oft mit dem Spüllappen abgewischt worden war, und zu den Töpfen, die auf dem Herd standen, abgewaschen, aber nicht weggeräumt, und zu dem von der Fairholme-Molkerei gespendeten Sinnspruch: *Der Herr ist das Herz unseres Hauses*. All diese Dinge, die stumpfsinnig darauf warteten, dass der Tag begann, und nicht wussten, dass er von einer Katastrophe ausgehöhlt worden war.

Die Tür zur Seitenveranda war aufgeschlossen worden.

»Jemand ist reingekommen«, sagte ich. »Jemand ist reingekommen und hat Queenie geholt.«

Mein Vater kam nur mit einer Hose über seiner langen Unterwäsche heraus. Bet·schlappte in Pantoffeln und ihrem Che-
nille-Morgenrock die Treppe herunter und machte dabei überall das Licht an.

»Queenie nicht bei dir?«, fragte mein Vater. Zu mir sagte er:
»Die Tür muss von innen aufgeschlossen worden sein.«

Bet fragte: »Was ist mit Queenie?«

»Vielleicht war ihr einfach nach einem Spaziergang«, sagte
mein Vater.

Bet beachtete das gar nicht. Sie hatte eine Maske aus getrock-
netem rosa Zeug auf dem Gesicht. Sie war Vertreterin für Kos-
metika und verkaufte nie ein Produkt, das sie nicht an sich
selbst ausprobiert hatte.

»Geh rüber zu den Vorguillas«, sagte sie zu mir. »Vielleicht ist
ihr was eingefallen, was sie drüben zu machen hat.«

Das war ungefähr eine Woche nach Mrs Vorguillas Beerdigung, aber Queenie hatte weiter dort gearbeitet und geholfen,
Geschirr und Wäsche in Kisten zu packen, damit Mr Vorguilla
in eine Wohnung umziehen konnte. Er musste die Weih-
nachtskonzerte in der Schule vorbereiten und konnte nicht alles selbst einpacken. Bet wollte, dass Queenie sofort aufhörte,
damit sie in einem Geschäft Arbeit als Weihnachtsaushilfe fand.

Ich zog die Gummistiefel meines Vaters an, die an der Tür
standen, statt nach oben zu laufen und meine Schuhe zu holen.
Ich stolperte durch den Garten zur Veranda der Vorguillas und
drückte auf die Klingel. Ein Glockenspiel erklang und verkündete gleichsam die Musikalität des Haushalts. Ich raffte Buffalo
Bill fest um mich und betete. Bitte, Queenie, bitte, mach das
Licht an. Ich bedachte nicht, dass das Licht schon an gewesen
wäre, wenn Queenie im Haus gearbeitet hätte.

Keine Antwort. Ich hämmerte auf das Holz. Mr Vorguilla
würde sich sehr darüber ärgern, von mir geweckt zu werden.

Ich drückte das Ohr an die Tür und lauschte, ob sich etwas rührte.

»Mr Vorguilla. Mr Vorguilla. Tut mir leid, Sie zu wecken, Mr Vorguilla. Ist jemand zu Hause?«

Ein Fenster im Haus auf der anderen Seite der Vorguillas wurde hochgeschoben. Mr Hovey, ein alter Junggeselle, wohnte dort mit seiner Schwester.

»Benutz deine Augen«, rief Mr Hovey herunter. »Schau zur Auffahrt.«

Mr Vorguillas Auto war weg.

Mr Hovey knallte das Fenster herunter.

Als ich die Küchentür aufmachte, sah ich meinen Vater und Bet mit Teetassen vor sich am Küchentisch sitzen. Eine Minute lang dachte ich, die Ordnung sei wiederhergestellt. Vielleicht hatten sie einen Anruf mit beruhigender Nachricht bekommen.

»Mr Vorguilla ist nicht da«, sagte ich. »Sein Auto ist weg.«

»Das wissen wir schon«, sagte Bet. »Wir wissen Bescheid.«

Mein Vater sagte: »Schau, hier«, und schob einen Zettel über den Tisch.

Ich heirate Mr Vorguilla, stand darauf. *Gruß, Queenie.*

»Unter der Zuckerdose«, sagte mein Vater.

Bet knallte ihren Teelöffel hin.

»Der muss vor Gericht gestellt werden«, schrie sie. »Die muss in die Besserungsanstalt. Die Polizei muss kommen.«

Mein Vater sagte: »Sie ist achtzehn, und wenn sie will, kann sie heiraten. Die Polizei wird deswegen keine Straßensperren errichten.«

»Wer sagt, dass die unterwegs sind? Die haben sich in ein Motel verkrochen. Diese dumme Göre und dieser glupschäugige Affenarsch Vorguilla.«

»Solche Reden bringen sie nicht zurück.«

»Ich will sie nicht zurückhaben. Nicht mal, wenn sie auf Knien angerutscht käme. Sie hat sich ihr Bett gemacht, soll sie doch darin liegen mit ihrem glupschäugigen Stecher. Von mir aus kann er sie ins Ohr ficken.«

»Das reicht«, sagte mein Vater.

Queenie brachte mir zwei Spalttabletten, die ich mit der Cola einnehmen konnte.

»Es ist irre, wie die Krämpfe nachlassen, sobald du verheiratet bist. Also – hat dein Vater dir von uns gesagt?«

Als ich meinen Vater wissen ließ, dass ich für den Sommer Arbeit suchte, bevor ich im Herbst mit der Lehrerausbildung anfing, sagte er, vielleicht könne ich nach Toronto fahren und Queenie besuchen. Er sagte, sie habe ihm an sein Fuhrunternehmen geschrieben und ihn gefragt, ob er ihnen mit etwas Geld über den Winter hinweghelfen könnte.

»Ich hätte ihm nie zu schreiben brauchen«, sagte Queenie, »wenn Stan nicht letztes Jahr eine Lungenentzündung gekriegt hätte.«

Ich sagte: »Da habe ich erst erfahren, wo du bist.« Tränen stiegen mir in die Augen, ich wusste nicht, warum. Vielleicht, weil ich so glücklich gewesen war, als ich es erfuhr, so einsam, bevor ich es erfuhr, vielleicht, weil ich mir in dem Moment wünschte, dass sie sagte: »Natürlich hatte ich immer vor, mich mit *dir* in Verbindung zu setzen«, und weil sie es nicht sagte.

»Bet weiß es nicht«, sagte ich. »Sie denkt, ich bin allein unterwegs.«

»Ich hoffe doch«, sagte Queenie ruhig. »Ich meine, ich hoffe, sie weiß es nicht.«

Ich hatte ihr viel von zu Hause zu erzählen. Ich erzählte ihr, dass das Fuhrunternehmen von drei Lastern auf ein Dutzend angewachsen war und dass Bet sich einen Bisammantel gekauft und ihr Geschäft erweitert hatte und jetzt Schönheitsbehandlungen in unserem Haus vornahm. Zu diesem Zweck hatte sie den Raum zurechtgemacht, in dem vorher mein Vater schlief, und er hatte sein Feldbett und seine *National Geographics* in sein Büro gebracht – eine Air-Force-Baracke, die er auf den Fuhrhof gekarrt hatte. Als ich am Küchentisch saß und für meinen High-School-Abschluss lernte, hatte ich Bet sagen hören: »An eine so zarte Haut sollten Sie nie einen Waschlappen ranlassen«, bevor sie einer Frau mit rauem Gesicht diverse Lotionen und Cremes andrehte. Und manchmal in nicht weniger beschwörendem, aber weniger optimistischen Ton: »Ich sage Ihnen, ich hatte das Böse, jawohl, das Böse, gleich nebenan im Nachbarhaus zu wohnen, und ich hatte überhaupt keinen Verdacht, denn das vermutet man ja nicht, oder? Ich denke immer das Beste von den Menschen. Bis ich von ihnen einen Tritt in den Hintern kriege.«

»Stimmt«, sagte dann die Kundin. »Ich bin genauso.«

Oder: »Man meint immer zu wissen, was Sorgen sind, aber man weiß nicht mal die Hälfte.«

Hatte Bet die Frau an die Tür gebracht, dann stöhnte sie und sagte: »Wenn du ihr Gesicht im Dunkeln anfasst, merkst du keinen Unterschied zu Schmirgelpapier.«

Queenie schien nicht daran interessiert zu sein, diese Dinge zu hören. Und es war sowieso nicht viel Zeit. Bevor wir unsere Colas ausgetrunken hatten, hörten wir rasche harte Schritte auf dem Kies, und Mr Vorguilla kam in die Küche.

»Schau mal, wer hier ist«, rief Queenie. Sie stand halb auf, wie um ihn zu berühren, aber er steuerte auf die Spüle zu.

Ihre Stimme war so voll lachender Überraschung, dass ich mich fragte, ob sie ihm überhaupt etwas von meinem Brief oder von meinem Kommen gesagt hatte.

»Es ist Chrissy«, sagte sie.

»Das sehe ich«, sagte Mr Vorguilla. »Du musst die Hitze mögen, Chrissy, wenn du im Sommer nach Toronto kommst.«

»Sie will sich Arbeit suchen«, sagte Queenie.

»Und hast du irgendeine Ausbildung?«, fragte Mr Vorguilla. »Hast du eine Ausbildung für eine Arbeitsstelle in Toronto?«

Queenie sagte: »Sie hat ihren High-School-Abschluss.«

»Wir wollen hoffen, dass das reicht«, sagte Mr Vorguilla. Er füllte ein Glas mit Leitungswasser und trank es, mit dem Rücken zu uns, in einem Zug aus. Genauso wie früher, wenn Mrs Vorguilla und Queenie und ich in dem anderen Haus, dem Haus neben unserem, am Küchentisch saßen. Mr Vorguilla kam herein, von einer Probe irgendwo oder zu einer Pause zwischen Klavierstunden im Vorderzimmer. Beim Geräusch seiner Schritte warnte Mrs Vorguilla uns mit einem Lächeln. Und wir schauten alle hinunter auf unsere Scrabble-Buchstaben, ließen ihm die Wahl, ob er von uns Notiz nehmen wollte oder nicht. Manchmal wollte er nicht. Das Öffnen des Küchenschranks, das Aufdrehen des Wasserhahns, das Abstellen des Glases waren wie eine Folge kleiner Explosionen. Als wollte er allen verwehren, auch nur zu atmen, solange er da war.

Wenn er in der Schule Musikunterricht gab, war es ebenso. Er betrat das Klassenzimmer mit den Schritten eines Mannes, der keine Minute zu verlieren hat, klopfte einmal mit dem Zeigestock, und es wurde angefangen. Er ging mit gespitzten Ohren durch die Reihen, die hervorstehenden blauen Augen wachsam, der Gesichtsausdruck angespannt und streitlustig. Jeden Moment konnte er an deinem Pult stehen bleiben, sich deinen Gesang anhören, um zu prüfen, ob du nur die Lippen bewegtest oder falsch sangst. Dann beugte er sich langsam vor, seine Augen glupschten dich an und seine Hände fuchtelten, damit die anderen Stimmen verstummten und deine Schande offenbar wurde. Und es hieß, dass er mit seinen diversen Chören und Gesangvereinen ebenso diktatorisch umsprang. Trotzdem war er bei seinen Sängern beliebt, besonders bei den Damen. Sie strickten ihm Sachen zu Weihnachten. Socken und Schals und Handschuhe, damit er auf seinen Wegen von Schule zu Schule und von Chor zu Chor nicht fror.

Als Queenie den Haushalt führte, nachdem Mrs Vorguilla

dafür zu krank war, fischte sie aus einer Schublade ein gestricktes Gebilde und wedelte damit vor meiner Nase. Es war ohne den Namen der Spenderin eingetroffen.

Mir war rätselhaft, was das war.

»Das ist ein Zipfelwärmer«, sagte Queenie. »Mrs Vorguilla hat gesagt, zeig's ihm nicht, er wird bloß wütend. Weißt du nicht, was ein Zipfelwärmer ist?«

Ich sagte: »Igitt.«

»Ist doch bloß ein Witz.«

Sowohl Queenie als auch Mr Vorguilla mussten abends arbeiten gehen. Mr Vorguilla spielte in einem Restaurant Klavier. Er trug einen Smoking. Und Queenie verkaufte Kinokarten. Das Kino lag nur wenige Querstraßen entfernt, also begleitete ich sie. Und als ich sie im Kassenschalter sah, verstand ich, dass das Make-up und das gefärbte, toupierte Haar und die großen Ohrringe doch nicht so aus dem Rahmen fielen. Queenie sah aus wie einige der Mädchen, die auf der Straße vorbeigingen oder die hereinkamen, um sich mit ihrem Freund den Film anzugucken. Und sie sah ganz wie einige der Mädchen auf den Filmplakaten um sie herum aus. Sie sah aus, als stünde sie in Verbindung mit der Welt dramatischer Abenteuer, hitziger Liebesgeschichten und tödlicher Gefahren, die drinnen auf der Leinwand abgebildet wurde.

Sie sah – mit den Worten meines Vaters – aus, als brauchte sie sich neben niemandem zu verstecken.

»Warum schaust du dich nicht eine Weile in der Stadt um?«, hatte sie zu mir gesagt. Aber ich hatte das Gefühl aufzufallen. Ich konnte mir nicht vorstellen, in einem Café zu sitzen, Kaffee zu trinken und der Welt kundzutun, dass ich nichts zu tun hatte und nicht wusste, wohin. Oder in ein Geschäft zu gehen und Kleidung anzuprobieren, die ich mir nicht im Traum leisten konnte. Ich stieg wieder die Anhöhe hinauf, winkte der Grie-

chin zu, die etwas aus dem Fenster rief. Ich schloss mit Queenies Schlüssel auf.

Ich setzte mich auf die Liege in der Veranda. Es gab nichts,
wo ich meine mitgebrachten Sachen aufhängen konnte, und
ich dachte, dass es wahrscheinlich ohnehin keine gute Idee war
auszupacken. Jedes Anzeichen, dass ich länger blieb, konnte
Mr Vorguilla verärgern.

Ich fand, dass Mr Vorguillas Aussehen sich verändert hatte,
ebenso wie Queenies. Aber anders als sie hatte er sich nicht in
die Richtung eines für mich harten und fremden großstädtischen Schönheitsideals verändert. Sein früher rötlich-graues
Haar war jetzt völlig grau, und sein Gesichtsausdruck – immer
bereit, in Empörung auszubrechen, sowie er eine Respektlosig-
keit witterte oder einen Fehler hörte oder einfach, weil etwas
in seinem Haus nicht da war, wo es sein sollte – zeugte jetzt von
anhaltendem Verdruss, als würde er gerade beleidigt oder
müsste ständig erdulden, dass man sich direkt vor seiner Nase
ungestraft schlecht benahm.

Ich stand auf und ging durch die Wohnung. Man kann die
Räume, in denen andere leben, nie genau betrachten, solange
sie anwesend sind.

Die Küche war das hübscheste Zimmer, wenn auch zu dunkel. Queenie ließ Efeu um das Fenster über der Spüle wachsen,
und sie hatte hölzerne Kochlöffel in einen hübschen henkello-
sen Becher gesteckt, genau wie Mrs Vorguilla es immer getan
hatte. Im Wohnzimmer stand das Klavier, dasselbe Klavier, das
in dem anderen Wohnzimmer gestanden hatte. Ferner ein Sessel, ein Bücherregal aus Ziegelsteinen und Brettern, ein Plat-
tenspieler und dazu auf dem Fußboden zahlreiche Schallplatten. Kein Fernseher. Keine Walnuss-Schaukelstühle oder
Übergardinen. Nicht einmal die Stehlampe mit den japa-
nischen Szenen auf dem Pergamentschirm. Doch all diese
Dinge waren an einem verschneiten Tag nach Toronto transportiert worden. Ich war über Mittag zu Hause gewesen und

hatte den Umzugslaster gesehen. Bet konnte sich nicht vom Fenster in der Haustür losreißen. Schließlich vergaß sie alle Würde, die sie sonst gern Fremden gegenüber an den Tag legte, machte die Tür auf und rief den Möbelpackern etwas zu. »Fahrt zurück nach Toronto und sagt ihm, wenn er sich hier nochmal blicken lässt, wird er's bereuen.«

Die Möbelpacker winkten fröhlich, als wären sie solche Szenen gewohnt, und vielleicht waren sie es auch. Wenn man Möbel fortschaffte, musste man offenbar auf Lästereien und Beschimpfungen gefasst sein.

Aber wo war das alles geblieben? Verkauft, dachte ich. Es musste verkauft worden sein. Mein Vater hatte gesagt, es höre sich danach an, als tue Mr Vorguilla sich schwer damit, in seinem Beruf in Toronto unterzukommen. Und Queenie hatte etwas davon gesagt, »in Rückstand« zu sein. Sie hätte meinem Vater nie geschrieben, wenn sie nicht in Rückstand geraten wären.

Sie mussten die Möbel vor Queenies Brief verkauft haben.

Im Bücherregal sah ich die *Enzyklopädie der Musik* und den *Opernführer* und die *Großen Komponisten*. Außerdem ein großes dünnes Buch mit schönem Umschlag – *Die Sinnsprüche Omars des Zeltmachers* –, das Mrs Vorguilla oft neben sich auf der Couch gehabt hatte.

Es gab ein weiteres Buch mit ähnlichem Schmuckumschlag, an dessen genauen Titel ich mich nicht erinnere. Etwas im Titel signalisierte mir, dass mir das Buch gefallen könnte. Das Wort »blumig« oder »wohlriechend«. Ich schlug es auf, und ich erinnere mich noch gut an den ersten Satz, den ich las.

»Die jungen Odalisken im Harim waren auch wohl unterwiesen im delikaten Gebrauch ihrer Fingernägel.«

Ich wusste nicht genau, was eine Odaliske war, aber das Wort »Harim« (warum nicht »Harem«?) brachte mich auf eine Spur. Und ich musste weiterlesen, herausbekommen, was für Fertigkeiten sie sich erworben hatten. Ich las immer weiter, ungefähr eine Stunde lang, dann ließ ich das Buch auf den Boden fallen. Ich empfand Erregung und Abscheu, staunte ungläubig. War es das, wofür die Erwachsenen sich interessierten? Sogar das Muster auf dem Umschlag, die hübschen, ineinander verschlungenen Ranken, fand ich nun ein wenig feindselig und verworfen. Ich hob das Buch auf, um es an seinen Platz zurückzustellen, dabei klappte es in meinen Händen auf, und ich sah die Namen auf dem Vorsatzblatt. Stan und Marigold Vorguilla. Mit weiblicher Handschrift. Stan und Marigold.

Ich dachte an Mrs Vorguillas hohe weiße Stirn und an ihre eisernen kleinen grauschwarzen Löckchen. An ihre Perlmutterohrclips und ihre Blusen, die am Hals mit einer Schleife geschlossen wurden. Sie war ein ganzes Stück größer als Mr Vorguilla, und die Leute dachten, dass sie deswegen nie zusammen ausgingen. Aber der wahre Grund war, dass sie außer Atem geriet. Sie geriet außer Atem, wenn sie die Treppe hinaufstieg oder die Wäsche aufhängte. Und schließlich geriet sie sogar außer Atem, wenn sie am Tisch saß und Scrabble spielte.

Anfangs wollte mein Vater nicht, dass wir Geld dafür nahmen, wenn wir ihre Einkäufe erledigten oder ihre Wäsche aufhängten – er sagte, das sei nur gutnachbarlich.

Bet sagte, die probiere nur aus, herumzufaulenzen und zu warten, ob die Leute kamen und sie umsonst bedienten.

Dann kam Mr Vorguilla zu uns und schlug vor, dass Queenie für seine Frau arbeitete. Queenie wollte es gern machen, denn sie war sitzen geblieben und mochte die Klasse nicht wiederholen. Endlich willigte Bet ein, verbot ihr aber jede Krankenpflege.

»Wenn er zu knauserig ist, eine Pflegerin zu bezahlen, ist das nicht dein Problem.«

Queenie sagte, dass Mr Vorguilla jeden Morgen die Tabletten bereitlegte und Mrs Vorguilla jeden Abend in der Badewanne abseifte. Er versuchte sogar, ihre Laken in der Badewanne auszuwaschen, als gäbe es im Haus nicht so was wie eine Waschmaschine.

Ich dachte an die Zeit, als wir in der Küche Scrabble spielten und Mr Vorguilla nach seinem Glas Wasser Mrs Vorguilla die Hand auf die Schulter legte und seufzte, als wäre er von einer langen, anstrengenden Reise heimgekehrt.

»Hallo, Schatz«, sagte er dann.

Mrs Vorguilla senkte den Kopf, um seiner Hand einen flüchtigen Kuss zu geben.

»Hallo, Schatz«, sagte auch sie.

Dann sah er uns an, Queenie und mich, als störte ihn unsere Anwesenheit nicht allzu sehr.

»Hallo, ihr zwei.«

Später kicherten Queenie und ich im Dunkeln in unseren Betten.

»Gute Nacht, Schatz.«

»Gute Nacht, Schatz.«

Wie sehr wünschte ich mir, wir könnten in diese Zeit zurückkehren.

Am Morgen traute ich mich nur kurz ins Badezimmer und stahl mich hinunter, um meine Binde in die Mülltonne zu tun, dann saß ich auf meiner gemachten Liege in der Veranda, bis Mr Vorguilla aus dem Haus war. Ich hatte schon Angst, er müsse überhaupt nicht fort, aber offenbar doch. Sobald er weg war, rief Queenie nach mir. Sie hatte eine geschälte Apfelsine und Cornflakes und Kaffee auf den Tisch gebracht.

»Und hier ist die Zeitung«, sagte sie. »Ich hab mir die Stellenanzeigen angesehen. Aber erst mal möchte ich was mit deinen Haaren machen. Ich möchte hinten was abschneiden und sie auf Wickler drehen. Einverstanden?«

Ich sagte ja. Noch während ich aß, umkreiste mich Queenie und betrachtete mich, versuchte ihre Idee auszuarbeiten. Dann setzte sie mich auf einen Hocker – ich trank noch meinen Kaffee – und begann zu kämmen und zu schneiden.

»Nach was suchen wir jetzt eigentlich?«, sagte sie. »Ich hab was bei einer chemischen Reinigung gesehen. An der Kasse. Wie wär das?«

»Prima«, sagte ich.

»Hast du immer noch vor, Lehrerin zu werden?«

Ich sagte, ich wisse es nicht. Ich nahm an, in ihren Augen sei das eher ein öder Beruf.

»Ich finde, du solltest das machen. Du bist intelligent genug. Lehrer werden besser bezahlt. Sie kriegen mehr als solche wie ich. Du bist unabhängiger.«

Aber die Arbeit im Kino, sagte sie, die ginge in Ordnung. Sie hatte die Stelle letztes Jahr etwa einen Monat vor Weihnachten bekommen, und sie hatte sich wirklich gefreut, weil sie endlich eigenes Geld verdiente und die Zutaten für einen Weihnachtsstollen kaufen konnte. Und sie hatte sich mit einem Mann angefreundet, der auf einem Lastwagen Weihnachtsbäume verkaufte. Er überließ ihr einen für fünfzig Cent, und sie schleppte ihn selbst die Anhöhe hinauf. Sie behängte ihn mit roten und grünen Papierschlangen, das war billig. Sie machte Weihnachtsschmuck aus Alufolie und Karton und kaufte anderen am Tag vor Weihnachten, als er im Drugstore heruntergesetzt wurde. Sie buk Plätzchen und hängte sie an den Baum, wie sie es in einer Illustrierten gesehen hatte. Das war ein europäischer Brauch.

Sie wollte ein Fest geben, aber sie wusste nicht, wen sie einladen sollte. Da war das griechische Ehepaar, und Stan hatte zwei Freunde. Dann kam sie auf die Idee, seine Schüler einzuladen.

Ich konnte mich immer noch nicht daran gewöhnen, dass sie ihn »Stan« nannte. Nicht nur, weil es an ihre intime Beziehung mit Mr Vorguilla gemahnte. Das natürlich auch. Aber außerdem, weil es das Gefühl vermittelte, dass sie ihn völlig neu erfunden hatte. Ein neuer Mensch. Stan. Als hätte es nie einen Mr Vorguilla gegeben, den wir beide gekannt hatten – geschweige denn eine Mrs Vorguilla.

Stan hatte jetzt nur noch erwachsene Schüler – Erwachsene waren ihm eigentlich wesentlich lieber als Schulkinder –, also brauchten sie sich über Spiele und andere Überraschungen, wie man sie für Kinder plant, nicht den Kopf zu zerbrechen. Sie veranstalteten das Fest an einem Sonntagabend, weil alle anderen Abende durch Stans Arbeit im Restaurant und durch Queenies im Kino besetzt waren.

Die Griechen brachten selbst gemachten Wein mit, und einige der Schüler brachten Eierflip und Rum und Sherry mit. Andere brachten Schallplatten mit, zu denen man tanzen konnte. Sie hatten sich gedacht, dass Stan keine Platten mit solcher Musik haben würde, und sie hatten Recht.

Queenie machte Würstchen im Schlafrock und Lebkuchen, und die Griechin brachte eigenes Gebäck mit. Alles war gut. Das Fest war ein Erfolg. Queenie tanzte mit einem jungen Chinesen namens Andrew, der eine Platte mitgebracht hatte, für die sie schwärmte.

»Dreh dich um, dreh dich um«, sagte sie, und ich drehte den Kopf zur Seite. Sie lachte und sagte: »Nein, nein, dich hab ich nicht gemeint. Das ist die Platte. Der Song. Der ist von den Byrds.«

»Dreh dich um, dreh dich um«, sang sie. »Alles hat seine Zeit ...«

Andrew studierte Zahnmedizin. Aber er wollte lernen, die Mondscheinsonate zu spielen. Stan sagte, dafür werde er viel Zeit brauchen. Andrew war geduldig. Er erzählte Queenie, dass er es sich nicht leisten konnte, über Weihnachten nach Northern Ontario nach Hause zu fahren.

»Ich dachte, er ist aus China«, sagte ich.

»Nein, kein chinesischer Chinese. Er ist von hier.«

Sie spielten dann doch ein Kinderspiel. Sie spielten die Reise nach Jerusalem. Alle waren inzwischen ausgelassen. Sogar Stan. Er zog Queenie auf seinen Schoß, als sie vorbeilief, und wollte sie nicht mehr loslassen. Und dann, als alle gegangen waren, wollte er sie nicht aufräumen lassen. Er wollte nur, dass sie ins Bett kam.

»Du weißt ja, wie die Männer sind«, sagte Queenie. »Hast du schon einen Freund oder was?«

Ich sagte nein. Der letzte Mann, den mein Vater als Fahrer eingestellt hatte, kam ständig ins Haus, um etwas Unwichtiges auszurichten, und mein Vater sagte: »Der will bloß eine Gelegenheit, mit Chrissy zu reden.« Ich war jedoch kühl zu ihm, und er hatte sich bis jetzt nicht getraut, sich mit mir zu verabreden.

»Also weißt du über diese Sachen eigentlich noch nichts?«, fragte Queenie.

Ich sagte: »Doch, na klar.«

»Hm-hm«, sagte sie.

Die Festgäste hatten fast alles aufgegessen, nur den Kuchen nicht. Davon aßen sie nicht viel, aber Queenie war nicht beleidigt. Er war sehr gehaltvoll, und bis sie zu ihm gelangten, waren sie schon von den Würstchen im Schlafrock und den anderen Sachen satt. Außerdem hatte er keine Zeit gehabt, zu reifen, wie das Kochbuch es vorschrieb, also war sie ganz froh, dass so viel davon übrig war. Bevor Stan sie wegzog, dachte sie noch, dass sie den Kuchen in ein weingetränktes Tuch wickeln und an einen kühlen Ort stellen musste. Entweder dachte sie nur daran, oder sie tat es wirklich, und am Morgen sah sie, dass der Kuchen nicht mehr auf dem Tisch stand, also nahm sie an, sie habe es getan. Sie dachte: Gut, der Kuchen ist weggestellt.

Ein oder zwei Tage später sagte Stan: »Komm, wir essen ein Stück Kuchen.« Sie sagte: »Ach, lass ihn noch ein bisschen reifen«, aber er bestand darauf. Sie ging an den Küchenschrank und dann an den Kühlschrank, aber der Kuchen war nicht da. Sie suchte überall und konnte ihn nicht finden. Sie dachte daran zurück, als sie ihn auf dem Tisch gesehen hatte. Und sie meinte sich zu erinnern, dass sie ein sauberes Tuch geholt und in Wein getaucht und sorgfältig um den übrig gebliebenen Kuchen gewickelt hatte. Und dann das Ganze noch in Wachspapier eingepackt hatte. Aber wann hatte sie das getan? Hatte sie es getan oder nur davon geträumt? Sie versuchte, sich zu sehen, als sie ihn wegstellte, aber ihr Gedächtnis setzte aus.

Sie durchsuchte den ganzen Küchenschrank, aber sie wusste, dass der Kuchen zu groß war, um dort versteckt zu sein. Dann sah sie im Herd nach und sogar an blödsinnigen Stellen wie ihren Kommodenschubladen und unter dem Bett und im Kleiderschrank. Er war nirgends.

»Wenn du ihn irgendwo hingestellt hast, dann muss er irgendwo sein«, sagte Stan.

»Aber ich habe ihn irgendwo hingestellt«, sagte Queenie.

»Vielleicht warst du betrunken und hast ihn weggeworfen«, sagte er.

Sie sagte: »Ich war nicht betrunken. Ich hab ihn nicht weggeworfen.«

Aber sie ging hinunter und sah in den Mülltonnen nach. Nichts.

Er saß am Tisch und beobachtete sie. Wenn du ihn irgendwo hingestellt hast, muss er irgendwo sein. Sie geriet langsam außer sich.

»Bist du dir sicher?«, fragte Stan. »Bist du dir sicher, dass du ihn nicht einfach verschenkt hast?«

Sie war sich sicher. Sie war sich sicher, dass sie ihn nicht verschenkt hatte. Sie hatte ihn eingewickelt, damit er sich hielt. Sie war sich sicher, sie war sich fast sicher, dass sie ihn eingewickelt hatte, damit er sich hielt. Sie war sich sicher, dass sie ihn nicht verschenkt hatte.

»Na, ich weiß nicht«, sagte Stan. »Ich glaube, du hast ihn doch verschenkt. Und ich glaube, ich weiß auch, an wen.«

Queenie stockte der Atem. An wen?

»Ich glaube, du hast ihn Andrew geschenkt.«

Andrew?

Ach ja. Der arme Andrew, der ihr erzählt hatte, dass er es sich nicht leisten konnte, über Weihnachten nach Hause zu fahren. Andrew hatte ihr leid getan.

»Also hast du ihm den Kuchen geschenkt.«

Nein, sagte Queenie. Warum hätte sie das tun sollen? Sie hätte das nie getan. Sie wäre nie auf die Idee gekommen, Andrew den Kuchen zu schenken.

Stan sagte: »Lena. Lüg mich nicht an.«

Das war der Anfang von Queenies langem, unglückseligen Ringkampf. Sie konnte immer nur nein sagen. Nein, nein, ich habe den Kuchen niemandem geschenkt. Ich habe den Kuchen nicht Andrew geschenkt. Ich lüge dich nicht an. Nein, nein.

»Wahrscheinlich warst du betrunken«, sagte Stan. »Du warst betrunken und erinnerst dich nicht mehr genau.«

Queenie sagte, sie sei nicht betrunken gewesen.

»Du warst es, der betrunken war«, sagte sie.

Er stand auf, kam mit erhobener Hand auf sie zu und herrschte sie an, nicht zu ihm zu sagen, er sei betrunken gewesen, das nie zu ihm zu sagen.

Queenie schrie: »Nein, ich versprech's. Tut mir leid.« Und er schlug sie nicht. Aber sie fing an zu weinen. Unter Tränen versuchte sie ihn zu überzeugen. Warum sollte sie den Kuchen verschenken, den sie mit so viel Mühe gebacken hatte? Warum wollte er ihr nicht glauben? Warum sollte sie ihn anlügen?

»Alle Menschen lügen«, sagte Stan. Und je mehr sie weinte und ihn anflehte, ihr zu glauben, desto kühler und sarkastischer wurde er.

»Wende ein bisschen Logik an. Wenn er da ist, steh auf und finde ihn. Wenn er nicht da ist, dann hast du ihn verschenkt.«

Queenie sagte, das sei nicht logisch. Er musste nicht verschenkt worden sein, nur weil sie ihn nicht finden konnte. Dann kam er wieder auf sie zu, so ruhig und halb lächelnd, dass sie für einen Augenblick dachte, er wollte sie küssen. Stattdessen legte er ihr die Hände um den Hals und drückte ihr für eine Sekunde die Luft ab. Er hinterließ nicht einmal Druckstellen.

»Na?«, sagte er. »Na – willst du mir etwas über Logik beibringen?«

Dann ging er sich umziehen für seine Arbeit im Restaurant.

Er redete nicht mehr mit ihr. Er schrieb ihr einen Zettel, dass er erst wieder mit ihr reden werde, wenn sie die Wahrheit sage. Das ganze Weihnachtsfest über konnte sie nicht aufhören zu weinen. Sie war mit Stan am Ersten Feiertag eigentlich bei den Griechen eingeladen, aber sie konnte nicht hin, weil ihr Gesicht so furchtbar aussah. Stan musste zu ihnen gehen und sagen, sie sei krank. Die Griechen wussten wahrscheinlich ohnehin Bescheid. Sie hatten den Krach vermutlich durch die Wände gehört.

Sie legte eine Tonne Make-up auf und ging zur Arbeit, und der Geschäftsführer sagte: »Wollen Sie, dass die Leute denken, der Film geht auf die Tränendrüsen?« Sie sagte, sie habe Nebenhöhlenentzündung, und er schickte sie nach Hause.

Als Stan an dem Abend nach Hause kam und so tat, als existierte sie gar nicht, drehte sie sich um und sah ihn an. Sie wusste, dass er ins Bett kommen und wie ein Zaunpfahl neben ihr liegen würde, und wenn sie sich an ihn schmiegte, würde er weiter wie ein Zaunpfahl daliegen, bis sie wieder wegrückte. Sie erkannte, dass er so weiterleben konnte und sie nicht. Sie dachte, wenn sie so weitermachen müsste, würde sie sterben. Sie würde sterben, geradeso, als hätte er ihr wirklich die Kehle zugedrückt.

Also sagte sie: Verzeih mir.

Verzeih mir. Ich habe getan, was du gesagt hast. Es tut mir leid.

Bitte. Bitte. Es tut mir leid.

Er setzte sich aufs Bett. Er sagte kein Wort.

Sie sagte, sie habe wirklich vergessen, dass sie den Kuchen

verschenkt hatte, aber jetzt sei ihr eingefallen, dass sie es getan hatte, und es tue ihr leid.

»Ich habe nicht gelogen«, sagte sie. »Ich hab's vergessen.«

»Du hast vergessen, dass du Andrew den Kuchen geschenkt hast?«, fragte er.

»Muss ich wohl. Ich hab's vergessen.«

»Andrew. Du hast ihn Andrew geschenkt.«

Ja, sagte Queenie, Ja, ja, das habe sie getan. Und sie jammerte und klammerte sich an ihn und flehte ihn an, ihr zu verzeihen.

Na also, und Schluss jetzt mit der Hysterie, sagte er. Er sagte nicht, dass er ihr verzieh, aber er holte einen warmen Waschlappen und wischte ihr das Gesicht ab und legte sich neben sie und nahm sie in den Arm, und sehr bald wollte er auch alles andere.

»Keine Klavierstunden mehr für Mr Mondscheinsonate.«

Und zur Krönung des Ganzen fand sie dann den Kuchen.

Sie fand ihn in ein Geschirrtuch eingewickelt und in Wachspapier gepackt, genau wie sie es in Erinnerung hatte. Und in eine Einkaufstasche getan und in der Veranda an einen Haken gehängt. Natürlich. Die Veranda war der ideale Ort, weil sie im Winter zu kalt wurde, um benutzt zu werden, aber nicht eiskalt. Daran musste sie gedacht haben, als sie den Kuchen dorthin hängte. Dass dies der ideale Ort war. Und dann hatte sie ihn vergessen. Sie war ein bisschen betrunken gewesen – so musste es gewesen sein. Sie hatte ihn völlig vergessen. Und da war er.

Sie fand ihn, und dann warf sie ihn weg. Stan sagte sie kein Wort davon.

»Ich hab ihn weggeschmissen«, sagte sie. »Er war noch völlig gut und mit all dem teuren Zeugs und den Früchten drin, aber ich wollte das Thema auf keinen Fall wieder zur Sprache bringen. Also hab ich ihn einfach weggeschmissen.«

Ihre Stimme, die bei den schlimmen Stellen der Geschichte so jammervoll geklungen hatte, klang jetzt durchtrieben und voller Gelächter, als hätte sie mir die ganze Zeit über einen Witz erzählt und als wäre das Wegwerfen des Kuchens die Schlusspointe.

Ich musste meinen Kopf ihren Händen entziehen und mich umdrehen und sie anschauen.

Ich sagte: »Aber er hatte Unrecht.«

»Natürlich hatte er Unrecht. Männer sind nicht normal, Chrissy. Das wirst du noch lernen, wenn du je heiratest.«

»Dann werd ich's nie tun. Nie heiraten.«

»Er war bloß eifersüchtig«, sagte sie. »Er war einfach rasend eifersüchtig.«

»Nie.«

»Also du und ich, wir sind verschieden, Chrissy. Sehr verschieden.« Sie seufzte. Sie sagte: »Ich bin ein Geschöpf der Liebe.«

Ich dachte, diese Worte sah man vielleicht auf Kinoplakaten. »Ein Geschöpf der Liebe.« Vielleicht auf dem Plakat eines der Filme, die in Queenies Kino gelaufen waren.

»Du wirst ganz toll aussehen, wenn ich die Wickler rausnehme«, sagte sie. »Dass du keinen Freund hast, wirst du nicht mehr lange sagen können. Aber heute ist es zu spät, um noch auf Suche zu gehen. Morgen stehen wir mit den Hühnern auf. Wenn Stan dich was fragt, sagst du, du warst bei mehreren Läden, und sie haben sich deine Telefonnummer notiert. Sag, ein Geschäft oder ein Restaurant oder irgendwas, Hauptsache, er denkt, du bist auf Suche.«

Ich wurde in dem ersten Geschäft, in dem ich es versuchte, genommen, auch wenn ich es nicht geschafft hatte, mit den Hühnern aufzustehen. Queenie hatte beschlossen, mein Haar noch anders zu frisieren und meine Augen zu schminken, aber das Ergebnis fiel anders aus als von ihr erhofft. »Du bist wohl doch mehr der natürliche Typ«, sagte sie und schrubbte alles ab und malte mir den Mund mit meinem eigenen Lippenstift an, der einfach rot war, nicht bleich schimmernd wie ihrer.

Danach war es für Queenie zu spät, um mich ein Stück zu begleiten und in ihrem Postfach nachzusehen. Sie musste sich fürs Kino fertig machen. Es war ein Samstag, deshalb musste sie nicht erst abends, sondern schon tagsüber arbeiten. Sie holte den Schlüssel und bat mich, für sie im Postfach nachzusehen. Sie erklärte mir, wo es war.

»Ich musste mir ein eigenes Postfach einrichten, als ich deinem Vater geschrieben habe«, sagte sie.

Das Geschäft, in dem ich Arbeit fand, war ein Drugstore im Souterrain eines Wohnhauses. Ich wurde angestellt, um an der Imbisstheke zu arbeiten. Als ich hereinkam, machte ich mir wenig Hoffnung. Meine Frisur sackte in der Hitze zusammen, und auf meiner Oberlippe standen Schweißperlen. Wenigstens hatten meine Bauchschmerzen nachgelassen.

Eine Frau in weißer Uniform stand an der Theke und trank Kaffee.

»Sind Sie wegen der Stelle gekommen?«, fragte sie.

Ich sagte ja. Die Frau hatte ein hartes, flächiges Gesicht, gemalte Augenbrauen und hochtoupierte lila Haare.

»Sprechen Sie Englisch?«

»Ja.«

»Ich meine, Sie haben es nicht gerade erst gelernt? Sie sind keine Ausländerin?«

Ich verneinte.

»Ich habe in den letzten zwei Tagen zwei Mädchen ausprobiert, und ich musste beide wieder wegschicken. Eine gab vor, Englisch zu können, aber sie konnte's nicht, und der andern musste ich alles zehnmal erklären. Waschen Sie sich an der Spüle gründlich die Hände, und ich hole Ihnen eine Schürze. Mein Mann ist der Apotheker, und ich mache die Kasse.« (Ich nahm zum ersten Mal einen grauhaarigen Mann wahr, der in der Ecke hinter einem hohen Ladentisch stand und mich verstohlen musterte.) »Jetzt ist nichts los, aber bald gibt's was zu tun. In diesem Block wohnen alles alte Leute, und nach ihrem Mittagsschläfchen kommen sie langsam runter und wollen Kaffee.«

Ich band mir eine Schürze um und nahm meinen Platz hinter der Theke ein. Ich hatte eine Stelle in Toronto. Ich versuchte herauszufinden, wo alles war, ohne Fragen zu stellen, und musste nur zweimal fragen – wie man die Kaffeemaschine bediente und was ich mit dem Geld machen sollte.

»Sie stellen die Rechnung aus, und die Kunden bringen es mir. Was haben Sie denn gedacht?«

Es ging gut. Die Leute kamen einzeln oder zu zweit herein und verlangten meistens Kaffee oder eine Cola. Ich sorgte für ordentlich abgewaschene und abgetrocknete Tassen und eine saubere Theke, und offenbar stellte ich die Rechnungen richtig aus, denn es gab keine Beanstandungen. Die Kunden waren meistens alte Leute, wie die Frau gesagt hatte. Manche sprachen freundlich zu mir und sagten, ich sei wohl neu hier, und fragten mich sogar, woher ich komme. Andere schienen in einer Art Trance zu sein. Eine Frau wollte Toast, und das schaffte ich. Dann machte ich ein Schinkensandwich. Dann war ein bisschen Wirbel mit vier neuen Gästen gleichzeitig. Ein Mann wollte Kuchen und Eiscreme, und ich stellte fest, dass der Eiscreme hart wie Zement war und sich nur schwer herauslösen ließ. Aber es gelang mir. Ich gewann mehr Selbstvertrauen. Ich sagte zu den Gästen: »Bitte sehr«, wenn ich ihre Bestellungen brachte, und »Hier ist der Schaden«, wenn ich die Rechnung präsentierte.

Die Frau kam langsam von der Kasse herüber.

»Ich sehe, Sie haben jemandem Toast gemacht«, sagte sie. »Können Sie lesen?«

Sie zeigte auf ein Schild, das auf dem Spiegel hinter der Theke klebte.

KEINE FRÜHSTÜCKSARTIKEL NACH 11 UHR VOR-MITTAGS

Ich sagte, dass ich gedacht habe, es sei in Ordnung, Toast zu machen, wenn getoastete Sandwiches zu haben waren.

»Sie haben falsch gedacht. Getoastete Sandwiches ja, zehn Cent Aufschlag. Nur Toast nein. Verstehen Sie jetzt?«

Ich sagte ja. Ich war nicht so niedergeschmettert, wie ich hätte sein können. Bei der Arbeit dachte ich ständig, was für eine Erleichterung es war, Mr Vorguilla sagen zu können, dass ich eine Stelle hatte. Jetzt konnte ich mir ein eigenes Zimmer suchen. Vielleicht morgen, Sonntag, wenn der Drugstore geschlossen war. Wenn ich ein möbliertes Zimmer fand, dachte ich, hätte Queenie etwas, wohin sie sich flüchten konnte, falls Mr Vorguilla wieder wütend auf sie war. Und falls Queenie je beschließen sollte, Mr Vorguilla zu verlassen (ich blieb dabei, das für eine Möglichkeit zu halten, trotz der Art und Weise, in der Queenies Geschichte geendet hatte), dann konnten wir uns mit dem Lohn unserer beiden Jobs vielleicht eine kleine Wohnung besorgen. Oder wenigstens ein Zimmer mit einer Kochplatte und einer Toilette und Dusche für uns. Es würde sein wie zu Hause bei unseren Eltern, nur dass unsere Eltern nicht da sein würden.

Ich garnierte jedes Sandwich mit einem Salatblatt und einer Dillgurke. Das versprach ein anderes Schild auf dem Spiegel. Aber als ich die Dillgurke aus dem Glas holte, kam sie mir zu dick vor, und ich schnitt sie der Länge nach durch. Ich hatte gerade einem Mann solch ein Sandwich serviert, als die Frau von der Kasse herüberkam und sich eine Tasse Kaffee holte. Sie ging mit ihrem Kaffee zur Kasse zurück und trank ihn im Stehen. Als der Mann sein Sandwich aufgegessen und bezahlt und den Laden verlassen hatte, kam sie wieder herüber.

»Sie haben dem Mann eine halbe Dillgurke gegeben? Haben Sie das bei jedem Sandwich so gemacht?«

Ich sagte ja.

»Wissen sie nicht, wie man eine Gurke in Scheiben schneidet? Eine Gurke muss für zehn Sandwiches reichen.«

Ich sah zu dem Schild. »Da steht nicht: eine Scheibe. Da steht: eine Gurke.«

»Das reicht«, sagte die Frau. »Ziehen Sie die Schürze aus. Ich lasse mir von meinen Angestellten keine frechen Antworten gefallen, ich denke gar nicht dran. Holen Sie sich Ihre Handtasche und verschwinden Sie. Und fragen Sie mich ja nicht nach Ihrem Lohn, denn Sie waren sowieso zu nichts nutze, und ich habe Sie nur eingearbeitet.«

Der grauhaarige Mann spähte mit nervösem Lächeln herüber.

Also saß ich wieder auf der Straße und machte mich auf den Weg zu einer Straßenbahnhaltestelle. Aber ich kannte jetzt einige Straßen, und ich wusste, wie ich umsteigen musste. Ich hatte sogar Berufserfahrung. Ich konnte sagen, dass ich an einer Imbisstheke gearbeitet hatte. Wenn jemand fragte, wer mich empfehlen konnte, wurde es schwierig – aber ich konnte ja sagen, dass die Imbisstheke in meiner Heimatstadt war. Während ich auf die Straßenbahn wartete, holte ich die Liste der übrigen Geschäfte hervor, bei denen ich mich bewerben wollte, und den Stadtplan, den Queenie mir gegeben hatte. Aber es war später, als ich gedacht hatte, und die meisten schienen mir zu weit weg zu sein. Mir grauste davor, Mr Vorguilla nichts vorweisen zu können. Also beschloss ich, nach Hause zu laufen, in der Hoffnung, dass er schon fort war, wenn ich ankam.

Ich ging schon die Anhöhe hinauf, als mir das Postamt einfiel. Ich kehrte um, fand auch hin, holte einen Brief aus dem Postfach und machte mich wieder auf den Heimweg. Bestimmt war er inzwischen fort.

Aber er war nicht fort. Als ich unter dem offenen Wohnzimmerfenster vorbeiging, hörte ich Musik. Keine Musik, wie Queenie sie hören würde. Sondern die komplizierte Musik, die wir manchmal aus den offenen Fenstern vom Haus der Vorguillas gehört hatten – Musik, die Aufmerksamkeit verlangte und dann nirgendwo ankam oder wenigstens lange Zeit nirgendwo ankam. Eben klassische Musik.

Queenie war in der Küche, in einem anderen ihrer knappen Kleider und voll geschminkt. An beiden Armen trug sie Armreifen. Sie stellte Teetassen auf ein Tablett. Mir war für einen Augenblick schwindlig, da ich aus dem prallen Sonnenlicht kam und mir der Schweiß aus allen Poren lief.

»Pst«, sagte Queenie, denn ich hatte die Tür mit einem Knall zugemacht. »Sie hören sich da drin Platten an. Er und sein Freund Leslie.«

Gerade als sie das sagte, hörte die Musik abrupt auf und eine angeregte Unterhaltung setzte ein.

»Einer von ihnen legt eine Platte auf, und der andere muss nach einem kleinen Stückchen raten, was es ist«, sagte Queenie. »Sie spielen diese kleinen Stückchen, und dann halten sie an, immer wieder. Das macht einen verrückt.« Sie schnitt von einem kalten Brathuhn Scheiben ab und legte sie zwischen Butterbrote. »Hast du eine Stelle gefunden?«, fragte sie.

»Ja, aber sie war nicht von Dauer.«

»Na ja.« Es schien sie nicht sonderlich zu interessieren. Aber als die Musik wieder anfing, blickte sie auf, lächelte und fragte: »Warst du auf dem …« Sie sah den Brief in meiner Hand.

Sie ließ das Messer fallen, kam rasch auf mich zu und sagte leise: »Du bist mit dem in der Hand reingekommen? Ich hätte dir sagen müssen, steck ihn in die Handtasche. Der ist nur für mich.« Sie riss ihn mir aus der Hand, und im selben Augenblick fing der Kessel auf dem Herd an zu pfeifen.

»Nimm den Kessel runter. Chrissy, schnell, schnell! Nimm den Kessel runter, sonst kommt er her, er kann das Geräusch nicht ausstehen.«

Sie hatte mir den Rücken zugekehrt und riss den Umschlag auf.

Ich nahm den Kessel von der Flamme, und sie sagte: »Mach bitte den Tee …«, im leisen, geistesabwesenden Tonfall jemandes, der eine dringende Nachricht liest. »Gieß einfach das Wasser in die Kanne, es ist abgemessen.«

Sie lachte, als hätte sie gerade einen intimen Scherz gelesen. Ich goss das Wasser auf die Teeblätter, und sie sagte: »Danke. Vielen Dank, Chrissy, danke.« Sie drehte sich um und sah mich an. Ihr Gesicht war rosig, und alle Reifen an ihren Armen klirrten von leiser Erregung. Sie kniffte den Brief zusammen, zog ihren Rock hoch und steckte ihn unter das Gummiband ihres Schlüpfers.

Sie sagte: »Manchmal durchsucht er meine Handtasche.«

Ich fragte: »Ist der Tee für ihn und seinen Freund?«

»Ja. Und ich muss dringend los. Ach du liebes bisschen. Ich muss noch die Sandwiches schneiden. Wo ist das Messer?«

Ich hob das Messer auf und schnitt die Sandwiches durch und legte sie auf einen Teller.

»Willst du nicht wissen, von wem mein Brief ist?«, fragte sie.

Mir fiel nichts ein.

Ich sagte: »Von Bet?«

Weil ich die leise Hoffnung hatte, dass eine verzeihende Geste von Bet die Ursache für Queenies plötzliches Aufblühen war.

Ich hatte mir nicht einmal die Handschrift auf dem Umschlag angesehen.

Queenies Gesichtsausdruck veränderte sich – für einen Augenblick sah sie aus, als wüsste sie nicht, wer das war. Dann gewann sie ihre Glückseligkeit zurück. Sie kam und legte die Arme um mich und sprach in mein Ohr, mit einer Stimme, die vor verschämtem Triumph zitterte.

»Er ist von Andrew. Kannst du ihnen das Tablett reinbringen? Ich kann nicht. Ich kann das jetzt nicht. Ich danke dir.«

* * ★

Bevor Queenie zur Arbeit ging, kam sie ins Wohnzimmer und gab Mr Vorguilla und seinem Freund einen Kuss. Sie küsste beide auf die Stirn. Mir winkte sie mit beiden Händen zu. »Tschüs.«

Als ich das Tablett hereingebracht hatte, sah ich die Verärgerung auf Mr Vorguillas Gesicht, dass ich nicht Queenie war. Aber er sprach überraschend geduldig mit mir und stellte mich Leslie vor. Leslie war ein stämmiger, kahlköpfiger Mann, der für mich auf den ersten Blick fast so alt wie Mr Vorguilla aussah. Aber sobald man sich an ihn gewöhnt hatte und seine Glatze außer Acht ließ, wirkte er wesentlich jünger. Er war nicht die Art von Freund, die ich bei Mr Vorguilla erwartet hätte. Er war weder barsch noch besserwisserisch, sondern angenehm und voller Ermutigung. Als ich zum Beispiel von meinen Erfahrungen an der Imbisstheke berichtete, sagte er: »Aber das ist doch was. Bei der ersten Stelle, wo Sie sich beworben haben, genommen zu werden. Das zeigt, Sie wissen einen guten Eindruck zu machen.«

Es war mir nicht schwer gefallen, über das Erlebnis zu reden. Leslies Anwesenheit machte alles leichter und schien Mr Vorguillas Verhalten zu mildern. Als müsste er mir in Gegenwart seines Freundes mit angemessener Höflichkeit begegnen. Es konnte auch sein, dass er eine Veränderung in mir spürte. Die Menschen merken den Unterschied, wenn man keine Angst mehr vor ihnen hat. Er wäre sich über den Unterschied nicht recht im Klaren gewesen, und er hätte bestimmt keine Ahnung gehabt, wie er zustande gekommen war, aber er wäre dadurch verunsichert und deshalb vorsichtiger gewesen. Er stimmte Leslie zu, als der sagte, ich könne froh sein, die Stelle los zu sein, und er ging sogar so weit zu sagen, dass die Frau sich anhöre wie die Sorte abgebrühter Halsabschneider, wie man sie manchmal in solch miesen Läden in Toronto finde.

»Und sie hatte keinen Grund, dir nichts zu zahlen«, sagte er.

»Man sollte meinen, der Mann hätte ein Wort sagen können«, sagte Leslie. »Wenn er der Apotheker ist, ist er schließlich der Chef.«

Mr Vorguilla sagte: »Er könnte eines Tages ein Spezialmittel zusammenbrauen. Für seine Frau.«

Es war gar nicht so schwer, Tee einzuschenken, Milch und Zucker anzubieten, die Sandwiches herumzureichen und sogar eine Unterhaltung zu führen, wenn man etwas wusste, was ein anderer nicht wusste, über eine Gefahr, in der er sich befand. Gerade weil er es nicht wusste, konnte ich für Mr Vorguilla noch etwas anderes als Abscheu empfinden. Nicht, dass er sich gewandelt hatte – oder wenn, dann allenfalls, weil ich mich gewandelt hatte.

Bald sagte er, dass es für ihn Zeit sei, sich zur Arbeit fertig zu machen. Er ging sich umziehen. Darauf fragte Leslie mich, ob ich Lust hätte, mit ihm essen zu gehen.

»Gleich um die Ecke ist ein Lokal, das ich kenne«, sagte er. »Nichts Vornehmes. Nicht so was wie Stans Restaurant.«

Ich war erleichtert, dass ihm kein vornehmes Etablissement vorschwebte. Ich sagte: »Klar.« Und nachdem wir Mr Vorguilla zum Restaurant gebracht hatten, fuhren wir in Leslies Auto zu einem Fish-and-Chips-Lokal. Leslie bestellte sich die große Platte – obwohl er gerade mehrere Huhnsandwiches verzehrt hatte –, und ich bestellte die normale. Er trank ein Bier und ich eine Cola.

Er redete über sich selbst. Er sagte, er bedaure es, sich gegen eine Lehrerausbildung und für die Musik entschieden zu haben, die einem kein sehr geregeltes Leben beschere.

Ich war zu sehr mit meiner eigenen Situation beschäftigt, um ihn auch nur zu fragen, was für ein Musiker er war. Mein Vater hatte mir eine Rückfahrkarte gekauft mit den Worten: »Man kann nie wissen, wie sich das ausgehen wird mit ihm und ihr.« An diese Fahrkarte hatte ich in dem Augenblick gedacht, als ich sah, wie Queenie Andrews Brief in ihren Schlüpfer steckte. Obwohl ich da noch nicht wusste, dass der Brief von Andrew war.

Ich war nicht einfach so nach Toronto gekommen oder nur gekommen, um mir Arbeit für den Sommer zu suchen. Ich war gekommen, um ein Teil von Queenies Leben zu sein. Oder notfalls ein Teil von Queenies und Mr Vorguillas Leben. Sogar als ich mir vorstellte, dass Quenie zu mir ziehen könnte, hatte dieser Tagtraum etwas mit Mr Vorguilla zu tun, weil sie es ihm heimzahlen würde.

Und wenn ich an die Rückfahrkarte dachte, setzte ich noch etwas anderes voraus. Dass ich zurückfahren und wieder bei Bet und meinem Vater wohnen und ein Teil ihres Lebens sein konnte.

Mein Vater und Bet. Mr und Mrs Vorguilla. Queenie und Mr Vorguilla. Sogar Queenie und Andrew. Alles Paare, und ein jedes, mochte es noch so schlecht zusammenpassen, hatte jetzt oder in der Erinnerung eine private Höhle mit eigener Hitze und Unordnung, die mich nicht mit einschloss. Und ich musste, ich wollte ausgeschlossen sein, denn ich vermochte in ihrem Leben nichts zu erkennen, was mich belehren oder voranbringen konnte.

Leslie war ebenfalls eine ausgeschlossene Person. Trotzdem erzählte er mir von Menschen, denen er durch Blutsbande oder Freundschaft verbunden war. Von seiner Schwester und ihrem Mann. Seinen Nichten und Neffen, den Ehepaaren, die er besuchte und mit denen er seine Ferien verbrachte. Alle diese Menschen hatten Probleme, aber alle hatten ihren Wert. Er redete von ihrer Arbeit oder ihrer Suche nach Arbeit, ihren Talenten, ihrem Glück und ihren Irrtümern mit großer Anteilnahme, aber ohne Leidenschaft. Er war, wie es schien, von Liebe oder Hass ausgeschlossen.

Später in meinem Leben hätte ich darin ein Manko gesehen. Ich hätte die Ungeduld, ja sogar das Misstrauen empfunden, das eine Frau gegenüber einem Mann empfindet, dem es an einem Beweggrund mangelt. Der nur Freundschaft zu bieten hat und sie so leicht anbietet, dass er sogar nach einer Abfuhr so fröhlich weitermachen kann wie eh und je. Das hier war kein einsamer Bursche, der mit einem Mädchen anbandeln wollte. Sogar ich merkte das. Nur ein Mensch, der am Augenblick und an einer halbwegs intakten Lebensfassade Genüge fand.

Seine Gesellschaft war genau das, was ich brauchte, obwohl mir das kaum klar wurde. Wahrscheinlich war er bewusst freundlich zu mir. So wie ich eben noch und ganz unerwartet freundlich zu Mr Vorguilla gewesen war oder ihn wenigstens beschützt hatte.

Ich war auf dem Lehrerseminar, als Queenie wieder durchbrannte. Ich erhielt die Nachricht in einem Brief von meinem Vater. Er schrieb, er wisse nicht, wie oder wann es genau passiert sei. Mr Vorguilla habe es ihm erst nicht mitgeteilt, aber dann doch, falls Queenie nach Hause zurückkehrte. Mein Vater hatte Mr Vorguilla geschrieben, er halte das für ziemlich aussichtslos. In dem Brief an mich schrieb er, zumindest könnten wir jetzt nicht mehr behaupten, dass Queenie so etwas nicht tat.

Noch jahrelang, sogar noch nach meiner Heirat, bekam ich eine Weihnachtskarte von Mr Vorguilla. Ein Schlitten, beladen mit leuchtend bunten Paketen; eine glückliche Familie in einer geschmückten Haustür, die Freunde willkommen hieß. Vielleicht dachte er, dass solche Szenen mich in meiner gegenwärtigen Lebenssituation ansprechen würden. Oder vielleicht holte er sie wahllos aus dem Kartenständer. Er gab immer seine Adresse an – um sich in Erinnerung zu bringen und mich wissen zu lassen, wo er war, falls ich etwas von ihr erfuhr.

Ich selbst hatte die Hoffnung aufgegeben, etwas von ihr zu erfahren. Ich bekam nicht einmal heraus, ob es Andrew war, mit dem Queenie auf und davon gegangen war, oder jemand anders. Oder ob sie bei Andrew blieb, falls er derjenige war. Als mein Vater starb, hinterließ er etwas Geld, und ich unternahm einen ernsthaften Versuch, sie aufzuspüren, doch ohne Erfolg.

Aber jetzt hat sich etwas ereignet. Seit meine Kinder erwachsen sind und mein Mann im Ruhestand ist und wir beide viele Reisen unternehmen, bilde ich mir ein, manchmal Queenie zu sehen. Nicht, dass ich sie aus einer besonderen Sehnsucht oder Anstrengung heraus sehe, und ich glaube auch nicht, dass sie es wirklich ist.

Einmal geschah es auf einem belebten Flughafen, und sie trug einen Sarong und einen mit Blumen besetzten Strohhut. Braun gebrannt und angeregt, offensichtlich reich und von Freunden umgeben. Und einmal war sie unter den Frauen vor einer Kirchentür, die darauf warteten, das Brautpaar zu Gesicht zu bekommen. Sie trug eine fleckige Wildlederjacke, und sie sah weder wohlhabend noch gesund aus. Ein andermal stand sie an einem Fußgängerüberweg und beaufsichtigte eine Schar von Kleinkindern auf dem Weg ins Schwimmbad oder in den Park. Es war ein heißer Tag, und sie machte in geblümten Shorts und bedrucktem T-Shirt kein Geheimnis aus ihrer üppigen, reifen Figur.

Das letzte und seltsamste Mal war in einem Supermarkt in Twin Falls, Idaho. Ich kam mit ein paar Dingen für ein Picknick um eine Ecke, und vor mir lehnte eine alte Frau sich auf ihren Einkaufswagen, als wartete sie auf mich. Eine kleine verhutzelte Frau mit schiefem Mund und ungesund aussehender bräunlicher Haut. Gelbbraunes Stoppelhaar, eine violette Hose, die bis über den kleinen Trommelbauch reichte – sie war eine jener dünnen Frauen, die trotzdem mit zunehmendem Alter die Annehmlichkeit einer Taille verloren haben. Die Hose konnte gut aus einem Secondhandshop stammen, ebenso wie die fröhlich bunte, aber verfilzte und eingeschrumpfte Strickjacke, die über einer Brust, nicht größer als die einer Zehnjährigen, zugeknöpft war.

Der Einkaufswagen war leer. Sie hatte nicht mal eine Handtasche bei sich.

Und im Gegensatz zu den anderen Frauen schien diese zu wissen, dass sie Queenie war. Sie lächelte mich mit so freudigem Wiedererkennen an, mit solcher Sehnsucht, ihrerseits erkannt zu werden, dass man den Eindruck gewinnen konnte, es sei für sie ein großer Segen – eine ihr gewährte Gnade, für einen Tag unter Tausenden aus dem Dunkel hervortreten zu dürfen.

Und alles, was ich tat, war: Ich verzog freundlich und unpersönlich den Mund, wie zu einer geistesgestörten Fremden, und ging weiter auf die Kasse zu.

Dann auf dem Parkplatz nannte ich meinem Mann einen Vorwand, sagte, ich habe etwas vergessen, und eilte in den Laden zurück. Ich lief suchend durch die Gänge zwischen den Regalen. Aber in dieser kurzen Zeit schien die alte Frau verschwunden zu sein. Sie konnte gleich nach mir hinausgegangen sein; sie konnte jetzt in den Straßen von Twin Falls unterwegs sein. Zu Fuß oder in einem Auto, gefahren von einem hilfsbereiten Verwandten oder Nachbarn. Oder sogar in einem Auto, das sie selbst fuhr. Es bestand jedoch eine geringe Chance, dass sie immer noch im Laden war und dass wir beide die Gänge auf und ab liefen und uns ständig verfehlten. Ich ging ziellos in eine Richtung, dann in eine andere, fröstelte im eisigen Klima des sommerlichen Supermarkts, sah den Leuten gerade ins Gesicht und erschreckte sie wahrscheinlich, da ich sie stumm anflehte, mir zu sagen, wo ich Queenie finden konnte.

Bis ich zur Besinnung kam und mir selbst versicherte, dass es unmöglich war und dass die Frau, ob sie nun Queenie war oder nicht, mich hinter sich gelassen hatte.

Der Bär kletterte über den Berg

Fiona wohnte im Haus ihrer Eltern, in der Stadt, in der sie und Grant studierten. Es war ein großes Haus mit Erkerfenstern, das in Grants Augen zugleich luxuriös und unordentlich war, mit faltigen Teppichen auf dem Boden und Tassenringen in der Tischpolitur. Ihre Mutter stammte aus Island – eine kräftige Frau mit einer Schaumkrone weißer Haare und extrem linken politischen Überzeugungen. Der Vater war ein bedeutender Herzspezialist, der im Krankenhaus verehrt wurde, aber zu Hause zum Glück fügsam war und sich die sonderbaren Tiraden dort mit geistesabwesendem Lächeln anhörte. Alle möglichen Leute, reiche wie ärmlich aussehende, hielten diese Tiraden, kamen und gingen und argumentierten und konferierten, manchmal mit ausländischem Akzent. Fiona hatte ein eigenes kleines Auto und einen Stapel Kaschmirpullover, aber sie gehörte keiner Studentenverbindung an, und wahrscheinlich war der Grund dafür diese Betriebsamkeit in ihrem Haus.

Nicht, dass sie etwas darauf gab. Verbindungen waren für sie ein Witz, ebenso politische Überzeugungen, obwohl sie gern die Platte mit den »Vier aufrührerischen Generälen« auflegte und manchmal auch die Internationale abspielte, sehr laut, wenn ein Gast da war, den sie ihrer Meinung nach damit nervös machen konnte. Ein krausköpfiger, finster blickender Ausländer machte ihr den Hof – sie sagte, er sei ein Westgote – und ebenso zwei oder drei recht ehrenwerte und verklemmte junge Assistenzärzte. Sie machte sich über alle und auch über Grant lustig. Sie äffte drollig seine Kleinstadtausdrücke nach. Er dachte, vielleicht sei es nur Spaß, als sie ihm einen Heiratsantrag machte, an einem kalten strahlenden Tag am Strand von Port Stanley. Sand stach ihnen ins Gesicht, und die Wellen luden krachend Ladungen kleiner Steinchen zu ihren Füßen ab.

»Fändest du es lustig …«, rief Fiona. »Fändest du es lustig, wenn wir heiraten würden?«

Er nahm sie beim Wort und rief ja. Er wollte nie mehr ohne sie sein. Sie sprühte vor Leben.

Unmittelbar bevor sie das Haus verließen, bemerkte Fiona eine Schliere auf dem Küchenfußboden. Sie stammte von den billigen schwarzen Hausschuhen, die sie an dem Tag getragen hatte.

»Ich dachte, sie hätten damit aufgehört«, sagte sie im Tonfall normaler Verärgerung und Entrüstung und rieb an dem grauen Schmierfleck, der aussah wie mit Ölkreide gemacht.

Sie spöttelte, in Zukunft brauche sie das nie mehr zu tun, da sie diese Schuhe nicht mitnehme.

»Ich stelle mir vor, ich werde die ganze Zeit fein angezogen sein«, sagte sie. »Oder halb fein. Es wird sein wie im Hotel.«

Sie spülte den Lappen aus, den sie benutzt hatte, und hängte ihn auf die Stange an der Innenseite der Tür unter der Spüle. Dann zog sie ihren goldbraunen pelzbesetzten Skianorak an, über einen weißen Rollkragenpullover und eine maßgeschneiderte rehbraune Hose. Sie war eine hoch gewachsene, schmalschultrige Frau, siebzig Jahre alt, aber immer noch aufrecht und wohlgestaltet, mit langen Beinen und langen Füßen, schmalen Hand- und Fußgelenken und winzigen, fast komisch aussehenden Ohren. Ihre Haare, fein wie Löwenzahnflaum, ursprünglich hellblond, waren irgendwann weiß geworden, ohne dass es

Grant so recht aufgefallen war, und sie trug sie immer noch schulterlang, wie ihre Mutter früher auch. (Das war es, was Grants eigene Mutter alarmiert hatte, eine Kleinstadtwitwe, die als Sprechstundenhilfe bei einem Arzt arbeitete. Die langen weißen Haare von Fionas Mutter hatten ihr, mehr noch als der Zustand des Hauses, alles verraten, was sie über diese Leute und deren politische Richtung zu wissen brauchte.)

Ansonsten ähnelte Fiona mit ihrem zarten Knochenbau und ihren Saphiraugen ihrer Mutter überhaupt nicht. Sie hatte einen etwas schiefen Mund, den sie jetzt mit rotem Lippenstift betonte – für gewöhnlich das Letzte, was sie tat, bevor sie aus dem Haus ging. Sie wirkte an diesem Tag ganz wie sie selbst – geradezu und dabei wie von ungefähr, liebenswürdig und ironisch.

Vor über einem Jahr waren Grant zum ersten Mal die vielen kleinen gelben Zettel aufgefallen, die überall im Haus klebten. Das war nichts völlig Neues. Sie hatte sich immer Dinge notiert – den Titel eines Buches, den sie im Radio gehört hatte, oder die Dinge, die sie an diesem Tag erledigen wollte. Sogar ihr morgendlicher Zeitplan war schriftlich festgehalten – er fand ihn rätselhaft und rührend in seiner Genauigkeit.

7 Joga. 7.30–7.45 Zähne Gesicht Haare. 7.45–8.15 Spaziergang. 8.15 Grant und Frühstück.

Die neuen Zettel waren anders. An die Küchenschubladen geklebt – Besteck, Geschirrhandtücher, Messer. Konnte sie sie nicht einfach aufziehen und nachsehen, was drin war? Er erinnerte sich an eine Geschichte über deutsche Soldaten auf Grenzpatrouille in der Tschechoslowakei im Zweiten Weltkrieg. Ein Tscheche hatte ihm erzählt, dass jeder der Patrouillenhunde ein Schild trug, und auf dem stand: Hund. Warum?, fragten die Tschechen, und die Deutschen antworteten: Na, weil das ein Hund ist.

Er wollte es Fiona erzählen, dann dachte er, besser nicht. Sie lachten immer über dieselben Dinge, aber was, wenn sie diesmal nicht lachte?

Schlimmeres sollte folgen. Sie fuhr in die Stadt und rief aus einer Telefonzelle an, um ihn nach dem Heimweg zu fragen. Sie ging zu ihrem Spaziergang über die Wiese in den Wald und kam entlang der Einzäunung nach Hause – ein sehr weiter Umweg. Sie sagte, sie habe sich darauf verlassen, dass Zäune immer irgendwohin führen.

Es war schwer zu durchschauen. Sie sagte das über die Zäune, als sei es ein Scherz, und sie hatte sich ohne Mühe an die Telefonnummer erinnert.

»Ich glaube, es ist nichts, worüber man sich Sorgen machen muss«, sagte sie. »Ich nehme an, ich verliere nur den Verstand.«

Er fragte sie, ob sie in letzter Zeit Schlaftabletten genommen habe.

»Wenn ja, erinnere ich mich nicht daran«, sagte sie. Dann sagte sie, es tue ihr leid, dass sie so schnippisch gewesen sei.

»Ich bin sicher, dass ich nichts eingenommen habe. Vielleicht sollte ich was einnehmen. Vielleicht Vitamine.«

Vitamine halfen nicht. Sie stand in der Tür und versuchte sich zu erinnern, was sie vorgehabt hatte. Sie vergaß, die Flamme unter dem Gemüse auszumachen oder Wasser in die Kaffeemaschine zu füllen. Sie fragte Grant, wann sie in dieses Haus gezogen seien.

»War es letztes Jahr oder im Jahr davor?«

Er sagte, es sei zwölf Jahre her.

Sie sagte: »Das ist ja entsetzlich.«

»So war sie schon immer ein wenig«, sagte Grant dem Arzt. »Einmal hat sie ihren Pelzmantel zur Aufbewahrung gebracht und dann einfach vergessen. Das war, als wir den Winter immer irgendwo verbracht haben, wo es warm ist. Dann sagte sie, das sei ungewollt Absicht gewesen, sie sagte, es sei wie eine

Sünde, die sie hinter sich lasse. Bei dem schlechten Gewissen, das ihr einige Leute wegen des Pelzmantels gemacht hatten.«

Er versuchte erfolglos, etwas Weiteres zu erklären – dass Fionas Erstaunen über all das und ihre Entschuldigungen etwas von einer mechanischen Höflichkeit an sich hatten, die eine geheime Belustigung nicht völlig verbarg. Als sei sie auf ein Abenteuer gestoßen, das sie nicht erwartet hatte. Oder als spiele sie ein Spiel, das er hoffentlich irgendwann begreifen werde. Sie hatten immer ihre Spiele gehabt – Nonsenssprachen, Personen, die sie erfanden. Manche von Fionas verstellten Stimmen, flötend oder umgarnend (das konnte er dem Arzt nicht erzählen), hatten in geradezu unheimlicher Weise die Stimmen seiner Freundinnen nachgeäfft, denen sie nie begegnet war und von denen sie nie etwas gewusst hatte.

»Tja«, sagte der Arzt. »Es kann anfangs selektiv auftreten. Wir wissen es eben nicht. Bevor wir nicht das Muster der Verschlechterung erkennen, können wir eigentlich nichts sagen.«

Nicht lange, und es kam kaum noch darauf an, mit welchem Namen man es versah. Fiona, die nicht mehr alleine einkaufen ging, verschwand aus dem Supermarkt, während Grant ihr den Rücken kehrte. Ein Polizist griff sie auf, als sie mehrere Querstraßen entfernt mitten auf dem Damm spazieren ging. Er fragte sie nach ihrem Namen, und sie antwortete prompt. Dann fragte er sie nach dem Namen des gegenwärtigen Premierministers.

»Wenn Sie das nicht wissen, junger Mann, sollten Sie wirklich nicht einen so verantwortungsvollen Posten bekleiden.«

Er lachte. Aber dann beging sie den Fehler, ihn zu fragen, ob er Boris und Natascha gesehen habe.

Das waren die Barsois, die sie vor etlichen Jahren einer Freundin zuliebe aufgenommen und dann für den Rest deren Lebens rührend versorgt hatte. Ihre Adoption der Hunde stand womöglich in einem zeitlichen Zusammenhang mit der Diagnose, dass sie höchstwahrscheinlich keine Kinder bekommen konnte. Irgendwas mit verstopften oder verknoteten Eileitern – Grant wusste es nicht mehr genau. Er hatte es immer vermieden, sich diesen ganzen weiblichen Organismus genauer vorzustellen. Oder vielleicht geschah es nach dem Tod ihrer Mutter. Die langen Beine und das seidige Fell der Hunde, ihre schmalen, sanften, stolzen Gesichter passten bei ihren Spaziergängen gut zu ihr. Und Grant selbst, der zu jener Zeit seine erste Anstellung bei der Universität bekam (wobei ihm das Geld seines Schwiegervaters trotz des politischen Makels nicht unlieb war), schien nach Ansicht mancher Leute in einer von Fionas exzentrischen Launen ebenso aufgelesen und gehegt und gepflegt und verhätschelt worden zu sein. Obwohl er das zum Glück erst sehr viel später begriff.

Am Abend des Tages ihres Verschwindens aus dem Supermarkt sagte sie zu ihm: »Du weißt, was du jetzt mit mir tun musst, ja? Du musst mich jetzt in dieses Heim bringen. Ulmensee?«

Grant sagte: »Wiesensee. In dem Stadium sind wir noch nicht.«

»Ulmensee, Immensee«, sagte sie, als lägen sie in einem spielerischen Wettbewerb. »Irrensee. Das ist es. Irrensee.«

Er stützte den Kopf in die Hände, die Ellbogen auf den Tisch. Er sagte, wenn sie schon daran dächten, dann unbedingt als etwas, das nicht dauerhaft zu sein brauchte. Eine Art experimentelle Behandlung. Eine Ruhekur.

Es gab eine Regel, dass niemand im Dezember aufgenommen wurde. Die Weihnachtszeit hielt zu viele emotionale Fallgruben bereit. Also unternahmen sie die Fünfundzwanzig-Minuten-Fahrt im Januar. Bevor sie die Fernstraße erreichten, durchquerte die Landstraße eine sumpfige Senke, die jetzt völlig zugefroren war. Die Mooreichen und Ahornbäume warfen ihre Schatten wie Gitterstäbe auf den gleißenden Schnee.

Fiona sagte: »Ach, weißt du noch?«

Grant sagte: »Ich dachte auch gerade dran.«

»Nur dass es bei Mondlicht war«, sagte sie.

Sie sprach von dem Abend, als sie unter dem Vollmond auf dem schwarz gestreiften Schnee Ski gefahren waren, an diesem Ort, der nur im tiefsten Winter zugänglich war. Sie hatten die Äste in der Kälte knacken hören.

Wenn sie sich daran ganz richtig und so lebhaft erinnerte, konnte es dann wirklich so schlimm um sie stehen?

Er musste alle Kraft aufbieten, um nicht umzukehren und nach Hause zu fahren.

Es gab eine weitere Regel, die die Heimleiterin ihm erklärte. Neue Heimbewohner durften während der ersten dreißig Tage nicht besucht werden. Die meisten brauchten diese Zeit, um sich einzugewöhnen. Bevor diese Regel eingeführt worden war, hatte es Proteste und Tränen und Wutausbrüche sogar von denen gegeben, die bereitwillig hergekommen waren. Um den dritten oder vierten Tag herum fingen sie an zu jammern und flehten, nach Hause geholt zu werden. Und es gab Verwandte, die dafür empfänglich waren, so dass Leute wieder nach Hause verfrachtet wurden, die dort keineswegs besser zurecht kamen als zuvor. Ein halbes Jahr später oder manchmal nur ein paar Wochen später fing der ganze verstörende Zirkus von vorn an.

»Wohingegen wir feststellen«, sagte die Heimleiterin, »wenn sie sich selbst überlassen werden, sind sie am Ende meistens glücklich und zufrieden. Für einen Ausflug in die Stadt müssen sie regelrecht in den Bus gelockt werden. Das Gleiche gilt für einen Besuch zu Hause. Es ist völlig in Ordnung, sie dann nach Hause zu holen, für ein bis zwei Stunden – sie sind diejenigen, die sich Sorgen machen, ob sie rechtzeitig zum Abendbrot zurück sind. Wiesensee ist dann ihr Zuhause. Natürlich trifft das nicht auf die im ersten Stock zu, die können wir nicht gehen lassen. Es ist zu schwierig, und sie wissen sowieso nicht, wo sie sind.«

»Meine Frau wird nicht in den ersten Stock kommen«, sagte Grant.

»Nein«, sagte die Heimleiterin nachdenklich. »Ich möchte nur von Anfang an alles klarstellen.«

Sie waren vor mehreren Jahren ein paar Mal nach Wiesensee gefahren, um Mr Farquar zu besuchen, den alten Junggesellen und Farmer, der ihr Nachbar gewesen war. Er hatte allein in einem zugigen Backsteinhaus gelebt, an dem seit Anfang des Jahrhunderts nichts verändert worden war, nur ein Kühlschrank und ein Fernseher waren hinzugekommen. Er hatte Grant und Fiona unangekündigte, aber zeitlich gut verteilte Besuche abgestattet, und neben lokalen Themen sprach er gerne über Bücher, die er gerade gelesen hatte – über den Krimkrieg oder Polarexpeditionen oder die Geschichte der Feuerwaffen. Aber nachdem er nach Wiesensee gegangen war, redete er nur noch über den Tagesablauf im Heim, und sie gewannen den Eindruck, dass ihre Besuche ihn zwar freuten, jedoch in seinem neuen Umfeld für ihn zugleich eine Last waren. Und besonders Fiona hasste den durchdringenden Geruch nach Urin und Desinfektionsmitteln, hasste die obligaten Plastikblumensträuße in den Nischen der dämmrigen, niedrigen Flure.

Jetzt war dieses Gebäude verschwunden, obwohl es erst aus den fünfziger Jahren gestammt hatte. Ebenso wie Mr Farquars Haus verschwunden und durch eine kitschige, schlossähnliche Villa ersetzt worden war, dem Wochenendhaus von Leuten aus Toronto. Das neue Wiesensee war ein luftiges, gewölbtes Gebäude, in dem es angenehm ein wenig nach Tanne duftete. An vielen Stellen gediehen in großen Kübeln echte Grünpflanzen.

Trotzdem ertappte Grant sich immer wieder dabei, dass er sich Fiona im alten Gebäude vorstellte, als er den langen Monat hinter sich bringen musste, ohne sie zu sehen. Es war der längste Monat seines Lebens, dachte er – länger als der Monat, den er mit seiner Mutter bei Verwandten in Lanark County verbracht hatte, als er dreizehn war, und länger als der Monat, den Jacqui Adams mit ihrer Familie im Urlaub verbracht hatte, kurz vor dem Beginn ihrer Affäre. Er rief jeden Tag in Wiesensee an und hoffte, die Schwester an den Apparat zu kriegen, die Kristy hieß. Sie schien seine Beharrlichkeit ein wenig komisch zu finden, aber sie gab ihm ausführlicher Auskunft als jede andere Schwester, an die er geriet.

Fiona hatte sich eine Erkältung geholt, aber das war bei Neuankömmlingen nichts Ungewöhnliches.

»Wie wenn die Kinder in die Schule kommen«, sagte Kristy. »Sie werden einem ganzen Haufen neuer Bazillen ausgesetzt, und eine Zeit lang holen sie sich einfach alles.«

Dann besserte sich ihre Erkältung. Die Antibiotika wurden abgesetzt, und sie wirkte nicht mehr so verwirrt wie bei ihrer Einlieferung. (Grant hörte zum ersten Mal von den Antibiotika und der Verwirrung.) Ihr Appetit war recht gut, und sie saß offenbar gerne in der Veranda. Und offenbar saß sie auch gerne vor dem Fernseher.

Eines der unerträglichen Dinge am alten Wiesensee waren die Fernseher gewesen, die überall liefen und die Gedanken und Gespräche überlagerten, ganz egal, wo man sich hinsetzte. Einige der Insassen (so hatten Grant und Fiona sie damals genannt, nicht Heimbewohner) schauten hinein, einige redeten mit dem Bildschirm, aber die meisten saßen nur da und ließen alles, was daraus auf sie eindrang, über sich ergehen. In dem neuen Gebäude gab es, soweit er sich daran erinnerte, nur in einem separaten Aufenthaltsraum oder in den Schlafzimmern einen Fernseher. Man hatte die Wahl, ob man schauen wollte.

Also musste Fiona ihre Wahl getroffen haben. Um sich was anzuschauen?

In den gemeinsam verbrachten Jahren in diesem Haus hatten beide ziemlich viel ferngesehen. Sie hatten das Leben eines jeden Wildtiers oder Reptils oder Insekts oder Meeresbewohners ausgespäht, das von einer Kamera eingefangen werden konnte, sie hatten die Handlungsstränge von Familienserien verfolgt, die sich ziemlich ähnlich waren und allesamt an Gesellschaftsromane aus dem neunzehnten Jahrhundert erinnerten. Sie hatten sich in eine englische Comedy-Serie über das Leben in einem Warenhaus vernarrt und sich so viele Wiederholungen angesehen, dass sie die Dialoge auswendig konnten. Sie betrauerten das Verschwinden von Schauspielern, die im wirklichen Leben starben oder ausschieden, um anderswo aufzutreten, und freuten sich dann über deren Wiederkunft in alten Folgen. Sie sahen zu, wie die schwarzen Haare des Abteilungsleiters ergrauten und schließlich wieder schwarz wurden, in den immer gleichen billigen Kulissen. Aber auch die verblassten; mit der Zeit verblassten die Kulissen und die schwärzesten Haare, als dringe unter den Fahrstuhltüren hindurch der Staub von Londons Straßen ein, und das hatte eine Traurigkeit an sich, die auf Grant und Fiona ergreifender wirkte als irgendeine der Tragödien in *Meisterwerke des Theaters*, also sahen sie sich die allerletzten Folgen nicht mehr an.

Fiona war dabei, sich mit einigen anzufreunden, sagte Kristy. Sie kam offensichtlich aus ihrem Schneckenhaus heraus.

Aus welchem Schneckenhaus?, wollte Grant fragen, verbiss es sich aber, um es sich mit Kristy nicht zu verderben.

Wenn Bekannte anriefen, ließ er sie auf den Anrufbeantworter sprechen. Die Leute, mit denen sie gelegentlich verkehrten, wohnten nicht in nächster Nähe, sondern irgendwo auf dem Lande, Rentner wie sie, die oft ohne Ankündigung verreisten. In den ersten Jahren hier waren Grant und Fiona im Winter dageblieben. Ein Winter auf dem Lande war eine neue Erfahrung, und sie hatten viel zu tun, um das Haus darauf einzurichten. Dann hatten sie sich in den Kopf gesetzt, Reisen zu unternehmen, solange sie es noch konnten, und sie waren nach Griechenland, Australien und Costa Rica gefahren. Ihre Bekannten würden denken, dass sie sich gerade auf einer solchen Reise befanden.

Er lief Ski, um sich Bewegung zu verschaffen, aber niemals so weit bis ins Moor. Er lief auf der Wiese hinter dem Haus im Kreis herum, während die Sonne unterging und unter einem rosigen Himmel eine Landschaft zurückließ, die von Wogen aus blau gesäumtem Eis umschlossen zu sein schien. Er zählte ab, wie oft er die Wiese umrundete, und wenn er in das dunkelnde Haus zurückkehrte, stellte er die Fernsehnachrichten an und machte sich sein Abendbrot zurecht. Sie hatten das Abendbrot meistens gemeinsam vorbereitet. Einer machte die Drinks, und der andere machte Feuer, und sie redeten über seine Arbeit (er schrieb eine Abhandlung über die Wölfe in den Altnordischen Sagen und besonders über den Fenriswolf, der beim Weltuntergang Odin verschlingt), über das, was Fiona gerade las, und über alles, was sie im Laufe des nah beieinander und doch getrennt verbrachten Tages gedacht hatten. Das war ihre Zeit lebhaftester Intimität, obwohl es natürlich auch die fünf oder zehn Minuten Zärtlichkeit gleich nach dem Zubettgehen gab – etwas, das nicht oft mit Sex endete, ihnen aber bestätigte, dass Sex noch nicht vorbei war.

In einem Traum zeigte Grant einem seiner Kollegen, den er für einen Freund hielt, einen Brief. Der Brief stammte von der Zimmergenossin eines Mädchens, an das er eine Weile nicht gedacht hatte. Sein Stil war frömmlerisch und feindselig, auf weinerliche Art bedrohlich – er stufte die Schreiberin als latente Lesbe ein. Das Mädchen selbst war jemand, von dem er sich auf anständige Weise getrennt hatte, und es schien unwahrscheinlich, dass es ihr Wunsch war, Krach zu schlagen oder sich gar das Leben zu nehmen, was ihm der Brief offenbar durch die Blume zu sagen versuchte.

Der Kollege war einer jener Ehemänner und Väter, die mit als Erste ihre Krawatten weggeworfen hatten und von zu Hause fortgegangen waren, um jede Nacht mit einer betörenden jungen Geliebten auf einer Matratze auf dem Fußboden zu verbringen und dann ungepflegt und nach Kiff und Räucherstäbchen stinkend in ihren Büros, ihren Klassenzimmern zu erscheinen. Aber jetzt hielt er nicht mehr viel von solchen Kapriolen, und Grant erinnerte sich, dass er sogar eines dieser jungen Dinger geheiratet hatte, das dann dazu übergegangen war, Bekannte zum Abendessen einzuladen und Kinder zu kriegen, ganz wie eine altmodische Ehefrau.

»Ich würde nicht lachen«, sagte er zu Grant, der sich nicht entsinnen konnte, gelacht zu haben. »Und ich an deiner Stelle würde Fiona vorwarnen.«

Also machte Grant sich auf den Weg, um Fiona in Wiesensee aufzusuchen – dem alten Wiesensee –, und geriet stattdessen in einen Hörsaal. Alle warteten schon auf ihn und seine Vorlesung. Und in der letzten, höchsten Reihe saß eine Schar kalt blickender junger Frauen, alle in schwarzen Gewändern, alle in Trauer, die ihn unverwandt anstarrten und ostentativ nicht mitschrieben oder dem, was er sagte, Beachtung schenkten.

Fiona saß unbeschwert in der ersten Reihe. Sie hatte aus dem Hörsaal einen Winkel gemacht, wie sie ihn sich auf Partys immer suchte – ein ungestörtes Fleckchen, wo sie Wein mit Mineralwasser trank, billige Zigaretten rauchte und komische Geschichten über ihre Hunde erzählte. Wo sie sich mit einigen Leuten, die wie sie waren, gegen die Flut stemmte, als wären die Dramen, die sich in anderen Winkeln, in Schlafzimmern und auf der dunklen Veranda abspielten, nichts als kindische Komödien. Als wäre Keuschheit schick und Verschwiegenheit ein Segen.

»Ach was«, sagte Fiona. »Mädchen in dem Alter reden ständig davon, sich umbringen zu wollen.«

Aber ihre Reaktion beruhigte ihn nicht – sie jagte ihm sogar einen kalten Schauder über den Rücken. Er hatte Angst, dass sie Unrecht hatte, dass etwas Schreckliches passiert war, und er sah, was sie nicht sehen konnte – dass der schwarze Ring immer enger wurde, sich zusammenzog, um seine Kehle, um die obere Hälfte des Raumes.

Er befreite sich aus seinem Traum und machte sich daran, das Wirkliche vom Unwirklichen zu trennen.

Es hatte einen Brief gegeben, und das Wort »SCHWEIN« hatte in schwarzer Farbe auf der Tür seines Dienstzimmers gestanden, und als ein Mädchen sich fürchterlich in ihn verliebt und Fiona davon erfahren hatte, war ihre Reaktion ganz ähnlich wie die im Traum gewesen. Der Kollege hatte dabei keine Rolle gespielt, die schwarz gewandeten Frauen waren nie in seinem Klassenzimmer erschienen, und niemand hatte Selbstmord begangen. Grant war nicht öffentlich gebrandmarkt worden, er war mit einem blauen Auge davongekommen, besonders wenn man bedachte, welche Folgen das nur wenige Jahre später gehabt hätte. Aber es sprach sich herum. Man zeigte ihm die kalte Schulter. Sie erhielten nur wenige Weihnachtseinladungen und verbrachten den Silvesterabend allein. Grant betrank sich und versprach Fiona, ohne dass es von ihm gefordert wurde – und Gott sei Dank ohne den Fehler, ein Geständnis abzulegen –, ein neues Leben.

Die Scham, die er damals empfand, war die Scham, als der Dumme dazustehen, der den Wandel, der stattfand, nicht bemerkt hatte. Und keine einzige Frau hatte ihn darauf aufmerksam gemacht. Es hatte schon einmal einen Wandel gegeben, als plötzlich so viele Frauen zu haben waren – oder so war es ihm wenigstens vorgekommen –, und jetzt dieser neue Wandel, nun behaupteten sie, dass das, was passiert war, überhaupt nicht ihren Wünschen entsprochen hatte. Sie hatten nur mitgemacht, weil sie hilflos und durcheinander waren, und das Ganze hatte sie verletzt und ihnen keineswegs Spaß bereitet. Sogar als sie die Initiative ergriffen hatten, war das nur geschehen, weil ihre Chancen sonst gleich null gewesen wären.

Nirgendwo fand sich eine Bestätigung, dass zum Leben eines Schürzenjägers (wenn er sich so bezeichnen musste – er, der nicht halb so viele Eroberungen und Verwicklungen auf seinem Konto hatte wie der Mann, der ihm in seinem Traum Vorwürfe gemacht hatte) auch Akte der Freundlichkeit und Großzügigkeit und sogar der Opferbereitschaft gehörten. Nicht am Anfang vielleicht, aber zumindest im weiteren Verlauf. Viele Male hatte er dem Stolz einer Frau, ihrer Verletzlichkeit, Rechnung getragen, indem er mehr Zärtlichkeit – oder auch rauere Leidenschaft – aufbot, als irgend dem entsprach, was er wirklich empfand. Alles, damit man ihn jetzt beschuldigte, zu verletzen und auszunutzen und Selbstachtung zu zerstören. Und Fiona zu betrügen – was er natürlich getan hatte –, aber wäre es besser gewesen, er hätte getan, was andere mit ihrer Ehefrau gemacht hatten, und sie verlassen?

An so etwas hatte er nie gedacht. Er hatte nie aufgehört, mit Fiona zu schlafen, trotz erschreckender Anforderungen von anderer Seite. Er war nicht eine Nacht lang weggeblieben. Kein Erfinden von ausgeklügelten Geschichten, um ein Wochenende in San Francisco oder in einem Zelt auf Manitoulin Island zu verbringen. Er hatte sich beim Konsum von Kiff und Alkohol zurückgehalten, und er hatte weiterhin wissenschaftliche Arbeiten publiziert, in Ausschüssen mitgewirkt und in seiner Karriere Fortschritte gemacht. Er hatte nie die Absicht gehabt, seine Laufbahn und seine Ehe hinzuschmeißen und aufs Land zu ziehen, um zu tischlern oder Bienen zu züchten.

Aber etwas Ähnliches war dann doch geschehen. Er war mit niedrigerer Rente vorzeitig in den Ruhestand gegangen. Der Herzspezialist war gestorben, nach einer verstörten und stoisch ertragenen Zeit allein in dem großen Haus, und Fiona hatte nicht nur diese Immobilie geerbt, sondern auch das Farmhaus, in dem ihr Vater aufgewachsen war, auf dem Lande in der Nähe der Georgian Bay. Sie gab ihre Stellung auf, als Koordinatorin ehrenamtlicher Dienste in einem Krankenhaus (in jener Alltagswelt, wie sie sagte, in der die Menschen in Schwierigkeiten steckten, die nichts mit Drogen oder Sex oder intellektuellen Zänkereien zu tun hatten). Ein neues Leben war eben ein neues Leben.

Boris und Natascha waren zu der Zeit schon tot. Einer von ihnen wurde krank und starb als Erster – Grant hatte vergessen, welcher von beiden –, und dann starb auch der andere, mehr oder weniger aus Mitgefühl.

Er werkelte mit Fiona zusammen am Haus. Sie besorgten sich Langlaufskier. Sie lebten ziemlich zurückgezogen, aber nach und nach erwarben sie sich einige Freunde. Es war Schluss mit den hektischen Flirts, Schluss mit den nackten weiblichen Zehen, die unter dem Tisch in seinem Hosenbein hochkrochen. Schluss mit den Ehefrauen auf Abwegen.

Gerade noch rechtzeitig, konnte Grant sich eingestehen, als sein Gefühl, ungerecht behandelt worden zu sein, nachließ. Die Feministinnen und vielleicht das arme törichte Mädchen selbst sowie seine feigen so genannten Freunde hatten ihn gerade noch rechtzeitig hinausgestoßen. Hinaus aus einem Leben, das inzwischen mehr Schwierigkeiten bereitet hätte, als sich lohnte. Und durch das er Fiona hätte verlieren können.

Am Morgen des Tages, an dem er zum ersten Mal nach Wiesensee zu Besuch fahren durfte, wurde Grant früh wach. Ihn erfüllte ein feierliches Prickeln, wie in den alten Zeiten am Morgen seiner ersten Verabredung mit einer neuen Frau. Das Gefühl war nicht rein sexuell. (Später, als die Verabredungen zur Routine geworden waren, war es nur noch das.) Es lag darin auch die Erwartung von Entdeckungen, nahezu einer spirituellen Erweiterung. Auch Furchtsamkeit, Demut, Besorgnis.

Er brach zu früh auf. Besucher wurden nicht vor vierzehn Uhr eingelassen. Er wollte nicht auf dem Parkplatz herumsitzen, also zwang er sich, in eine falsche Richtung zu fahren.

Es hatte Tauwetter gegeben. Es lag noch viel Schnee, aber die blendend harte Winterlandschaft war zerbröckelt. Unter dem grauen Himmel sahen die pockennarbigen Kissen auf den Feldern wie Müllhaufen aus.

In der Stadt in der Nähe von Wiesensee fand er einen Blumenladen und kaufte einen großen Strauß. Er hatte Fiona noch nie Blumen geschenkt. Als er das Heim betrat, fühlte er sich wie ein hoffnungsloser Liebhaber oder ein schuldbewusster Ehemann in einer Witzzeichnung.

»Wow. So früh Osterglocken«, sagte Kristy. »Sie müssen ein Vermögen ausgegeben haben.« Sie ging vor ihm den Flur entlang, knipste in einer Kammer oder einer Art Küche das Licht an und suchte eine Vase. Sie war eine plumpe junge Frau, die aussah, als hätte sie in jedem Bereich aufgegeben, nur nicht bei ihrem Haar. Das war blond und bauschig. All der auftoupierte Luxus im Stil einer Bardame oder einer Stripperin auf solch einem Alltagsgesicht und -körper.

»So«, sagte sie und wies ihn mit einem Kopfnicken den Flur entlang. »Name steht auf der Tür.«

Er fand ihn, auf einem mit Rotkehlchen verzierten Namensschild. Er überlegte, ob er anklopfen sollte, tat es, machte dann die Tür auf und rief ihren Namen.

Sie war nicht da. Die Schranktür war zu, das Bett gemacht. Nichts auf dem Nachttisch, nur eine Schachtel Kleenex und ein Glas Wasser. Kein einziges Foto oder Bild, kein Buch, keine Zeitschrift. Vielleicht musste man die im Schrank auf-bewahren.

Er ging zurück zum Schwesternzimmer oder zur Aufnahme oder was es nun war. »Nein?«, sagte Kristy in einem erstaunten Ton, der auf ihn unecht wirkte.

Er zögerte, hielt die Blumen vor sich. Sie sagte: »Na schön – stellen wir den Strauß hier ab.« Seufzend, als sei er ein zurück-gebliebenes Kind an seinem ersten Schultag, führte sie ihn über den Flur in den hellen zentralen Aufenthaltsraum mit großen Panoramafenstern und gewölbter Decke. Mehrere Leute saßen in Sesseln entlang der Wände, andere saßen an Tischen in der Mitte des mit Teppichboden ausgelegten Raumes. Niemand von ihnen sah allzu schlimm aus. Alt – manche behindert genug, um Rollstühle zu brauchen –, aber ordentlich. Als er mit Fiona Mr Farquar besucht hatte, gab es stets unerquickliche Anblicke. Lange weiße Barthaare am Kinn alter Frauen, jemand mit einem herausgestülpten Auge wie eine verfaulte Pflaume. Leute, die sabberten, mit dem Kopf wackelten, irre vor sich hin schwatzten. Jetzt sah es aus, als seien die schlimmsten Fälle ausgesondert wor-den. Oder vielleicht waren Medikamente und operative Ein-griffe in Gebrauch gekommen, vielleicht gab es Möglichkeiten, Entstellungen sowie verbale und andere Arten von Inkontinenz zu behandeln – Möglichkeiten, die es selbst vor diesen wenigen Jahren noch nicht gegeben hatte.

Eine völlig trostlose Frau jedoch saß am Klavier und hackte mit einem Finger auf den Tasten herum, ohne eine Melodie zu-stande zu bringen. Eine andere Frau, die hinter einer großen Thermoskaffeekanne und einem Stapel Plastiktassen vor sich hin starrte, sah zu Tode gelangweilt aus. Aber sie musste eine Ange-stellte sein – sie trug wie Kristy einen blassgrünen Hosenkittel.

»Sehen Sie?«, sagte Kristy mit leiserer Stimme. »Sie gehen einfach hin und sagen Hallo und versuchen, sie nicht zu er-schrecken. Denken Sie dran, es kann sein, dass sie Sie nicht … Na ja. Gehen Sie ruhig.«

Er sah Fiona von der Seite, sie saß bei einem der Kartentische, ohne jedoch zu spielen. Ihr Gesicht sah ein wenig aufgedunsen aus, die Hautfalte einer Wange verdeckte den Mundwinkel, wie sie es bisher nicht getan hatte. Sie sah dem Mann, neben dem sie saß, beim Spielen zu. Er hielt seine Karten so, dass sie hineinschauen konnte. Als Grant an den Tisch trat, blickte sie auf. Alle blickten auf – alle Kartenspieler am Tisch blickten unwirsch auf. Dann schauten sie sofort wieder in ihre Karten, als wollten sie jede Störung abwehren.

Aber Fiona lächelte ihr schiefes, verschämtes, listiges und charmantes Lächeln, schob ihren Stuhl zurück und kam zu ihm, wobei sie den Finger an den Mund legte.

»Bridge«, flüsterte sie. »Todernst. Sie sind alle völlig besessen davon.« Sie zog ihn plaudernd zu dem Kaffeetisch. »Ich kann mich erinnern, dass ich auf dem College eine Zeit lang so war. Meine Freundinnen und ich, wir schwänzten die Kurse, hockten im Gemeinschaftsraum, pafften und spielten wie die Zocker. Eine hieß Phoebe, wie die anderen hießen, weiß ich nicht mehr.«

»Phoebe Hart«, sagte Grant. Er rief sich das kleine hohlbrüstige, schwarzäugige Mädchen ins Gedächtnis, das wahrscheinlich inzwischen tot war. In Rauchschwaden gehüllt, Fiona, Phoebe und die anderen, entrückt wie Hexen.

»Du kanntest sie auch?«, sagte Fiona und richtete jetzt ihr Lächeln an die Frau mit dem versteinerten Gesicht. »Kann ich dir was zu trinken besorgen? Eine Tasse Tee? Der Kaffee ist hier leider nicht besonders.«

Grant trank nie Tee.

Er konnte sie nicht in die Arme schließen. Etwas in ihrer Stimme und ihrem Lächeln, so vertraut sie ihm waren, etwas an der Art und Weise, wie sie die Kartenspieler und sogar die Kaffeefrau vor ihm zu schützen schien – wie auch ihn vor deren Unmut –, machte das unmöglich.

»Ich habe dir Blumen mitgebracht«, sagte er. »Ich dachte, die könnten dein Zimmer beleben. Ich bin in deinem Zimmer gewesen, aber du warst nicht da.«

»Nein«, sagte sie. »Ich bin ja hier.«

Grant sagte: »Du hast einen neuen Freund.« Er deutete mit dem Kopf zu dem Mann, neben dem sie gesessen hatte. Im selben Augenblick sah der Mann zu Fiona hoch, und sie drehte sich um, entweder wegen Grants Feststellung oder weil sie den Blick im Rücken gespürt hatte.

»Das ist bloß Aubrey«, sagte sie. »Das Komische ist, ich kannte ihn schon vor vielen, vielen Jahren. Er hat im Laden gearbeitet. In dem Eisenwarenladen, in dem mein Großvater immer eingekauft hat. Ich habe oft mit ihm rumgealbert, und er hat nie den Mut aufgebracht, sich mit mir zu verabreden. Bis zum allerletzten Wochenende, da hat er mich zu einem Baseballspiel mitgenommen. Aber als es aus war, ist mein Großvater gekommen, um mich nach Hause zu fahren. Ich war den Sommer über zu Besuch da. Zu Besuch bei meinen Großeltern – sie haben auf einer Farm gewohnt.«

»Fiona. Ich weiß, wo deine Großeltern gewohnt haben. Da wohnen wir jetzt. Wohnten.«

»Ist wahr?«, sagte sie zerstreut, weil der Kartenspieler ihr seinen Blick sandte, der keine Bitte war, sondern ein Befehl. Er war ein Mann etwa in Grants Alter oder ein wenig älter. Dichte, kräftige weiße Haare fielen ihm in die Stirn, und seine Haut war ledrig, aber bleich, gelblich-weiß wie ein alter verschrumpelter Glacéhandschuh. Sein längliches Gesicht war würdevoll und melancholisch, und er hatte etwas von der Schönheit eines kraftvollen, mutlosen alten Pferdes. Aber wo es um Fiona ging, war er nicht mutlos.

»Ich muss wieder zurück«, sagte Fiona, und Röte befleckte ihr neuerdings feistes Gesicht. »Er glaubt, er kann nur spielen, wenn ich daneben sitze. Es ist albern, ich kann das Spiel kaum noch. Du wirst mich leider entschuldigen müssen.«

»Seid ihr bald fertig?«

»Ich denke schon. Das kommt drauf an. Wenn du diese finster blickende Dame nett bittest, gibt sie dir einen Tee.«

»Danke, ich mag nichts«, sagte Grant.

»Also dann verlasse ich dich jetzt, kannst du dich selbst beschäftigen? Es muss dir alles merkwürdig vorkommen, aber du wirst überrascht sein, wie bald du dich daran gewöhnt hast. Dann wirst du dir gemerkt haben, wer alle sind. Bis auf einige, die so ziemlich jenseits von gut und böse sind, verstehst du – von denen darfst du nicht erwarten, dass sie sich merken, wer du bist.«

Sie schlüpfte wieder auf ihren Stuhl und sagte Aubrey etwas ins Ohr. Sie strich mit den Fingern über seinen Handrücken.

Grant machte sich auf die Suche nach Kristy und fand sie auf dem Flur. Sie schob einen Wagen, auf dem Krüge mit Apfelsaft und Traubensaft standen.

»Einen Moment«, sagte sie und steckte den Kopf in eine Tür. »Jemand hier drin Apfelsaft? Traubensaft? Kekse?«

Er wartete, während sie zwei Plastikbecher füllte und in das Zimmer brachte. Dann kam sie zurück und legte zwei Pfeilwurzkekse auf Pappteller.

»Na?«, sagte sie. »Sind Sie nicht froh, zu sehen, wie sie teilnimmt und alles?«

Grant fragte: »Weiß sie überhaupt, wer ich bin?«

Er vermochte es nicht zu sagen. Sie konnte ihm einen Streich gespielt haben. Das sah ihr durchaus ähnlich. Sie hatte sich durch das kleine Täuschungsmanöver am Schluss verraten, wo sie mit ihm redete, als hielte sie ihn unter Umständen für einen neuen Bewohner.

Falls sie ihn damit täuschen wollte. Falls es ein Täuschungsmöver war.

Aber wäre sie ihm nicht nachgelaufen und hätte gelacht, sobald der Streich vorbei war? Sie wäre doch nicht einfach an den

Spieltisch zurückgekehrt und hätte vorgegeben, nicht mehr an ihn zu denken. Das wäre zu grausam gewesen.

Kristy sagte: »Sie haben sie gerade in einem schlechten Moment erwischt. Ins Spiel vertieft.«

»Sie spielt doch gar nicht«, sagte er.

»Ja, aber ihr Freund spielt. Aubrey.«

»Wer ist denn Aubrey?«

»Na eben Aubrey. Ihr Freund. Möchten Sie einen Saft?«

Grant schüttelte den Kopf.

»Ach, schauen Sie«, sagte Kristy. »Sie entwickeln diese Bindungen. Eine Weile steht das an erster Stelle. Busenfreunde und so. Das ist eine Phase.«

»Sie meinen, es kann tatsächlich sein, dass sie nicht weiß, wer ich bin?«

»Kann schon sein. Heute nicht. Morgen dann – man weiß es eben nicht. Das geht ständig vor und zurück, und man kann nichts daran ändern. Sie werden schon sehen, wie das so ist, wenn Sie erst mal öfter hier waren. Sie werden lernen, das nicht alles so ernst zu nehmen. Lernen, es zu nehmen, wie's Tag für Tag kommt.«

Tag für Tag. Aber es ging nicht wirklich vor und zurück, und er gewöhnte sich nicht daran, wie es war. Fiona dagegen schien sich an ihn zu gewöhnen, aber nur wie an einen hartnäckigen Besucher, der sich aus irgendeinem Grund für sie interessierte. Oder vielleicht sogar wie an jemanden, der lästig fiel, den sie das aber nach ihren alten Höflichkeitsregeln nicht spüren lassen durfte. Sie behandelte ihn mit zerstreuter, umgänglicher Freundlichkeit, die ihn daran hinderte, ihr die Frage zu stellen, die sich am meisten aufdrängte. Er konnte sie nicht fragen, ob sie noch wusste, dass er seit nahezu fünfzig Jahren ihr Ehemann war. Er gewann den Eindruck, dass ihr solch eine Frage sehr peinlich wäre – peinlich nicht für sie, sondern für ihn. Sie hätte etwas geniert gelacht und ihn mit ihrer Höflichkeit und ihrem Befremden in tödliche Verlegenheit gebracht und am Ende weder ja noch nein gesagt. Oder sie hätte entweder das eine oder das andere auf eine Weise gesagt, die zutiefst unbefriedigend war.

Kristy war die einzige Pflegerin, mit der er reden konnte. Einige der anderen behandelten das Ganze als Witz. Ein abgebrühtes altes Schlachtross lachte ihm ins Gesicht. »Der Aubrey und die Fiona? Die hat's wirklich schlimm erwischt, was?«

Kristy erzählte ihm, dass Aubrey eine Firma vertreten hatte, die Unkrautvernichter – »und all so'n Zeugs« – an die Farmer verkaufte.

»Er war ein feiner Kerl«, sagte sie, und Grant war nicht klar, ob das bedeuten sollte, dass Aubrey früher zu den Leuten ehrlich und redlich und freundlich war oder dass er früher gut reden konnte und gut angezogen war und einen guten Wagen fuhr. Wahrscheinlich beides.

Und dann, als er noch gar nicht sehr alt und noch nicht mal im Ruhestand war – sagte sie –, hatte er sich ein ungewöhnliches Leiden zugezogen.

»Normalerweise wird er von seiner Frau versorgt. Sie pflegt ihn zu Hause. Sie hat ihn nur vorübergehend hergebracht, damit sie sich mal erholen kann. Ihre Schwester wollte, dass sie nach Florida fährt. Sie hatte eine schwere Zeit, man hätte von einem Mann wie ihm nie erwartet … Sie sind bloß irgendwohin in Urlaub gefahren, und er hat sich was geholt, irgendeinen Erreger, und bekam schrecklich hohes Fieber. Und davon ist er ins Koma gefallen, und danach war er, wie er jetzt ist.«

Er fragte sie nach den engeren Beziehungen zwischen Heimbewohnern. Gingen die je zu weit? Er war jetzt fähig, einen nachsichtigen Ton anzuschlagen, der ihm hoffentlich Zurechtweisungen ersparen würde.

»Hängt davon ab, was Sie meinen«, sagte sie. Sie schrieb weiter in ihr Stationsbuch, während sie überlegte, was sie ihm antworten sollte. Als sie mit dem, was sie notieren musste, fertig war, sah sie mit offenem Lächeln zu ihm auf.

»Die Probleme, die wir hier haben, komisch, aber die haben wir oft mit solchen, die sich gar nicht so angefreundet haben. Kennen sich eigentlich überhaupt nicht, wissen man gerade, ist das ein Mann oder eine Frau? Man sollte meinen, es sind die alten Knaben, die versuchen, zu den alten Frauen ins Bett zu kriechen, aber meistens ist es umgekehrt. Die alten Frauen sind hinter den alten Männern her. Sind wohl noch nicht so am Ende, denk ich mal.«

Sie hörte auf zu lächeln, als fürchtete sie, zu viel gesagt zu haben oder grob gewesen zu sein.

»Verstehen Sie mich nicht falsch«, sagte sie. »Ich meine nicht Fiona. Fiona ist eine Dame.«

Aber was ist mit Aubrey?, wollte Grant schon fragen. Doch dann fiel ihm ein, dass Aubrey im Rollstuhl saß.

»Sie ist eine wirkliche Dame«, sagte Kristy in so entschiedenem und beruhigendem Ton, dass Grant überhaupt nicht beruhigt war. Im Geiste sah er Fiona vor sich, in einem ihrer langen, mit Lochstickerei und blauer Borte verzierten Nachthemden, wie sie schelmisch die Bettdecke eines alten Mannes lupfte.

»Also manchmal frage ich mich …«, sagte er.

Kristy sagte scharf: »Was fragen Sie sich?«

»Ich frage mich, ob sie uns nicht allen etwas vormacht?«

»Was vormacht?«, sagte Kristy.

An den meisten Nachmittagen war das Paar am Kartentisch zu finden. Aubrey hatte große Hände mit dicken Fingern. Es fiel ihm schwer, seine Karten zu handhaben. Fiona mischte und gab für ihn und machte manchmal eine rasche Bewegung, um eine Karte zu retten, die ihm aus der Hand zu rutschen drohte. Grant beobachtete von der anderen Seite des Raumes ihre blitzschnelle Bewegung und ihre rasche, lachende Entschuldigung. Er sah Aubreys ehemännliches Stirnrunzeln, wenn eine Strähne von ihrem Haar seine Wange berührte. Aubrey zog es vor, sie nicht zu beachten, solange sie an seiner Seite blieb.

Aber kaum hatte sie Grant zur Begrüßung angelächelt, ihren Stuhl zurückgeschoben und war aufgestanden, um ihm Tee anzubieten – und hatte so gezeigt, dass sie sein Recht anerkannte, da zu sein, und sich vielleicht ein wenig verantwortlich für ihn fühlte –, schon nahm Aubreys Gesicht einen Ausdruck finsterer Bestürzung an. Er ließ die Karten aus den Fingern gleiten und auf den Boden fallen, um das Spiel zu verderben.

So dass Fiona gezwungen war, einzugreifen und alles in Ordnung zu bringen.

Wenn sie nicht am Bridgetisch saßen, konnte es sein, dass sie ein wenig einen der Flure entlanggingen, wobei Aubrey sich mit einer Hand an der Geländerstange festhielt und mit der anderen an Fionas Arm oder an ihrer Schulter. Die Schwestern fanden, es war ein Wunder, wie sie ihn aus dem Rollstuhl geholt hatte. Obwohl für längere Wege – zum Wintergarten am einen Ende des Gebäudes oder zum Fernsehzimmer am anderen – der Rollstuhl immer noch erforderlich war.

Im Fernsehen schien immer der Sportsender zu laufen, und Aubrey sah sich jeden Sport an, aber sein Lieblingssport war offenbar Golf. Grant hatte nichts dagegen, sich mit ihnen Golf anzuschauen. Er nahm ein paar Stühle weiter Platz. Auf dem großen Bildschirm folgte eine kleine Gruppe von Zuschauern und Reportern den Spielern über das friedliche Grün und klatschte an den geeigneten Stellen artig Beifall. Aber wenn der Spieler seinen Schlag ansetzte und der Ball seine einsame vorbestimmte Reise über den Himmel antrat, herrschte überall Schweigen. Aubrey und Fiona und Grant und vielleicht auch noch andere saßen mit angehaltenem Atem da, und dann atmete Aubrey als Erster geräuschvoll aus, befriedigt oder enttäuscht. Fiona stimmte einen Augenblick später mit ein.

Im Wintergarten herrschte kein solches Schweigen. Das Paar suchte sich einen Platz inmitten der üppigsten und dichtesten und tropischsten Pflanzen – eine Liebeslaube, wenn man so wollte –, und Grant musste all seine Beherrschung aufbieten, um nicht dort einzudringen. Umgeben vom Rascheln der Blätter und dem Geräusch plätschernden Wassers erklangen Fionas leise Stimme und ihr Gelächter.

Dann ein kehliges Gekicher. Wer von beiden konnte das sein?

Vielleicht keiner – vielleicht kam es von einem der unverschämten knallbunten Vögel, die die Käfige in den Ecken bewohnten.

Aubrey konnte sprechen, obwohl seine Stimme sich wahrscheinlich nicht wie früher anhörte. Jetzt schien es, als sagte er etwas – wenige krächzige Silben. *Vorsicht. Mein Schatz. Er ist da.*

Auf dem blauen Grund des Brunnenbeckens lagen einige Glücksmünzen. Grant hatte nie jemanden Geld hineinwerfen sehen. Er starrte auf die Fünf-, Zehn- und Fünfundzwanzig-Cent-Stücke und fragte sich, ob sie auf die Fliesen geklebt worden waren – ein weiterer Bestandteil der aufmunternden Gestaltung des Hauses.

Halbwüchsige bei einem Baseballspiel, hoch oben auf der offenen Tribüne, weit fort von den Freunden des Jungen. Ein paar Zentimeter rohes Holz zwischen ihnen, einbrechende Dunkelheit, die rasche Kühle des Spätsommerabends. Das Geflatter der Hände, das Verlagern der Schenkel. Augen starr aufs Spielfeld gerichtet. Er wird die Jacke ausziehen, wenn er eine anhat, und sie ihr um die schmalen Schultern legen. Darunter kann er sie enger an sich ziehen, seine gespreizten Finger in ihren weichen Arm drücken.

Nicht wie heute, wenn jeder Bengel ihr wahrscheinlich gleich bei der ersten Verabredung an die Wäsche gehen würde.

Fionas magerer weicher Arm. Pubertäre Lust, die sie erstaunt und durch alle Nerven ihres zarten jungen Körpers zuckt, während die Nacht sich um den beleuchteten Staub des Spiels senkt.

Wiesensee leistete sich kaum Spiegel, also blieb ihm sein eigener Anblick bei seinen Pirschgängen erspart. Aber hin und wieder kam ihm zu Bewusstsein, wie unwürdig und lächerlich und vielleicht sogar geistesgestört er aussehen musste, wenn er Fiona und Aubrey nachschlich. Und kein Glück damit hatte, sie oder ihn zur Rede zu stellen. Immer unsicherer wurde, welches Recht er hatte, sich aufzudrängen, aber unfähig war, sich zurückzuziehen. Sogar zu Hause, wenn er an seinem Schreibtisch arbeitete oder sauber machte oder nötigenfalls Schnee schippte, blieb ein tickendes Metronom in seinem Kopf auf Wiesensee fixiert, auf seinen nächsten Besuch. Manchmal kam er sich vor wie ein störrischer Junge, der trotz aller Hoffnungslosigkeit darauf beharrt, seiner Angebeteten nachzusteigen, manchmal wie einer jener armen Teufel, die berühmten Frauen überallhin nachlaufen, überzeugt, dass diese Frauen sich eines Tages umdrehen und ihre wahre Liebe erkennen werden.

Er riss sich zusammen und reduzierte seine Besuche auf den Mittwoch und den Samstag. Außerdem nahm er sich vor, auch anderes im Heim zu beobachten, als sei er eine Art unabhängiger Besucher, jemand, der Heime inspizierte oder eine soziologische Studie erstellte.

Die Samstage brachten Wochenendunruhe und Spannungen mit sich. Familien trafen in Scharen ein. Mütter führten meistens die Oberaufsicht, sie waren wie fröhliche, aber energische Schäferhunde, die Mann und Kinder zusammenhielten. Nur die Kleinkinder waren unbeeindruckt. Sie sahen sofort die grünen und weißen Quadrate auf den Fußböden, wählten eine Farbe zum Begehen aus und die andere zum Überspringen. Die Frecheren versuchten, auf Rollstühlen mitzufahren. Einige ließen sich trotz Schelte nicht von diesen Spielen abbringen und mussten ins Auto verbannt werden. Und nur allzu gern, allzu bereitwillig übernahm ein älteres Kind oder der Vater die Ausführung der Verbannung und entzog sich so der Besuchspflicht.

Es waren die Frauen, die das Gespräch in Gang hielten. Männer machte die Situation unbeholfen, Teenager schien sie anzuwidern. Die Besuchten fuhren im Rollstuhl oder stapften am Krückstock oder gingen steif und ohne Hilfe der Prozession voran, stolz auf die Besucherzahl, aber unter diesem Stress mit etwas leerem Blick oder verzweifelt schwatzend. Und jetzt, umgeben von so vielerlei Bewohnern der Außenwelt, sahen die Bewohner dieser Innenwelt doch nicht so normal aus. Die Barthaare am Kinn alter Frauen mochten bis zu den Wurzeln wegrasiert sein, schlimme Augen mochten von Augenklappen oder dunklen Brillengläsern verdeckt sein, und unpassende Äußerungen mochten durch Medikamente unterdrückt werden, aber es blieb eine Eisschicht, eine gespenstische Starre – als wären sie zufrieden, Erinnerungen ihrer selbst zu werden, letzte Fotos.

Grant verstand jetzt besser, wie Mr Farquar sich gefühlt haben musste. Die Menschen hier – sogar diejenigen, die sich an keinerlei Aktivität beteiligten, sondern nur herumsaßen und auf Türen starrten oder zum Fenster hinaussahen – durchlebten im Kopf ein geschäftiges Leben (ganz zu schweigen vom Leben ihres Körpers, den unheilsamen Verlagerungen in ihren Eingeweiden, dem Stechen und Zwicken überall), und das war ein Leben, das vor Besuchern in den meisten Fällen nicht gut beschrieben oder erwähnt werden konnte. Ihnen blieb nichts weiter übrig, als sich irgendwie voranzubewegen und zu hoffen, dass ihnen irgendetwas einfiel, das vorgezeigt werden konnte oder Stoff für eine Unterhaltung hergab.

Vom Wintergarten ließ sich etwas hermachen, auch von dem großen Fernsehbildschirm. Väter fanden, das sei doch etwas. Mütter sagten, die Farne seien prächtig. Bald setzten sich alle an kleine Tische und aßen Eiscreme – dem sich nur die Teenager verweigerten, die vor Ekel starben. Frauen wischten den Sabber von zitternden alten Kinnen, und Männer sahen weg.

Dieses Ritual musste eine gewisse Befriedigung spenden, und vielleicht würden sogar die Teenager eines Tages froh sein, dass sie gekommen waren. Grant kannte sich mit Familien nicht aus.

Aubrey wurde offenbar weder von Kindern noch von Enkelkindern besucht, und da sie nicht Karten spielen konnten – denn die Tische wurden von den Eiscremefamilien in Anspruch genommen –, blieben er und Fiona dem Samstagsaufmarsch fern. Der Wintergarten war dann viel zu belebt für ihre intimen Gespräche.

Die konnten natürlich hinter Fionas geschlossener Tür stattfinden. Grant brachte es nicht fertig anzuklopfen, obwohl er eine Weile davor stand und die Disney-Rotkehlchen mit intensiver, wahrhaft bösartiger Abneigung anstarrte.

Oder sie konnten in Aubreys Zimmer sein. Aber er wusste nicht, wo das war. Je mehr er das Heim erkundete, desto mehr Korridore und Sitzecken und Rampen entdeckte er, und auf seinen Wanderungen konnte es ihm immer noch passieren, dass er sich verlief. Er nahm sich ein bestimmtes Bild oder einen Stuhl als Orientierungspunkt, und in der nächsten Woche schien der ausgesuchte Gegenstand umquartiert worden zu sein. Er mochte das Kristy gegenüber nicht erwähnen, damit sie nicht dachte, er litte selbst an Ausfallerscheinungen. Er nahm an, dieses ständige Umräumen geschah den Patienten zuliebe – damit ihre täglichen Gänge interessanter wurden.

Er erwähnte auch nicht, dass er manchmal von Ferne eine Frau sah, die er für Fiona hielt, was er dann aber wegen der

Kleidung, die die Frau trug, als unmöglich abtat. Wann hatte Fiona sich je für leuchtend geblümte Blusen und stahlblaue Freizeithosen erwärmt? Eines Dienstags schaute er aus dem Fenster und sah Fiona – sie musste es sein – Aubrey über einen der gepflasterten Wege schieben, die jetzt von Schnee und Eis geräumt waren, und sie trug einen albernen Wollhut und eine Jacke mit blauen und violetten Kringeln, wie er sie im Supermarkt an Frauen aus dem Ort gesehen hatte.

Es musste daran liegen, dass man sich nicht die Mühe machte, die Kleidungsstücke der Frauen, die ungefähr dieselbe Größe hatten, auseinander zu sortieren. Und sich darauf verließ, dass die Frauen ihre eigenen Sachen ohnehin nicht wiedererkannten.

Man hatte ihr auch die Haare geschnitten. Man hatte ihren engelhaften Heiligenschein abgeschnitten. An einem Mittwoch, als alles normaler war und die Kartenspiele wieder stattfanden und die Frauen im Werkraum Seidenblumen oder Trachtenpuppen anfertigten, ohne dass ihnen jemand über die Schulter guckte, um sie zu nerven oder zu bewundern, und als Aubrey und Fiona wieder in Erscheinung traten, so dass es Grant möglich war, mit seiner Frau eines dieser kurzen und freundlichen und in die Verzweiflung treibenden Gespräche zu führen, fragte er sie: »Warum hat man dir die Haare abgehackt?«

Fiona fasste sich prüfend an den Kopf.

»Ist mir noch gar nicht aufgefallen«, sagte sie.

Er kam auf den Gedanken herauszufinden, was im ersten Stock vorging, wo die Menschen verwahrt wurden, die, wie Kristy sich ausdrückte, es überhaupt nicht mehr packten. Diejenigen, die hier unten herumliefen und Selbstgespräche führten oder Entgegenkommenden merkwürdige Fragen stellten (»Hab ich meinen Pullover in der Kirche liegen lassen?«), packten es offenbar noch einigermaßen.

Waren noch nicht reif für den ersten Stock.

Es gab Treppen, aber sie führten zu verschlossenen Türen, und die Schlüssel dafür hatte nur das Personal. Der Fahrstuhl ließ sich nicht benutzen, es sei denn, jemand in der Anmeldung drückte auf einen Knopf, so dass er aufging.

Was machten sie, wenn sie es nicht mehr packten?

»Manche sitzen einfach nur da«, sagte Kristy. »Manche sitzen da und weinen. Manche schreien wie am Spieß. Aber so genau wollen Sie das gar nicht wissen.«

Manchmal packten sie es wieder.

»Man geht ein Jahr lang in ihr Zimmer, und sie kennen einen nicht. Dann eines Tages heißt es: Ach, Sie sind's, wann kommen wir nach Hause? Ganz plötzlich sind sie wieder völlig normal.«

Aber nicht lange.

»Man denkt, wunderbar, wieder normal. Und dann sind sie wieder weg.« Sie schnippte mit den Fingern. »Einfach so.«

In der Stadt, in der er früher gearbeitet hatte, gab es einen Buchladen, den er mit Fiona zusammen ein- bis zweimal im Jahr aufgesucht hatte. Nun fuhr er allein dorthin. Ihm war nicht danach, etwas zu kaufen, aber er hatte eine Liste aufgestellt und suchte sich ein paar Bücher darauf aus, und dann kaufte er noch ein anderes Buch, das ihm durch Zufall ins Auge fiel. Es war über Island. Ein Buch mit Aquarellen aus dem neunzehnten Jahrhundert, angefertigt von einer Dame, die Island bereist hatte.

Fiona hatte nie die Sprache ihrer Mutter erlernt, und sie hatte nie viel Respekt vor den Sagen gehabt, die sich in dieser Sprache bewahrt hatten – die Sagen, die Grant in seinem Berufsleben gelehrt hatte und über die er immer noch schrieb. Ihre Helden nannte sie nur »den ollen Njal« oder »den ollen Snorri«. Aber in den letzten Jahren hatte sie Interesse für das

Land selbst gezeigt und Reiseführer studiert. Sie las die Reise-
berichte von William Morris und W. H. Auden. Sie hatte eigentlich gar nicht vor, dorthin zu fahren. Sie sagte, das Wetter
sei zu schrecklich. Außerdem – sagte sie – sollte man einen Ort
haben, an den man dachte und von dem man wusste und nach
dem man sich vielleicht sehnte, den man aber nie zu Gesicht
bekam.

Als Grant anfing, Angelsächsische und Nordische Literatur zu
lehren, fanden sich in seinen Kursen die üblichen Studenten
ein. Aber nach ein paar Jahren fiel ihm eine Veränderung auf.
Verheiratete Frauen kehrten in den Hörsaal zurück. Nicht mit
dem Vorsatz, sich für einen besseren Arbeitsplatz oder überhaupt für einen Arbeitsplatz zu qualifizieren, sondern einfach,
um sich mit etwas Interessanterem als ihrer Hausarbeit und ihren Hobbys zu beschäftigen. Um ihr Leben zu bereichern.
Und vielleicht folgte daraus ganz natürlich, dass die Männer,
die ihnen diese Dinge beibrachten, Teil der Bereicherung wurden, dass diese Männer ihnen geheimnisvoller und begehrens-
werter erschienen als die Männer, mit denen sie immer noch
Tisch und Bett teilten.

Als Studienfächer wurden meistens Psychologie oder Kul-
turgeschichte oder Englische Literatur gewählt. Archäologie
oder Linguistik wurden manchmal ausgesucht, aber fallen gelassen, sobald sie sich als vertrackt erwiesen. Die, die sich für
Grants Kurse einschrieben, mochten einen skandinavischen
Hintergrund haben wie Fiona oder sie mochten bei Wagner
oder in historischen Romanen etwas über altnordische Mytho-
logie erfahren haben. Es gab auch ein paar, die dachten, er un-
terrichte eine keltische Sprache, und für die alles Keltische
einen mystischen Zauber besaß.

Mit solchen Hörerinnen sprach er von seiner Seite des Pultes
aus recht ungnädig.

»Wenn Sie eine hübsche Sprache erlernen wollen, lernen Sie Spanisch. Das können Sie dann anwenden, wenn Sie nach Mexiko fahren.«

Manche nahmen die Warnung an und blieben fort. Andere schienen sich von seinem forschen Ton persönlich angesprochen zu fühlen. Sie arbeiteten mit Feuereifer und brachten in seine Sprechstunde, in sein geregeltes, zufrieden stellendes Leben, die große überraschende Blume ihrer reifen weiblichen Willigkeit, ihrer bebenden Hoffnung auf Anerkennung.

Er wählte die Frau, die Jacqui Adams hieß. Sie war das Gegenteil von Fiona – klein, pummelig, dunkeläugig und überschwänglich. Ironie war ihr fremd. Die Affäre dauerte ein Jahr, dann wurde ihr Mann versetzt. Als sie sich in ihrem Auto voneinander verabschiedeten, zitterte sie unkontrollierbar. Es war, als litte sie an Unterkühlung. Sie schrieb ihm ein paar Mal, aber er fand den Stil ihrer Briefe gestelzt und konnte sich nicht entscheiden, wie er antworten sollte. Er ließ die Frist für eine Antwort verstreichen, gleichzeitig fing er märchenhafter- und unerwarteterweise etwas mit einem Mädchen an, das jung genug war, um ihre Tochter zu sein.

Denn eine weitere und noch schwindelerregendere Entwicklung hatte stattgefunden, während er mit Jacqui zugange war. Junge Mädchen mit langen Haaren und mit Sandalen an den bloßen Füßen kamen in seine Sprechstunde und erklärten sich nahezu unverhohlen zu Sex bereit. Die behutsamen Annäherungsversuche, die zarten Gefühlsandeutungen, die bei Jacqui erforderlich gewesen waren, konnte er sich an den Hut stecken. Ein Wirbelsturm erfasste ihn, wie so viele andere auch, der Wunsch wurde so unversehens Wirklichkeit, dass er sich fragte, ob nicht etwas fehlte. Aber wer hatte schon Zeit für Gewissensbisse? Er hörte von mehreren gleichzeitigen Liebschaften, von bösen und riskanten Zusammentreffen. Skandale explodierten spektakulär, mit dramatischen Folgen ringsum, aber irgendwie mit dem Gefühl, dass es besser so war. Es gab Disziplinarmaßnahmen – es gab Entlassungen. Aber die Entlassenen gingen fort, um an kleineren, toleranteren Colleges oder Fernhochschulen zu unterrichten, und viele der verlassenen Ehefrauen überwanden den Schock und machten sich die Kostümierungen und die sexuelle Verfügbarkeit der Mädchen zu Eigen, die ihre Männer in Versuchung gebracht hatten. Akademische Partys, die sich früher in festen Bahnen bewegt hatten, wurden zu Minenfeldern. Eine Epidemie war ausgebrochen und griff um sich wie die Spanische Grippe. Nur dass diesmal die Menschen nach der Ansteckung lechzten und dass wenige zwischen sechzehn und sechzig davon verschont werden wollten.

Fiona jedoch schien fest gewillt, davon verschont zu bleiben. Ihre Mutter lag im Sterben, und ihre Erlebnisse im Krankenhaus führten sie von ihrer Routinearbeit in der Universitätsverwaltung zu ihrer neuen Tätigkeit. Grant selbst erlitt keinen Schiffbruch, zumindest nicht im Vergleich zu einigen seiner Kollegen. Er ließ keine Frau mehr so nah an sich heran wie Jacqui. Was er empfand, war hauptsächlich eine gewaltige Steigerung seines Wohlbefindens. Eine Neigung zur Dickleibigkeit, die er seit seinem zwölften Lebensjahr gehabt hatte, verschwand. Treppen lief er zwei Stufen auf einmal hinauf. Er genoss wie nie zuvor den Pomp zerrissener Wolken und winterlicher Sonnenuntergänge beim Blick aus seinem Bürofenster, den Charme der antiken Lampen, die zwischen den Wohnzimmervorhängen seiner Nachbarn leuchteten, das Geschrei der Kinder im Park bei Dämmerung, weil sie keine Lust hatten, ihren Rodelhügel zu verlassen. Im folgenden Sommer lernte er die Namen von Blumen auswendig. In seinem Seminarraum, nach Nachhilfeunterricht von seiner nahezu ihrer Stimme beraubten Schwiegermutter (sie litt an Kehlkopfkrebs), wagte er sich an eine Rezitation und Übersetzung der majestätischen und blutrünstigen Ode, der »Haupteslösung«, der *Höfudslausn*, verfasst zu Ehren des Königs Erik Blutaxt von einem Skalden,

den der König zum Tode verurteilt hatte. (Und der dann vom selben König – und durch die Kraft seiner Dichtkunst – freigelassen wurde.) Alle klatschten Beifall – sogar die Friedensaktivisten in seinem Kurs, die er vorher fröhlich angepflaumt und gefragt hatte, ob sie nicht lieber draußen im Flur warten wollten. Auf der Heimfahrt an jenem Tag oder an einem anderen ging ihm ein absurdes und blasphemisches Zitat im Kopf herum.

Und so wuchs er an Weisheit und Gestalt
Und in der Gunst Gottes und der Menschen.

Das beschämte ihn damals und jagte ihm einen abergläubischen Schauder über den Rücken. Wie auch heute noch. Aber solange niemand sonst davon wusste, ließ er es sich durchgehen.

Er nahm das Buch mit, als er das nächste Mal nach Wiesensee fuhr. An einem Mittwoch. Auf der Suche nach Fiona ging er zu den Kartentischen und konnte sie nicht entdecken.

Eine Frau rief ihm zu: »Sie ist nicht hier. Sie ist krank.« Sie klang wichtigtuerisch und aufgeregt – stolz auf sich, weil sie ihn erkannt hatte, wohingegen er nichts von ihr wusste. Vielleicht auch stolz auf all das, was sie über Fiona wusste, über Fionas Leben hier, überzeugt, dass sie wahrscheinlich mehr darüber wusste als er.

»Er ist auch nicht da«, sagte sie.

Grant begab sich auf die Suche nach Kristy.

»Eigentlich nichts«, sagte sie, als er fragte, was Fiona fehlte. »Sie legt heute nur mal einen Tag im Bett ein, nur ein bisschen durcheinander.«

Fiona saß aufrecht im Bett. Ihm war bei seinen wenigen Aufenthalten in diesem Zimmer entgangen, dass es sich um ein Krankenhausbett handelte, das derart verstellt werden konnte.

Sie trug eines ihrer hochgeschlossenen, jungfräulichen Nachthemden, und ihr Gesicht zeigte eine Blässe, die nicht an Kirsch-
blüten erinnerte, sondern an Mehlteig.

Aubrey saß in seinem Rollstuhl neben ihr, so nah am Bett
wie nur möglich. Statt seines üblichen unscheinbaren, am Hals
offenen Hemdes trug er einen Anzug mit Schlips. Sein fescher
Tweedhut lag auf dem Bett. Er sah aus, als sei er in wichtigen
Geschäften unterwegs gewesen.

Bei seinem Anwalt? Seinem Finanzberater? Um Vorkehrungen für seine Beerdigung zu treffen?

Was er auch getan hatte, es hatte ihn offensichtlich erschöpft.
Auch er war grau im Gesicht.

Beide sahen zu Grant mit steinerner, leidvoller Vorahnung
auf, die sich in Erleichterung, wenn auch nicht in Wieder-
sehensfreude verwandelte, als sie erkannten, wer er war.

Nicht die Person, die sie befürchtet hatten.

Sie hielten sich bei den Händen und wollten nicht loslassen.

Der Hut auf dem Bett. Der Anzug mit Schlips.

Nicht, weil Aubrey unterwegs gewesen war. Es ging nicht
darum, wo er gewesen war oder wen er aufgesucht hatte. Sondern darum, wohin er nun musste.

Grant legte das Buch aufs Bett neben Fionas freie Hand.

»Es ist über Island«, sagte er. »Ich dachte, vielleicht hast du
Lust, es dir anzuschauen.«

»Danke schön«, sagte Fiona. Sie warf keinen Blick auf das
Buch. Er legte ihre Hand darauf.

»Island«, sagte er.

Sie sagte: »Is-land.« In der ersten Silbe schwang ein Hauch
von Interesse mit, aber die zweite Silbe fiel herunter. Jedenfalls
musste sie ihre Aufmerksamkeit wieder Aubrey zuwenden, der
seine große dicke Hand der ihren entzog.

»Was hast du?«, fragte sie. »Was hast du, liebes Herz?«

Grant hatte diesen blumigen Ausdruck noch nie von ihr gehört.

»Ach, ja«, sagte sie. »Hier hast du.« Und sie zog eine Hand voll Papiertaschentücher aus der Schachtel neben dem Bett.

Aubreys Problem war, dass er weinen musste. Seine Nase lief, und er war ängstlich bemüht, kein trauriges Schauspiel zu bieten, besonders nicht vor Grant.

»Schon gut, schon gut«, sagte Fiona. Sie hätte ihm selbst die Nase geputzt und die Tränen abgewischt – und wenn sie allein gewesen wären, hätte er es vielleicht zugelassen. Aber in Grants Gegenwart wollte er es nicht erlauben. Er griff sich die Kleenex, so gut er konnte, und wischte sich ein paar Mal ungeschickt, aber mit Erfolg im Gesicht herum.

Während er beschäftigt war, wandte Fiona sich an Grant.

»Hast du hier zufällig einigen Einfluss?«, flüsterte sie. »Ich habe dich mit ihnen reden sehen …«

Aubrey gab ein Geräusch des Protestes oder der Erschöpfung oder der Entrüstung von sich. Dann kippte sein Oberkörper vornüber, als wollte er sich in ihre Arme werfen. Sie krabbelte halb aus dem Bett, fing ihn auf und umklammerte ihn. Es kam Grant ungehörig vor, ihr zu helfen, obwohl er es natürlich getan hätte, wenn er den Eindruck gehabt hätte, dass Aubrey drohte, zu Boden zu stürzen.

»Schsch«, sagte Fiona. »Ach, Liebling. Schsch. Wir werden uns sehen. Wir müssen. Ich komme dich besuchen. Du kommst mich besuchen.«

Aubrey gab mit dem Gesicht an ihrer Brust wieder dasselbe Geräusch von sich, und wenn Grant den Anstand wahren wollte, blieb ihm nichts übrig, als aus dem Zimmer zu verschwinden.

»Wenn seine Frau sich bloß beeilen und herkommen würde«, sagte Kristy. »Wenn sie ihn bloß endlich abholen und der Qual ein Ende machen würde. Wir müssen bald das Abendbrot bringen, und wie sollen wir sie dazu kriegen, irgendwas zu schlucken, solange er sich noch hier rumdrückt?«

Grant fragte: »Soll ich bleiben?«

»Wozu? Sie ist ja nicht krank.«

»Um ihr Gesellschaft zu leisten«, sagte er.

Kristy schüttelte den Kopf.

»Sie muss über so was allein hinwegkommen. Die meisten hier haben ja ein kurzes Gedächtnis. Das ist nicht immer so schlecht.«

Kristy war nicht hartherzig. Seit Grant sie kannte, hatte er einiges über ihr Leben in Erfahrung gebracht. Sie hatte vier Kinder. Sie wusste nicht, wo ihr Mann war, vermutete ihn aber in Alberta. Das Asthma ihres jüngsten Sohnes war so schlimm, dass er eines Nachts im Januar gestorben wäre, wenn sie ihn nicht rechtzeitig in die Notaufnahme gebracht hätte. Er nahm keine verbotenen Drogen, aber bei seinem Bruder war sie sich nicht so sicher.

In ihren Augen mussten Grant und Fiona und Aubrey Glück gehabt haben. Sie waren durchs Leben gekommen, ohne dass zu viel schief gegangen war. Was sie jetzt im Alter zu leiden hatten, zählte kaum.

Grant ging, ohne in Fionas Zimmer zurückgekehrt zu sein. Ihm fiel auf, dass an diesem Tag ein warmer Wind wehte und die Krähen einen Heidenlärm machten. Auf dem Parkplatz holte eine Frau in einem karierten Hosenanzug einen zusammengeklappten Rollstuhl aus dem Kofferraum ihres Autos.

Die Straße, die er entlangfuhr, hieß Black Hawks Lane. Alle Straßen in diesem Viertel hießen nach Mannschaften in der alten Hockeyoberliga. Es lag in einem Außenbezirk der Stadt in der Nähe von Wiesensee. Er hatte mit Fiona regelmäßig in dieser Stadt eingekauft, aber nichts weiter von ihr kennen gelernt als die Hauptstraße.

Die Häuser sahen aus, als seien sie alle um dieselbe Zeit erbaut worden, vielleicht vor dreißig oder vierzig Jahren. Die Straßen waren breit und geschwungen und ohne Bürgersteige

– was die Zeit in Erinnerung rief, als es für unwahrscheinlich gegolten hatte, dass irgendjemand je wieder zu Fuß gehen würde. Freunde von Grant und Fiona waren in solche Viertel gezogen, als sie Kinder bekamen. Anfangs entschuldigten sie sich für den Umzug. Sie nannten das ihren »Ausflug in die Barbecue-Wildnis«.

Junge Familien wohnten immer noch hier. Über Garagentüren hingen Basketballkörbe, und in den Auffahrten standen Dreiräder. Aber einige Häuser waren heruntergekommen und hatten nur noch wenig Ähnlichkeit mit den Familienheimstätten, als die sie einmal gedacht waren. Die Vorgärten waren von Reifenspuren durchpflügt, die Fenster waren mit Alufolie zugeklebt oder mit ausgeblichenen Fahnen verhängt.

Vermietete Häuser. Junge männliche Mieter – immer noch oder schon wieder allein stehend.

Ein paar Häuser wurden offenbar so gut wie möglich von den Leuten instand gehalten, die einst in die Neubauten eigezogen waren – Leute, die nicht das Geld hatten oder vielleicht kein Bedürfnis verspürten, in eine bessere Gegend zu ziehen. Sträucher hatten sich zu voller Größe ausgewachsen, pastellfarbene Vinylverkleidungen hatten das Problem neuer Anstriche beseitigt. Säuberliche Zäune oder Hecken kündeten davon, dass die Kinder in diesen Häusern längst erwachsen geworden und ausgezogen waren und dass ihre Eltern nichts mehr damit im Sinn hatten, ihre Gärten als Auslaufgebiet für irgendwelche neuen Kinder der Nachbarschaft herzugeben.

Das Haus, das im Telefonbuch als das von Aubrey und seiner Frau aufgeführt wurde, gehörte dazu. Der Weg zum Haus war mit Steinplatten ausgelegt und wurde von Hyazinthen gesäumt, die steif wie Porzellanblumen ragten, abwechselnd rosa und blau.

Fiona war über ihren Kummer nicht hinweggekommen. Sie aß nichts von den Mahlzeiten, sondern täuschte es nur vor und versteckte das Essen in ihrer Serviette. Sie erhielt zweimal am Tag einen Nahrungsergänzungstrank – jemand blieb und passte auf, während sie ihn herunterschluckte. Sie stand aus dem Bett auf und zog sich an, aber sie wollte nichts weiter tun als in ihrem Zimmer sitzen. Sie hätte sich nicht von der Stelle gerührt, wenn nicht Kristy oder eine der anderen Pflegerinnen und Grant in den Besuchszeiten mit ihr in den Fluren auf- und abgegangen wären oder sie ins Freie hinausgeführt hätten.

Sie saß in der Frühlingssonne auf einer Bank an der Mauer und weinte leise. Sie war immer noch höflich – sie entschuldigte sich für ihre Tränen und machte nie Einwände gegen einen Vorschlag oder weigerte sich je, eine Frage zu beantworten. Aber sie weinte. Ihre Augen waren vom Weinen rot gerändert und trübe. Ihre Strickjacke – wenn es ihre war – war verkehrt zugeknöpft. Sie hatte noch nicht das Stadium erreicht, in dem sie sich nicht mehr die Haare kämmte oder die Fingernägel sauber machte, aber das konnte bald kommen.

Kristy sagte, dass ihre Muskeln abbauten, und wenn sich ihr Zustand nicht bald besserte, dann musste sie einen Gehwagen bekommen.

»Aber wissen Sie, sobald sie erst mal einen Gehwagen haben, werden sie davon abhängig und laufen nicht mehr viel, nur noch das Nötigste.«

»Sie müssen stärker auf sie einwirken«, sagte sie zu Grant. »Sie müssen ihr Mut machen.«

Aber damit hatte Grant kein Glück. Fiona schien eine Abneigung gegen ihn gefasst zu haben, obwohl sie versuchte, es zu bemänteln. Vielleicht wurde sie jedes Mal, wenn sie ihn sah, an ihre letzten Minuten mit Aubrey erinnert, als sie ihn um Hilfe gebeten hatte und er ihr nicht geholfen hatte.

Er sah nicht viel Sinn darin, ihr jetzt zu sagen, dass sie verheiratet waren.

Sie wollte nicht mehr in die Halle hinunter, wo die meisten

der bisherigen Leute immer noch Karten spielten. Und sie wollte nicht ins Fernsehzimmer oder in den Wintergarten.

Sie sagte, dass sie den großen Bildschirm nicht mochte, er täte ihren Augen weh. Und der Lärm der Vögel ginge ihr auf die Nerven, und warum konnte der Brunnen nicht wenigstens hin und wieder abgestellt werden?

Soweit Grant wusste, hatte sie nie einen Blick in das Buch über Island geworfen und auch nie in eines der – überraschend wenigen – anderen Bücher, die sie von zu Hause mitgenommen hatte. Es gab einen Leseraum, in den sie sich zum Ausruhen setzte, wahrscheinlich, weil selten jemand dort war, und wenn er ein Buch aus den Regalen nahm, erlaubte sie ihm, ihr daraus vorzulesen. Er vermutete, sie tat das, weil es ihr seine Gesellschaft erträglicher machte – sie konnte dann die Augen schließen und wieder in ihren Gram versinken. Denn wenn sie ihren Gram auch nur eine Minute losließ, traf er sie umso heftiger, sobald sie wieder mit ihm zusammenstieß. Und manchmal, dachte er, schloss sie die Augen, um die wissende Verzweiflung darin zu verbergen, deren Anblick ihm nicht gut tat.

Also las er ihr etwas vor aus einem der alten Romane über keusche Liebe und verlorene und wiedergewonnene Besitzungen, die wahrscheinlich vor Jahr und Tag aus der Bücherei einer Kleinstadt oder einer Sonntagsschule ausgemustert worden waren. Offenbar hatte es keinen Versuch gegeben, den Inhalt des Leseraums so auf den neuesten Stand zu bringen wie die meisten Dinge in dieser Einrichtung.

Die Einbände der Bücher waren weich, fast samten, mit eingeprägten Mustern aus Blättern und Blüten, so dass sie Schmuckkästchen oder Pralinenschachteln ähnelten. Damit Frauen – er nahm an, dass es Frauen gewesen waren – sie wie einen Schatz nach Hause tragen konnten.

* * *

Die Heimleiterin rief ihn in ihr Büro. Sie sagte, dass Fiona nicht so gedieh, wie alle gehofft hatten.

»Sie verliert trotz der Zusatznahrung ständig an Gewicht. Wir tun alles für sie, was in unserer Macht steht.«

Grant sagte, das sei ihm klar.

»Das Problem ist, wie Sie sicher wissen, dass wir Bettlägerige nicht auf längere Zeit im Erdgeschoss pflegen. Wir tun es vorübergehend, wenn jemand unpässlich ist, aber wenn die Patienten zu schwach werden, um sich frei bewegen zu können und für sich verantwortlich zu sein, müssen wir in Erwägung ziehen, sie nach oben zu verlegen.«

Er sagte, seines Wissens sei Fiona nicht oft im Bett geblieben und noch nicht bettlägerig.

»Nein. Aber wenn sie nicht bei Kräften bleibt, wird sie es. Im Moment ist sie ein Grenzfall.«

Er sagte, er habe gedacht, der erste Stock sei für geistig völlig Verwirrte.

»Das auch«, sagte sie.

Ihm war von Aubreys Frau nichts weiter in Erinnerung geblieben als der karierte Hosenanzug, in dem er sie auf dem Parkplatz gesehen hatte. Die Schöße der Jacke waren aufgeklappt, als sie sich über den Kofferraum des Autos gebeugt hatte. Ein breites Hinterteil war für ihn zu sehen gewesen, darüber die Andeutung einer schlanken Taille.

Heute trug sie nicht den Hosenanzug. Sondern eine braune Hose mit breitem Gürtel und einen rosa Pullover. Mit der Taille hatte er Recht gehabt – der enge Gürtel zeigte, dass sie sie gern betonte. Das hätte sie vielleicht lieber nicht tun sollen, da sich über und unter dem Gürtel beträchtliche Wülste wölbten.

Sie mochte zehn oder zwölf Jahre jünger als ihr Mann sein. Ihre Haare waren kurz, lockig und rot gefärbt. Sie hatte blaue

Augen – ein helleres Blau als das von Fionas Augen, ein stumpfes Blass- oder Türkisblau –, verengt von einem etwas aufgequollenen Gesicht. Und zahlreiche Runzeln, hervorgehoben von einem nussbraunen Make-up. Oder vielleicht war das ihre Florida-Bräune.

Er sagte, er wisse nicht recht, wie er sich vorstellen solle.

»Ich habe Ihren Mann öfter in Wiesensee gesehen. Ich bin dort selbst ein regelmäßiger Besucher.«

»Ja«, sagte Aubreys Frau mit einer aggressiven Kinnbewegung.

»Wie geht es Ihrem Mann?«

»Gut«, sagte sie.

»Meine Frau und er haben sich recht eng angefreundet.«

»Davon habe ich gehört.«

»Deshalb wollte ich etwas mit Ihnen besprechen, wenn Sie kurz Zeit haben.«

»Mein Mann hat nicht versucht, etwas mit Ihrer Frau anzufangen, wenn Sie darauf hinauswollen«, sagte sie. »Er hat sie in keiner Weise belästigt. Dazu ist er gar nicht in der Lage, und er würde das sowieso nicht tun. Nach allem, was ich gehört habe, war es andersrum.«

Grant sagte: »Nein. Darum geht es gar nicht. Ich bin nicht hergekommen, um mich über irgendetwas zu beschweren.«

»So?«, sagte sie. »Na, tut mir leid. Ich dachte schon.«

Das war alles, was sie zu ihrer Entschuldigung zu sagen hatte. Und sie hörte sich nicht an, als täte es ihr wirklich leid. Sie klang enttäuscht und ratlos.

»Aber treten Sie doch näher«, sagte sie. »Es kommt kalt zur Tür rein. Draußen ist es heute nicht so warm, wie's aussieht.«

Und so war es für ihn schon so etwas wie ein Sieg, überhaupt hineinzugelangen. Er hatte nicht geahnt, dass es so schwer sein würde. Er hatte eine völlig andere Ehefrau erwartet. Ein aufgeregtes Hausmütterchen, erfreut über einen unerwarteten Besuch und geschmeichelt von einem vertrauensvollen Tonfall.

Sie führte ihn am Durchgang zum Wohnzimmer vorbei und sagte: »Wir müssen uns in die Küche setzen, wo ich Aubrey hören kann.« Grant erhaschte einen Blick auf zwei Schichten Wohnzimmergardinen, beide blau, die eine aus hauchdünnem, die andere aus seidigem Stoff, auf ein Sofa in passendem Blau, auf einen abschreckend bleichen Teppichboden, auf diverse blinkende Spiegel und anderen Zierrat.

Fiona hatte ein Wort für diese Art von gerafften Gardinen – sie benutzte es wie ein Witzwort, obwohl die Frauen, denen sie es abgelauscht hatte, es ernsthaft benutzten. Jedes Zimmer, das Fiona einrichtete, war kahl und hell – sie wäre erstaunt gewesen, so viel überflüssige Gegenstände auf so kleinem Raum versammelt zu sehen. Ihm fiel nicht mehr ein, wie das Wort lautete.

Aus einem Zimmer, das von der Küche abging – eine Art Veranda, obwohl die Rouleaus gegen die Helligkeit des Nachmittags heruntergezogen waren –, hörte er die Geräusches eines Fernsehers.

Aubrey. Die Antwort auf Fionas inständiges Flehen saß nur wenige Meter entfernt und sah sich etwas an, das sich nach einem Baseballspiel anhörte. Seine Frau schaute zu ihm hinein. Sie sagte: »Hast du alles?«, und schloss die Tür bis auf einen Spalt.

»Ich kann Ihnen ja einen Kaffee machen«, sagte sie zu Grant.

Er sagte: »Ja, gern.«

»Mein Sohn hat ihn vor einem Jahr zu Weihnachten auf den Sportsender abonniert. Ich wüsste gar nicht, was wir ohne den anfangen sollten.«

Auf den Stellflächen der Küche befanden sich alle möglichen Elektrogeräte und Arbeitshilfen – Kaffeemaschine, Küchenmaschine, Messerschärfer und weitere Gerätschaften, deren Bezeichnungen und Funktionen Grant unbekannt waren. Alle sahen neu und teuer aus, als seien sie gerade aus ihrem Karton geholt worden und würden täglich geputzt.

Er kam auf die Idee, dass es vielleicht gut wäre, alles zu bewundern. Er bewunderte die Kaffeemaschine, die sie benutzte, und sagte, so eine hätten sich Fiona und er früher anschaffen wollen. Was absolut nicht stimmte – Fiona hatte auf ein europäisches Maschinchen geschworen, das nur zwei Tassen auf einmal produzierte.

»Die haben sie uns geschenkt«, sagte sie. »Unser Sohn und seine Frau. Sie wohnen in Kamloops, British Columbia. Sie schicken uns mehr Zeug, als wir gebrauchen können. Es könnte nicht schaden, wenn sie das Geld stattdessen dafür ausgeben würden, uns zu besuchen.«

Grant sagte philosophisch: »Sie haben wahrscheinlich genug mit ihrem eigenen Leben zu tun.«

»Sie hatten nicht genug zu tun, um letzten Winter nach Hawaii zu fahren. Man könnte es ja verstehen, wenn wir jemand anders in der Familie hätten, der näher wohnt. Aber er ist der Einzige.«

Als der Kaffee fertig war, goss sie ihn in zwei braun-grüne Keramikbecher, die sie von den amputierten Ästen eines Keramikbaumstamms auf dem Tisch nahm.

»Die Menschen werden einsam«, sagte Grant. Er meinte jetzt seine Chance zu sehen. »Wenn man ihnen verwehrt, jemanden zu sehen, an dem sie hängen, dann werden sie traurig. Fiona zum Beispiel. Meine Frau.«

»Ich dachte, Sie hätten gesagt, Sie besuchen sie.«

»Das tue ich auch«, sagte er. »Aber darum geht es nicht.«

Dann wagte er den Sprung ins kalte Wasser und trug die Bitte vor, deretwegen er gekommen war. Könnte Sie in Erwägung ziehen, Aubrey vielleicht nur einmal in der Woche zu einem Besuch zurück nach Wiesensee zu fahren? Es war nur eine Fahrt von wenigen Kilometern, das dürfte bestimmt nicht allzu schwierig sein. Oder wenn sie ein wenig Freizeit haben wollte – Grant war das vorher nicht eingefallen, und es ärgerte ihn, sich das jetzt vorschlagen zu hören –, dann konnte er selbst Aubrey dorthin fahren, es würde ihm überhaupt nichts ausmachen. Er war sicher, das schaffen zu können. Und sie konnte eine Pause gut brauchen.

Während er sprach, bewegte sie die geschlossenen Lippen und ihre verborgene Zunge, als versuchte sie, einen merkwürdigen Geschmack zu identifizieren. Sie brachte ihm Milch für den Kaffee und einen Teller mit Ingwerkeksen.

»Selbst gebacken«, sagte sie, als sie den Teller hinstellte. Es klang eher nach Herausforderung als nach Gastfreundlichkeit. Sie sagte nichts weiter, bis sie sich hingesetzt, sich Milch in den Kaffee getan und umgerührt hatte.

Dann sagte sie nein.

»Nein. Das kann ich nicht machen. Und der Grund ist, ich will ihn nicht durcheinander bringen.«

»Würde ihn das durcheinander bringen?«, fragte er ernst.

»Jawohl, das würde es. Das geht nicht. Ihn nach Hause holen und dann zurückbringen. Nach Hause holen und dann zurückbringen, das verwirrt ihn nur.«

»Aber er würde doch verstehen, dass es nur ein Besuch ist? Würde er sich nicht an die Regelmäßigkeit gewöhnen?«

»Er versteht alles ganz gut.« Sie sagte das, als hätte er über Aubrey etwas Beleidigendes geäußert. »Aber es ist trotzdem eine Unterbrechung. Und dann muss ich ihn zurechtmachen und ins Auto schaffen, und er ist ein großer Mann, es ist nicht so leicht, mit ihm fertig zu werden, wie Sie vielleicht denken. Ich muss ihn ins Auto bugsieren und seinen Rollstuhl einpacken und so weiter, und wofür? Wenn ich mir schon all die Mühe mache, fahre ich lieber an einen Ort, der unterhaltsamer ist.«

»Selbst, wenn ich das übernehme?«, sagte Grant in hoffnungsvollem und vernünftigem Ton. »Es stimmt, Sie sollten nicht die Mühe damit haben.«

»Das können Sie gar nicht«, sagte sie entschieden. »Sie kennen ihn nicht. Sie werden nicht mit ihm fertig. Er würde sich das gar nicht von Ihnen gefallen lassen. So viel Plackerei, und was hätte er davon?«

Grant fand es besser, Fiona nicht mehr zu erwähnen.

»Es wäre sinnvoller, mit ihm ins Einkaufszentrum zu fahren«, sagte sie. »Da bekommt er Kinder und alles Mögliche zu sehen. Wenn es ihm nicht ans Herz geht wegen seiner beiden Enkelkinder, die er nie zu Gesicht kriegt. Oder jetzt verkehren die großen Frachtschiffe wieder auf dem See, vielleicht hat er Spaß daran, die zu beobachten.«

Sie stand auf und holte ihre Zigaretten und ihr Feuerzeug vom Fensterbrett über der Spüle.

»Rauchen Sie?«, fragte sie.

Er sagte nein danke, obwohl er nicht wusste, ob ihm eine Zigarette angeboten wurde.

»Haben Sie nie geraucht? Oder haben Sie aufgehört?«

»Aufgehört«, sagte er.

»Wie lange ist das her?«

Er dachte nach.

»Dreißig Jahre. Nein – länger.«

Er hatte ungefähr um die Zeit, als er etwas mit Jacqui anfing, beschlossen aufzuhören. Aber er konnte sich nicht mehr erinnern, ob er zuerst aufgehört hatte, weil anschließend eine große Belohnung dafür auf ihn zukam, oder ob er es an der Zeit gefunden hatte aufzuhören, weil er jetzt eine so beanspruchende Ablenkung hatte.

»Ich habe mit dem Aufhören aufgehört«, sagte sie und zündete sich eine an. »Hab einfach beschlossen, mit dem Aufhören aufzuhören und Schluss.«

Vielleicht war das der Grund für die Runzeln. Jemand – eine Frau – hatte ihm gesagt, dass Frauen, die rauchten, eigentümlich viele Runzeln im Gesicht bekamen. Aber es konnte auch an der Sonne liegen oder einfach an ihrem Hauttyp – ihr Hals war ebenfalls ungewöhnlich faltig. Ein faltiger Hals, jugendlich volle und emporgestemmte Brüste. Frauen in ihrem Alter wiesen meistens diese Gegensätze auf. Die Vor- und Nachteile, das genetische Glück oder Pech, alles miteinander vermischt. Nur wenige bewahrten sich ihre Schönheit ganz, wenn auch überschattet, wie Fiona es getan hatte.

Und vielleicht stimmte das gar nicht. Vielleicht bildete er sich das nur ein, weil er Fiona gekannt hatte, als sie jung war. Vielleicht musste man, um diesen Eindruck zu gewinnen, eine Frau gekannt haben, als sie jung war.

Wenn also Aubrey seine Frau ansah, sah er dann eine spottlustige, freche Siebzehnjährige, deren blassblaue Augen einen anziehenden Silberblick hatten und deren feuchte Lippen sich um eine verbotene Zigarette schlossen?

»Ihre Frau ist also depressiv?«, sagte Aubreys Frau. »Wie heißt sie noch gleich? Ich hab's vergessen.«

»Fiona.«

»Fiona. Und wie heißen Sie? Ich glaube, das haben Sie mir noch gar nicht gesagt.«

Grant sagte: »Grant.«

Sie streckte unerwartet die Hand über den Tisch.

»Hallo, Grant. Ich heiße Marian.«

»Wo wir uns jetzt bei Namen kennen«, sagte sie, »hat es keinen Sinn, Ihnen nicht geradeheraus zu sagen, was ich denke. Ich weiß nicht, ob er immer noch so wild darauf ist, Ihre ... Fiona wiederzusehen. Oder nicht. Ich frage ihn nicht danach, und er sagt es mir nicht. Vielleicht nur eine vorübergehende Schwärmerei. Aber ich habe keine Lust, ihn dahin zurückzubringen, und dann stellt sich womöglich raus, es ist mehr als das. Ich kann mir nicht leisten, das zu riskieren. Ich will nicht, dass er zu schwierig wird. Ich will nicht, dass er durcheinanderkommt und sich anstellt. Ich habe so schon alle Hände voll mit ihm zu tun. Ich habe keine Hilfe. Ich bin hier ganz allein.«

»Haben Sie je in Betracht gezogen – Sie haben es wirklich sehr schwer –«, sagte Grant, »haben Sie je in Betracht gezogen, ihn auf Dauer dort unterzubringen?«

Er hatte seine Stimme fast zu einem Flüstern gesenkt, aber sie spürte keine Notwendigkeit, leise zu sprechen.

»Nein«, sagte sie. »Ich behalte ihn hier.«

Grant sagte: »Das ist sehr gut und edelmütig von Ihnen.«

Er hoffte, das Wort »edelmütig« hatte nicht sarkastisch ge-klungen. Jedenfalls hatte er es nicht sarkastisch gemeint.

»Finden Sie?«, sagte sie. »Edelmut ist nicht gerade das, woran ich denke.«

»Trotzdem. Es ist nicht einfach.«

»Nein, ganz und gar nicht. Aber in meiner Lage bleibt mir keine große Wahl. Wenn ich ihn da unterbringe, habe ich nicht das Geld, um dafür aufzukommen, außer ich verkaufe das Haus. Das Haus ist das Einzige, was uns ganz gehört. Ansonsten habe ich keinerlei Einkünfte. Nächstes Jahr kriege ich Rente, und dann habe ich seine Rente und meine Rente, aber nicht mal damit könnte ich mir leisten, ihn da unterzubringen und das Haus zu behalten. Und das Haus bedeutet mir nun mal sehr viel.«

»Es ist ein sehr schönes Haus«, sagte Grant.

»Es geht. Ich habe viel reingesteckt. Um es auf Vordermann zu bringen und instand zu halten.«

»Das haben Sie bestimmt. Das tun Sie bestimmt.«

»Ich will es nicht verlieren.«

»Nein.«

»Ich *werde* es nicht verlieren.«

»Ich kann Sie verstehen.«

»Die Firma hat uns auf dem Trockenen sitzen lassen«, sagte sie. »Ich kenne mich nicht so genau aus, aber im Grunde ge-nommen wurde er rausgeschmissen. Am Schluss behaupteten sie, er schuldete ihnen Geld, und als ich versuchte, dahinter-zusteigen, hat er immer nur gesagt, das ginge mich nichts an. Wenn Sie mich fragen, hat er irgendeine Dummheit begangen. Aber ich durfte nicht nachfragen, also hielt ich den Mund. Sie waren verheiratet. Sie sind verheiratet. Sie wissen, wie es ist. Und als ich mittendrin war, das rauszukriegen, sollen wir diese Reise antreten, zusammen mit diesen Leuten, und kommen da nicht raus. Und auf der Reise wird er krank, fängt sich einen Virus ein, von dem noch keiner gehört hat, und fällt ins Koma. Damit ist *er* aus dem Schneider.«

Grant sagte: »Wirklich schlimm.«

»Ich will damit nicht sagen, dass er absichtlich krank geworden ist. Es ist einfach passiert. Er ist mir nicht mehr böse, und ich bin ihm nicht mehr böse. So ist eben das Leben.«

»Das ist wahr.«

»Das Leben ist unschlagbar.«

Ihre Zunge huschte mit katzenhafter Beiläufigkeit über ihre Oberlippe und holte sich die Kekskrümel. »Ich höre mich an wie ein weiser Philosoph, was? Die da draußen haben mir gesagt, Sie waren Universitätsprofessor.«

»Das ist schon eine ganze Weile her«, sagte Grant.

»Ich bin ja nicht groß intellektuell«, sagte sie.

»Ich weiß auch nicht, wie weit ich das bin.«

»Aber ich weiß, wenn mein Entschluss feststeht. Und der steht fest. Ich werde mich nicht von dem Haus trennen. Was bedeutet, dass ich ihn hierbehalte, und ich will nicht, dass er auf die Idee kommt, irgendwo anders hinzuwollen. Wahrscheinlich war es ein Fehler, ihn dahin zu bringen, damit ich mal weg konnte, aber es war eine einmalige Chance, also habe ich sie ergriffen. Ja, jetzt bin ich klüger.«

Sie schüttelte noch eine Zigarette aus der Schachtel.

»Ich wette, ich weiß, was Sie denken«, sagte sie. »Sie denken, der Person geht's nur ums Geld.«

»Ich fälle keine Urteile dieser Art. Es ist Ihr Leben.«

»Darauf können Sie Gift nehmen.«

Er dachte, sie sollten in neutralerem Ton enden. Also fragte er sie, ob ihr Mann als Schuljunge im Sommer immer in einem Eisenwarenladen gearbeitet hatte.

»Davon hab ich noch nie was gehört«, sagte sie. »Ich bin nicht von hier.«

* * *

Bei der Heimfahrt fiel ihm auf, dass die sumpfige Senke, die mit Schnee und den strengen Schatten der Baumstämme gefüllt gewesen war, von Stinklilien erhellt wurde. Die frischen, essbar aussehenden Blätter waren tellergroß. Die Blüten reckten sich auf wie Kerzenflammen und waren so zahlreich, von so reinem Gelb, dass sie an diesem wolkenverhangenen Tag von der Erde Licht ausstrahlten. Fiona hatte ihm erzählt, dass sie auch eigene Wärme produzierten. In einem verborgenen Winkel ihres Wissens stöbernd sagte sie, dass man angeblich die Hand in das eingerollte Blütenblatt legen und die Wärme spüren konnte. Sie hatte es versucht, erzählte sie, war sich aber nicht sicher gewesen, ob sie tatsächlich Wärme gespürt oder es sich nur eingebildet hatte. Die Wärme lockte Insekten an.

»Die Natur spielt nicht herum, nur um hübsch zu sein.«

Er war bei Aubreys Frau Marian gescheitert. Er hatte damit gerechnet, scheitern zu können, aber er hatte nicht im Mindesten mit diesem Grund gerechnet. Er hatte gedacht, er bekäme es lediglich mit der natürlichen sexuellen Eifersucht einer Frau zu tun – oder mit ihrem Trotz, den hartnäckigen Überresten sexueller Eifersucht.

Er war nicht auf den Gedanken gekommen, dass sie die Dinge derart sehen könnte. Und doch war ihm das Gespräch auf eine deprimierende Art vertraut gewesen. Denn es erinnerte ihn an Gespräche, die er mit Mitgliedern seiner eigenen Familie geführt hatte. Seine Verwandten, seine Onkel, wahrscheinlich sogar seine Mutter hatten so gedacht, wie Marian dachte. Sie hatten geglaubt, wenn andere Leute nicht so dachten, dann, weil sie sich etwas vormachten – sie waren zu weltfremd oder zu blöde, aufgrund ihres leichten und behüteten Lebens oder ihrer Bildung. Sie hatten den Anschluss an die Wirklichkeit verloren. Gebildete, Literaten, einige Reiche wie Grants sozialistische Schwiegereltern hatten den Anschluss an

die Wirklichkeit verloren. Infolge eines unverdienten Glücks-
falls oder einer angeborenen Beschränktheit. In seinem Fall,
vermutete Grant, gaben sie wohl beidem die Schuld.

So sah ihn bestimmt auch Marian. Ein einfältiger Mensch,
voll gestopft mit langweiligem Wissen und durch pures
Schwein von der Wahrheit des Lebens abgeschirmt. Ein
Mensch, der sich keine Sorgen um seinen Hausbesitz zu machen brauchte und herumspazieren und seinen komplizierten
Gedanken nachhängen konnte. Frei, sich wunderbare und
großmütige Pläne auszudenken, die seiner Meinung nach einen anderen Menschen glücklich machen würden.

Was für ein Trottel, dachte sie wohl jetzt.

Gegenüber einer solchen Person fühlte er sich mutlos, ent-
nervt, schließlich nahezu allein gelassen. Warum? Weil er nicht
sicher war, sich gegenüber dieser Person selbst treu bleiben zu
können? Weil er Angst hatte, dass diese Menschen am Ende
Recht hatten? Fiona hätte solche Befürchtungen nicht gehabt.
Niemand hatte sie in ihrer Jugend zurechtgestutzt und einge-
engt. Seine Erziehung hatte sie belustigt, und deren strenge
Vorstellungen fand sie kurios.

Trotzdem spricht auch einiges für diese Menschen. (Er hörte
sich jetzt in einem Streitgespräch mit jemandem. Mit Fiona?)
Diese enge Sichtweise hat auch ihre Vorteile. Marian würde
sich wahrscheinlich in einer Krise bewähren. Im Überlebens-
kampf, fähig, etwas zu futtern herbeizuschaffen und fähig, einem Toten auf der Straße die Schuhe auszuziehen.

Der Versuch, aus Fiona schlau zu werden, war immer frus-
trierend gewesen. Bisweilen war das, als folgte man einer Fata
Morgana. Nein – als lebte man in einer Fata Morgana. Marian
nahe zu kommen würde ein anderes Problem mit sich bringen.
Es wäre, als bisse man in eine Litschifrucht. Das Fleisch mit
seiner merkwürdig künstlichen Konsistenz, seinem chemischen Geschmack und Geruch, eine dünne Schicht über
dem umfangreichen Kern, dem Stein.

★ ★ ★

Er hätte sie heiraten können. Man stelle sich vor. Er hätte so ein Mädchen heiraten können, wenn er dageblieben wäre, wo er hingehörte. Sie war damals bestimmt zum Anbeißen, mit ihrem knackigen Busen. Ein flotter Käfer. Die betonte Art, wie sie mit ihrem Hintern auf dem Küchenstuhl herumrutschte, ihr geschürzter Mund, die etwas gekünstelte Drohmiene – das war noch übrig von der mehr oder weniger unschuldigen ordinären Koketterie einer Kleinstadt-Schönheit.

Sie hatte sich bestimmt einige Hoffnungen gemacht, als sie sich Aubrey aussuchte. Sein gutes Aussehen, seine Vertreterstellung, seine Aufstiegschancen. Sie hatte bestimmt geglaubt, dass es ihr eines Tages wesentlich besser gehen würde, als es ihr jetzt ging. Aber wie es diesen praktisch denkenden Menschen so oft widerfuhr. Trotz ihrer Berechnungen, ihrer Überlebensstrategien kamen sie unter Umständen nicht so weit, wie sie es vernünftigerweise erwartet hatten. Ohne Zweifel fanden sie das ungerecht.

In der Küche sah er als Erstes das blinkende Lämpchen seines Anrufbeantworters. Er dachte das, was er jetzt immer dachte. Fiona.

Er drückte auf die Taste, noch bevor er den Mantel auszog.

»Hallo, Grant. Hoffentlich habe ich den Richtigen erwischt. Mir ist gerade was eingefallen. Am Samstag ist hier in der Stadt im Veteranenverein ein Tanzabend für Alleinstehende, und ich bin im Festkomitee, was bedeutet, dass ich umsonst einen Gast mitbringen kann. Da habe ich überlegt, ob Sie nicht vielleicht Lust dazu haben. Rufen Sie mich zurück, wenn's geht.«

Eine Frauenstimme nannte eine örtliche Telefonnummer. Dann erklang ein Piepton, und dieselbe Stimme redete weiter.

»Ich hab gerade gemerkt, ich hab ganz vergessen, zu sagen, wer ich bin. Sie haben mich wahrscheinlich schon an der Stimme erkannt. Hier ist Marian. Ich hab mich immer noch nicht richtig an diese Automaten gewöhnt. Und ich wollte sagen, mir ist klar, dass Sie nicht alleinstehend sind, und ich hab's nicht so gemeint. Jedenfalls, wo ich das jetzt alles gesagt habe, hoffe ich doch, dass ich tatsächlich mit Ihnen rede. Es hat sich wie Ihre Stimme angehört. Wenn Sie Interesse haben, können Sie mich ja anrufen, und wenn nicht, lassen Sie's einfach. Ich dachte nur, vielleicht freuen Sie sich über eine Gelegenheit, mal rauszukommen. Hier spricht Marian. Ich glaube, das hab ich schon gesagt. Also dann. Auf Wiederhören.«

Ihre Stimme auf dem Anrufbeantworter klang anders als die Stimme, die er noch vor kurzem in ihrem Haus gehört hatte. In der ersten Nachricht nur wenig, in der zweiten dann stärker. Er hörte Nervosität heraus, eine vorgetäuschte Unbekümmertheit, eine Hast, es hinter sich zu bringen, und ein Widerstreben loszulassen.

Etwas war mit ihr passiert. Aber wann war es passiert? Wenn es sofort passiert war, hatte sie es in der ganzen Zeit, die er bei ihr war, sehr erfolgreich verborgen. Doch wahrscheinlich war es allmählich über sie gekommen, vielleicht, nachdem er gegangen war. Nicht unbedingt als schlagartige Anziehung. Lediglich die Erkenntnis, dass er eine Möglichkeit war, ein allein stehender Mann. Mehr oder weniger alleinstehend. Eine Möglichkeit, der sie durchaus nachgehen konnte.

Aber sie hatte Manschetten gehabt, als sie den ersten Zug machte. Sie hatte sich aufs Spiel gesetzt. Wie viel von sich vermochte er nicht zu sagen. Im Allgemeinen nahm im Laufe der Zeit, während die Dinge vorankamen, die Verletzlichkeit einer Frau zu. Am Anfang konnte man nur sagen, wenn sich jetzt schon eine Spur davon zeigte, war später mehr zu erwarten.

Es bereitete ihm Genugtuung – warum es leugnen? –, das bei ihr geweckt zu haben. Etwas wie ein Schimmern, ein Kräuseln an der Oberfläche ihrer Persönlichkeit hervorgerufen zu haben. In ihren gereizten breiten Vokalen diese schwache Bitte gehört zu haben.

Er holte Eier und Pilze heraus, um sich ein Omelett zu machen. Dann dachte er, er könnte sich auch einen Drink genehmigen.

Alles war möglich. Stimmte das auch – war alles möglich? Würde es ihm zum Beispiel, wenn er es wollte, gelingen, ihren Widerstand zu brechen, sie dazu zu bewegen, auf ihn zu hören und Aubrey zu Fiona zurückzubringen? Und nicht nur für Besuche, sondern für den Rest von Aubreys Leben? Wohin konnte dieses Herzflattern sie beide führen? Zu einem Umschwung bei Marian, zu einem Ende ihrer Sicherheitsbedürfnisse? Zu Fionas Glück?

Es wäre eine Herausforderung. Eine Herausforderung und eine lobenswerte Tat. Außerdem ein Witz, den er nie irgendjemandem anvertrauen konnte – dass er etwas Schlechtes tat und dadurch für Fiona etwas Gutes.

Aber eigentlich war er gar nicht fähig, darüber nachzudenken. Denn dann müsste er sich überlegen, was mit ihm und Marian werden sollte, nachdem er Aubrey bei Fiona abgeliefert hatte. Und das konnte nicht gut gehen – es sei denn, er fand darin mehr Befriedigung, als er voraussah, und entdeckte unter ihrem robusten Fruchtfleisch den Kern schuldfreien Eigeninteresses.

Man wusste nie genau, wie sich solche Dinge entwickelten. Man wusste es einigermaßen, aber man konnte sich nie sicher sein.

Jetzt saß sie bestimmt in ihrem Haus und wartete auf seinen Anruf. Oder saß wahrscheinlich nicht da, sondern werkelte herum, um etwas zu tun zu haben. Sie schien eine Frau zu sein, die immer etwas zu tun haben musste. Ihr Haus hatte jedenfalls deutlich von permanenter Pflege gekündet. Und da war Aubrey – der weiterhin wie sonst auch versorgt werden musste. Vielleicht hatte sie ihm schon früh das Abendbrot gebracht, seine Mahlzeiten dem Zeitplan von Wiesensee angepasst, damit er eher als sonst seine Nachtruhe antrat und sie die Pflichten des Tages hinter sich hatte. (Was fing sie mit ihm an, wenn sie zu einem Tanzabend ging? Konnte er allein bleiben, oder musste sie eine Pflegekraft bestellen? Würde sie ihm sagen, was sie vorhatte, ihren Begleiter vorstellen? Musste der Begleiter für die Pflegekraft aufkommen?)

Vielleicht hatte sie Aubrey gefüttert, während Grant die Pilze kaufte und nach Hause fuhr. Vielleicht brachte sie ihn jetzt zu Bett. Aber die ganze Zeit über dachte sie ans Telefon, an das Schweigen des Telefons. Vielleicht hatte sie sich ausgerechnet, wie lange Grant bis nach Hause brauchte. Seine Adresse im Telefonbuch hatte ihr eine ungefähre Vorstellung davon gegeben, wo er wohnte. Sie hatte die Fahrtdauer überschlagen, dann Zeit für mögliche Einkäufe zum Abendbrot hinzugefügt (aus der Überlegung, dass ein alleinstehender Mann jeden Tag einkaufen würde). Dann eine gewisse Zeit, bis er dazu kam, seinen Anrufbeantworter abzuhören. Und während ihr Telefon beharrlich schwieg, grübelte sie bestimmt über andere Dinge nach. Andere Besorgungen, die er zu erledigen hatte, bevor er nach Hause fuhr. Oder vielleicht aß er im Restaurant, war verabredet, was bedeutete, dass er zur Abendbrotzeit gar nicht zu Hause sein würde.

Sie würde bis spät in die Nacht aufbleiben, die Küchenschränke putzen, fernsehen, mit sich selbst diskutieren, ob überhaupt noch eine Chance bestand.

Was bildete er sich eigentlich ein? Sie war vor allem eine vernünftige Frau. Sie würde zur üblichen Zeit zu Bett gehen und denken, dass er sowieso nicht wie ein annehmbarer Tänzer wirkte. Zu steif, zu professoral.

Er blieb in der Nähe des Telefons und schaute in Zeitschriften, nahm aber nicht ab, als es wieder klingelte.

»Grant. Hier ist Marian. Ich war unten im Keller und hab die Wäsche in den Trockner gesteckt, und dann hörte ich das Telefon, aber bis ich oben war, hatte der, der dran war, schon aufgehängt. Also hab ich gedacht, ich muss sagen, dass ich hier war.

Wenn Sie es waren und wenn Sie zu Hause sind. Weil ich ja keinen Anrufbeantworter habe, also konnten Sie keine Nachricht hinterlassen. Also wollte ich nur einfach Ihnen Bescheid geben.

Tschüs.«

Es war jetzt fünfundzwanzig Minuten nach zehn.

Tschüs.

Er würde sagen, er sei gerade nach Hause gekommen. Es hatte keinen Sinn, ihr auszumalen, wie er hier saß und das Für und Wider abwog.

Draperien. Das wäre Fionas Wort für die blauen Vorhänge – Draperien. Warum auch nicht? Er dachte an die Ingwerkekse, so vollkommen rund, dass sie dazusagen musste, dass sie selbst gebacken waren, an die Keramikkaffeebecher auf ihrem Keramikbaum. Ein Plastikläufer schützte bestimmt den Teppichboden im Flur. Eine Hochglanzgenauigkeit und praktische Ordnung, die seine Mutter nie erreicht hatte, aber bewundert hätte – war das der Grund dafür, dass er diesen Stich absonderlicher und unzuverlässiger Zuneigung spürte? Oder lag es daran, dass er sich nach dem ersten Drink zwei weitere genehmigt hatte?

Die dunkle Bräune – er glaubte jetzt, dass es sich um Sonnenbräune handelte – von Gesicht und Hals setzte sich höchstwahrscheinlich bis in den Spalt zwischen ihren Brüsten fort, der sicher tief, ein wenig ledrig, wohlriechend und warm war. Daran musste er denken, als er die Nummer wählte, die er sich bereits notiert hatte. Daran und an die praktische Sinnlichkeit ihrer Katzenzunge. An ihre Edelsteinaugen.

Fiona war in ihrem Zimmer, lag aber nicht im Bett. Sie saß am offenen Fenster und trug ein der Jahreszeit angemessenes, aber sonderbar kurzes und helles Kleid. Durchs Fenster strömte ein warmer, berauschender Schwall Fliederduft und der Geruch der Frühjahrsdüngung auf den Feldern herein.

In ihrem Schoß lag ein aufgeschlagenes Buch.

Sie sagte: »Sieh mal, was für ein schönes Buch ich gefunden habe, es ist über Island. Man sollte nicht denken, dass sie wertvolle Bücher in den Zimmern herumliegen lassen. Die Leute, die hier übernachten, sind nicht unbedingt ehrlich. Und ich glaube, das Personal hat die Kleider durcheinander gebracht. Ich trage nie Gelb.«

»Fiona ...«, sagte er.

»Du warst lange fort. Hast du denn jetzt alles erledigt? Können wir abreisen?«

»Fiona, ich habe dir eine Überraschung mitgebracht. Erinnerst du dich an Aubrey?«

Sie starrte ihn einen Augenblick an, als peitschte ihr böiger Wind ins Gesicht. Ins Gesicht, in den Kopf, und risse alles in Fetzen.

»Namen entfallen mir«, sagte sie schroff.

Dann ging der Augenblick vorüber, und sie gewann mühsam ein wenig neckischen Charme zurück. Sie legte das Buch behutsam hin, stand auf, hob die Arme und schlang sie um ihn. Ihre Haut oder ihr Atem gaben schwach einen neuen Geruch von sich, einen Geruch, der ihn an die Stängel von Schnittblumen erinnerte, die zu lange im selben Wasser gestanden hatten.

»Ich freue mich, dich zu sehen«, sagte sie und zupfte an seinen Ohrläppchen.

»Du hättest einfach wegfahren können«, sagte sie. »Einfach wegfahren, aller Sorgen ledig, und mich verlassen können.«

Er schmiegte das Gesicht an ihre weißen Haare, ihre rosa Kopfhaut, ihren schön geformten Schädel. Er sagte: Nie und nimmer.

Alice Munro

Die Liebe einer Frau
Drei Erzählungen und ein kurzer Roman
Aus dem Englischen von Heidi Zerning
Band 15708

Der Traum meiner Mutter
Erzählungen
Mit einem Nachwort von Judith Hermann
Aus dem Englischen von Heidi Zerning
Band 16163

Himmel und Hölle
Neun Erzählungen
Aus dem Englischen von Heidi Zerning
S. Fischer 2004

Die Kanadierin Alice Munro ist eine der bedeutendsten Autorinnen der Gegenwartsliteratur. Kaum jemand weiß die Charaktere seiner Figuren auf so knappem Raum so präzise auszuloten, den Leser so geschickt über das scheinbar Alltägliche, Harmlose, Banale hinzuführen – mitten ins Dunkle, Geheimnisvolle der menschlichen Psyche.

Fischer Taschenbuch Verlag

fi 555 065 / 2